THIS IS
GRAMMAR

THIS IS GRAMMAR 고급 1

지은이 넥서스영어교육연구소
펴낸이 임상진
펴낸곳 (주)넥서스

출판신고 1992년 4월 3일 제311-2002-2호 2-22
10880 경기도 파주시 지목로 5
Tel (02)330-5500 Fax (02)330-5555

ISBN 979-11-5752-367-2 54740
　　　979-11-5752-362-7 (SET)

www.nexusEDU.kr

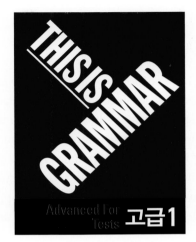

THIS IS GRAMMAR

Advanced For Tests 고급 **1**

넥서스영어교육연구소 지음

NEXUS Edu

Preface

To Teachers and Students,

This brand new edition of *This Is Grammar* contains a wide range of engaging exercises designed to improve students' English grammar skills in the areas of speaking and writing. In Korea, middle and high school students have traditionally learned English grammar through rote memorization. We believe, however, that grammar learning is more effectively realized when explicit explanation is paired with practice. *This Is Grammar*(Updated version) provides Korean students with opportunities to practice using English while learning more about the world around them.

The exercises in the workbooks have been specially redesigned to give students more practice producing the target structures in a wide range of natural contexts. The teacher's guide includes additional grammar explanations and notes, comments on usage, and classroom presentation tips.

In sum, *This Is Grammar* provides teachers in Korea with a comprehensive set of materials to help them teach their students English grammar more effectively and with greater ease. It will help beginner to advanced level students improve their English skills in the areas of speaking and writing. We trust you will enjoy using *This Is Grammar* as a classroom textbook or by itself as a self-study aid.

- *Christopher Douloff*

This Is Grammar 최신개정판은 무조건 외우면서 학습하던 과거의 방법과는 달리, 현실에서 많이 쓰이는 진정성 있는 문장들을 토대로 핵심 문법을 체계적으로 설명하고 있다. 또한, 자연스러운 문맥 안에서 영어의 문장 구조가 습득될 수 있도록 단계별 연습문제와 활동들을 제공하고 있어 초급부터 고급까지의 학습자들이 문법 지식을 바탕으로 말하기와 쓰기 등의 영어 실력을 향상시키는 데 큰 도움을 줄 수 있으리라 기대한다. *This Is Grammar*(최신개정판)가 강의용뿐만 아니라 자습서로서도 훌륭히 그 역할을 해 낼 수 있으리라 믿으며, 학습자들의 영어 실력 향상에 큰 다리 역할을 할 수 있기를 기대한다.

- 집필진 Christopher Douloff, McKathy, Rachel S. L

Series of features
시리즈의 특징

초급 1, 2

기초 문법 강화 + 내신 대비

영어의 기본 구조인 형태(form)와 의미(meaning), 용법(usage) 등을 설명하여 기초적인 문법 지식을 강화할 수 있도록 하였습니다. 다양한 유형의 연습문제를 단계별로 구성하였습니다. 또한, 시험에 자주 등장하는 문법 문제를 Review 및 Review Plus에서 다루고 있어 기본 실력을 강화하고 내신에 대비할 수 있도록 구성하였습니다.

중급 1, 2

문법 요약(Key Point) + 체계적인 문법 설명

Key Point 부분에 도식화·도표화하여 한눈에 보기 쉽게 문법을 요약해 놓았습니다. Key Point 에는 문법의 기본적인 내용을, FOCUS에는 문법의 상세한 설명을 수록해 놓았습니다. 이를 통해 기초 문법부터 심화 문법까지 체계적으로 습득할 수 있습니다. 또한, 문법 오류 확인 문제부터 문장 완성하기와 문장 바꿔 쓰기 등의 다양한 유형의 연습문제들로 문법 지식을 확실히 다질 수 있도록 구성하였습니다.

고급 1, 2

핵심 문법 설명 + 각종 수험 대비

중·고급 영어 학습자들을 대상으로 수능, 텝스, 토플, 토익 등 각종 시험을 완벽하게 대비할 수 있도록 핵심적인 문법 포인트를 분석, 정리하였습니다. 다양하고 진정성 있는 지문들을 통해 풍부한 배경지식을 함께 쌓을 수 있도록 하였습니다. 고급 1권으로는 일목요연하게 정리된 문법으로 수험 완벽 대비를 할 수 있도록 하였고, 그리고 고급 2권으로는 문장 쓰기에서 에세이 쓰기까지의 영작 연습을 통해 기본적인 작문 실력을 향상시킬 수 있도록 구성하였습니다.

Workbook

초급 1, 2, 중급 1, 2, 고급 1 총 5권

별책으로 구성된 Workbook은 원어민이 직접 집필하여 생생한 실생활 영어 표현으로 문장을 구성 하였으며, Unit별 2페이지씩 연습문제를 수록하여 학습한 내용을 다시 한 번 점검하고 확실한 본인의 실력을 쌓을 수 있도록 구성 하였습니다.

Composition and Features
구성과 특징

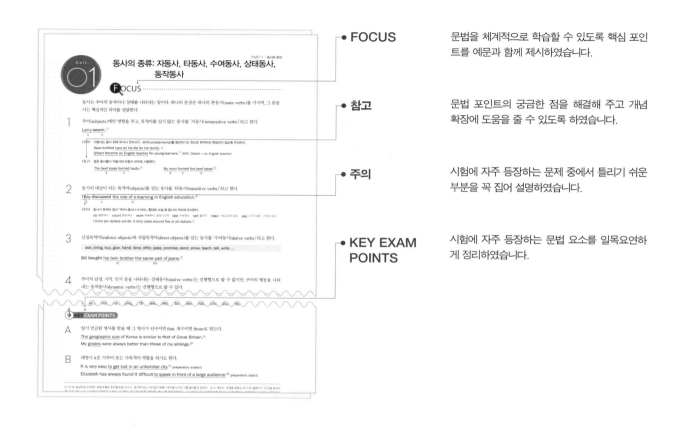

• FOCUS — 문법을 체계적으로 학습할 수 있도록 핵심 포인트를 예문과 함께 제시하였습니다.

• 참고 — 문법 포인트의 궁금한 점을 해결해 주고 개념 확장에 도움을 줄 수 있도록 하였습니다.

• 주의 — 시험에 자주 등장하는 문제 중에서 틀리기 쉬운 부분을 꼭 집어 설명하였습니다.

• KEY EXAM POINTS — 시험에 자주 등장하는 문법 요소를 일목요연하게 정리하였습니다.

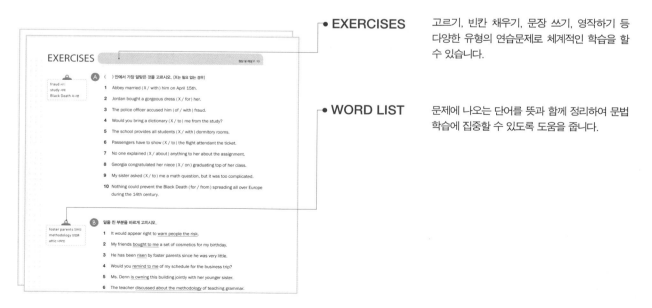

• EXERCISES — 고르기, 빈칸 채우기, 문장 쓰기, 영작하기 등 다양한 유형의 연습문제로 체계적인 학습을 할 수 있습니다.

• WORD LIST — 문제에 나오는 단어를 뜻과 함께 정리하여 문법 학습에 집중할 수 있도록 도움을 줍니다.

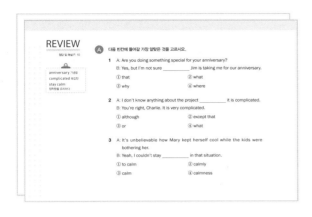

• REVIEW

문장 완성하기, 어색한 대화 찾기, 짧은 글을 읽고 어색한 문장 찾기, 문법 오류 찾기 등을 통해 PART에서 배운 문법을 통합하여 학습할 수 있습니다.

• REVIEW PLUS

장문을 읽고, 어색한 문장 찾기, 문법 오류 찾기 등을 통해 PART에서 배운 문법을 적용하여 응용력을 키울 수 있습니다.

• UNIT EXERCISES

UNIT별로 2페이지에 걸쳐 문장, 대화 등 다양한 유형의 연습문제를 수록하였습니다. 공부한 내용을 제대로 이해하였는지 Workbook을 통해 확인할 수 있습니다.

Contents 차례

PART 1

동사와 문장

동사의 종류: 자동사, 타동사, 수여동사, 상태동사, 동작동사

동사는 주어의 동작이나 상태를 나타내는 말이다. 하나의 문장은 하나의 본동사(main verbs)를 가지며, 본동사는 핵심적인 의미를 전달한다.

1 주어(subjects)에만 영향을 주고, 목적어를 갖지 않는 동사를 '자동사(intransitive verbs)'라고 한다.

Larry **swam**.①
　S　　V

|주의| 자동사는 동사 뒤에 부사나 전치사구, 보어(complements)를 동반하기도 하므로 목적어와 헷갈리지 않도록 주의하자.
　　　Dave **worked** hard all his life for the family. ②
　　　Gilbert **became** an English teacher for young learners.③ (SVC: Gilbert = an English teacher)

|참고| 많은 동사들이 자동사와 타동사로 모두 사용된다.
　　　The beef steak **burned** badly.④　　　My mom **burned** the beef steak.⑤
　　　　　S　　　　　V　　　　　　　　　　　S　　　　V　　　　O

2 동사의 대상이 되는 목적어(objects)를 갖는 동사를 '타동사(transitive verbs)'라고 한다.

They **discussed** the role of e-learning in English education.⑥
　S　　　V　　　　　　O

|주의| 동사가 목적어 없이 「주어＋동사(＋수식어)」 형태로 쓰일 때 동사의 의미에 유의한다.

　　　do 충분하다　　count 중요하다　　work 작동하다, 효과가 있다　　last 지속되다　　sell 팔리다　　pay 수지가 맞다, 이익이 되다

　　　I think ten dollars will **do**. It only costs around five or six dollars.⑦

3 간접목적어(indirect objects)와 직접목적어(direct objects)를 갖는 동사를 '수여동사(dative verbs)'라고 한다.

　　ask, bring, buy, give, hand, lend, offer, pass, promise, send, show, teach, tell, write ...

Bill **bought** his twin brother the same pair of jeans.⑧
　　　　　　　　IO　　　　　　　DO

4 주어의 감정, 지각, 인지 등을 나타내는 상태동사(stative verbs)는 진행형으로 쓸 수 없지만, 주어의 행동을 나타내는 동작동사(dynamic verbs)는 진행형으로 쓸 수 있다.

이해	believe, know, understand ...	소유	belong, possess, own, have ...		
지각	feel, look, see, smell, taste ...	기호	like, dislike, love, hate, prefer ...		
존재	be, exist ...	필요	want, need ...	기타	appear, seem ...

The new sports car **belongs** to my uncle.⑨ (stative verb) (~~is belonging~~)

Teresa **was talking** of her backpacking through Europe.⑩ (dynamic verb)

|주의| 상태동사도 동작을 나타내는 경우, 진행형으로 쓸 수 있다.

　　　appear 출현하다　　look at ~을 쳐다보다　　have 먹다, (시간을) 보내다　　smell 냄새 맡다　　taste 맛보다　　see 만나다

　　　Sarah **is tasting** the soup to see whether it's good or not.⑪

5 목적어 뒤에 전치사구가 오는 타동사는 외워두자.

of	accuse A of B A를 B로 고소[비난]하다 suspect A of B A를 B로 의심하다	remind A of B A에게 B를 생각나게 하다 warn A of B A에게 B에 대해 경고하다[조심시키다]
from	keep A from B A가 B하는 것을 막다 prohibit A from B A가 B하는 것을 막다[법으로 금지하다]	prevent A from B A가 B하는 것을 막다 protect A from B A를 B로부터 보호하다
for	forgive A for B B에 대해 A를 용서하다	thank A for B B에 대해 A에게 감사하다	blame A for B B에 대해 A를 비난하다[나무라다]
on	compliment A on B A에게 B를 칭찬하다	spend A on B B에 A를 쓰다[소비하다]	congratulate A on B A에게 B를 축하하다
with	help A with B A가 B하는 것을 돕다	provide A with B A에게 B를 제공하다 (provide A for B B에게 A를 제공하다)	

Diana **reminds** me **of** my best friend.[12]

The government **provided** the refugees **with** enough food and shelter.[13]

KEY EXAM POINTS

A 동사가 특정한 뜻의 타동사로 쓰일 때, 동사와 목적어 사이에 필요 없는 전치사를 덧붙이지 않도록 주의하자.

marry ~와 결혼하다 (marry with)	attend ~에 다니다, 출석하다 (attend to)	discuss ~에 대해서 논의하다 (discuss about)
answer ~에 답하다 (answer to)	resemble ~와 닮다 (resemble with)	explain ~에 대해서 설명하다 (explain about)
enter ~에 들어가다 (enter into)	approach ~에 다가가다, 접근하다 (approach to)	

My uncle is going to ask his girlfriend to **marry him** on Christmas Day.[14]

The students haven't **answered their teacher** yet.[15]

B provide, present, remind, explain, introduce, suggest, describe, confess, propose 등의 동사가 타동사로 쓰일 때, 수여동사처럼 간접목적어와 직접목적어를 나란히 동반하는 것으로 착각하기 쉬우니 주의하자.

My parents carefully **explained** the long-term financial plan **to us**.[16]

The employer **proposed** a 10% pay raise **for** all the workers.[17]

C 형태를 착각하기 쉬운 자동사와 타동사에 주의하자.

lie	눕다, 놓여 있다 (자동사) lie-lay-lain 거짓말하다 (자동사) lie-lied-lied	lay	놓다 (타동사) lay-laid-laid
rise	오르다, 일어나다 (자동사) rise-rose-risen	raise	올리다, 기르다 (타동사) raise-raised-raised

The children are **lying** in a hammock.[18]

He was suspected to **have lied** to the police.[19]

My aunt carefully **laid** her baby on the bed.[20]

---

① 래리는 수영했다. ② 데이브는 평생 가족을 위해 열심히 일했다. ③ 길버트는 어린 학생들을 가르치는 영어 선생님이 되었다. ④ 그 쇠고기 스테이크는 심하게 탔다. ⑤ 엄마가 쇠고기 스테이크를 태웠다. ⑥ 그들은 영어 교육에서 이러닝의 역할에 대해 논의했다. ⑦ 내 생각에는 10달러면 충분할 거야. 그것은 고작 5에서 6달러 정도 하거든. ⑧ 빌이 자신의 쌍둥이 동생에게 똑같은 청바지를 사 주었다. ⑨ 저 새 스포츠카는 우리 삼촌의 것이다. ⑩ 테레사는 자신의 유럽 배낭여행에 대해 이야기하고 있었다. ⑪ 사라는 수프의 맛이 괜찮은지 보려고 수프를 맛보고 있다. ⑫ 다이애나는 나의 가장 친한 친구를 생각나게 한다. ⑬ 정부는 난민들에게 충분한 음식과 잠자리를 제공해 주었다. ⑭ 나의 삼촌은 크리스마스에 여자 친구에게 청혼할 것이다. ⑮ 학생들은 아직 선생님께 대답을 하지 않았다. ⑯ 부모님이 우리에게 장기적인 재정 계획을 신중하게 설명하셨다. ⑰ 고용주가 모든 직원에게 10퍼센트 임금 인상을 제안했다. ⑱ 아이들이 해먹에 누워 있다. ⑲ 그는 경찰에게 거짓말을 했다는 의심을 받았다. ⑳ 우리 숙모는 아기를 침대 위에 조심스럽게 눕혔다.

EXERCISES

gorgeous 멋진
fraud 사기
dormitory 기숙사
passenger 승객
flight attendant
승무원
assignment 숙제; 할당
graduate 졸업하다
complicated 까다로운
Black Death 흑사병

A ( ) 안에서 가장 알맞은 것을 고르시오. [×는 필요 없는 경우]

1 Would you bring a dictionary (× / to) me?

2 Abbey married (× / with) him on April 15th.

3 Jordan bought a gorgeous dress (× / for) her.

4 The police officer accused him (of / with) fraud.

5 The school provides all students (× / with) dormitory rooms.

6 Passengers have to show (× / to) the flight attendant the ticket.

7 No one explained (× / about) anything to her about the assignment.

8 Georgia congratulated her niece (× / on) graduating at the top of her class.

9 My sister asked (× / to) me a math question, but it was too complicated.

10 Nothing could prevent the Black Death (for / from) spreading all over Europe during the 14th century.

cosmetics 화장품
foster parents 양부모
jointly 공동으로, 함께
methodology 방법론
attic 다락방
search for ~을 찾다
become familiar
with ~에 익숙해지다,
~을 잘 알게 되다

B 문장을 읽고, 밑줄 친 부분을 바르게 고치시오.

1 It is right to <u>warn people the risk</u>.

2 My friends <u>bought to me</u> a set of cosmetics for my birthday.

3 He has been <u>risen</u> by foster parents since he was very little.

4 Would you <u>remind to me</u> of my schedule for the business trip?

5 Ms. Denn <u>is owning</u> this building jointly with her younger sister.

6 The teachers <u>discussed about the methodology</u> of teaching grammar.

7 Please tell me the truth. I was very disappointed when you <u>laid</u> to me.

8 I <u>entered into the attic</u> to search for the baseball bats I used to play with.

9 My older sister didn't lend <u>to me the new dress</u> that she bought for her friend's wedding.

10 The university <u>provides foreign students an opportunity</u> to become familiar with local culture.

10

C 〈보기〉에서 가장 알맞은 것을 골라 문장을 완성하시오. [중복 사용 가능]

보기	for	from	into	of
	on	to	with	✗ (필요 없는 경우)

sunblock 선크림
sunburn
햇볕으로 입은 화상
parcel 소포
turn in ~을 제출하다
be exposed to
~에 노출되다
ultraviolet rays
자외선

1 She reminds me _____ the girl next door.

2 The hotel provides guests _____ a breakfast buffet.

3 I put sunblock on my face to protect it _____ sunburn.

4 The little boy answered _____ his new Korean teacher.

5 The number of travelers entering _____ Korea has increased.

6 His partner blamed him _____ the project being turned in late.

7 You should keep the children _____ being exposed to ultraviolet rays too long.

8 I want you to have this money and spend it _____ something nice for yourself some day.

D 문장을 읽고, 밑줄 친 부분이 **어색하다면** 바르게 고치시오.

rural 시골의
headhunter
스카우트 담당자
offer ~을 제공하다
cherry blossom 벚꽃
run out of
~을 다 써버리다, 동나다
negotiation 협상
come up with
~을 제안하다

1 Jenny is looking at herself in the mirror.

2 My family is preferring the rural life style.

3 The headhunter offered to me a great job.

4 She is thinking about going skiing with him.

5 The company promised us a bonus this year.

6 Her perfume is smelling like cherry blossoms.

7 If you have run out of coffee, a cup of hot tea will do.

8 She will be appearing on a weekly TV show in a week.

9 He blamed everyone the failure of the peace negotiations.

10 The plan you came up with is seeming to be working perfectly.

11 The leader of our group is needing to know our decision by tomorrow.

12 As soon as she entered the room, she knew there was something wrong.

구와 절

FOCUS ···

1 구(phrases)와 절(clauses)은 둘 이상의 단어가 모여 명사, 형용사, 부사의 역할을 하는 것이지만, 구는 주어, 동사를 포함하지 않고, 절은 주어, 동사를 포함한다.

The new Indian restaurant is near here.① (phrase)

The dictionary **on the bookshelf** is my brother's.② (phrase)

Remember to set your watch two hours ahead **because of the time difference**.③ (phrase)

I don't think **that** <u>Jack</u> <u>will like</u> the color of the curtains.④ (clause)

Tuesday is the day when <u>I</u> <u>go</u> to Tahiti with my colleagues.⑤ (clause)

I know nothing about him except **that** <u>he</u> <u>is</u> my classmate.⑥ (clause)

|참고| 동일한 어구라 하더라도 문장에서의 역할에 따라 구의 종류가 달라진다.

<u>The man</u> in the swimming pool looks pale.⑦ (형용사구: 명사 수식)

The teenagers are <u>playing</u> in the swimming pool.⑧ (부사구: 동사 수식)

2 명사구와 명사절은 주어, 목적어, 보어의 역할을 한다.

To learn other languages is not easy.⑨ (subject)

What you need to do is save money for a while.⑩ (subject)

Secretaries' duties include **answering the telephone and preparing for meetings.**⑪ (object)

The applicant didn't know **that there was an age limit.**⑫ (object)

A personal trainer's job is **to help adjust to the trainee's workout program.**⑬ (complement)

Tacos with cheese are **what she likes the best.**⑭ (complement)

|참고| What you need to do ~
The only thing you have to do ~
The first thing you have to do ~   등이 주어로 온 경우, 보어 자리에 동사가 오면 동사원형을 쓴다.
All you have to do ~
<u>What we have to do</u> is **protect nature.**⑮
<u>The only thing I wouldn't do</u> is **betray her.**⑯
<u>All he has to do</u> is **concentrate on his studies.**⑰

3 형용사구와 형용사절은 형용사처럼 명사를 꾸미거나 주어나 목적어의 상태를 설명하는 역할을 한다.

<u>The man</u> **playing football in the stadium** is my friend.⑱

That is <u>the encyclopedia</u> **which my uncle sent me from America.**⑲

<u>She</u>'s usually **in a good mood.**⑳

4 부사구와 부사절은 형용사, 동사, 부사, 문장 전체를 수식하고, 시간, 조건, 이유, 방법, 목적, 결과, 정도, 양보 등을 의미한다.

It was too late to catch the first train to Seoul.[21]

My family went camping last summer.[22]

The exam results were announced later than I expected.[23]

To tell the truth, I'd like to leave here immediately.[24]

When you have time, feel free to stop by.[25]

It is a very small town, although it is one of the most popular with travelers.[26]

🔑 KEY EXAM POINTS

A 한 문장에 절이 두 개 이상 있을 때는 이 둘을 연결하는 연결어(connectives)가 필요하다. 연결어에는 접속사 (conjunctions)와 관계사(relatives)가 있다.

〈접속사〉 and, but, or, so, for, if, although, that …

〈관계사〉 who(m), which, whose, what, that, where, when, why …

It was a cold, wet day, **and** Ms. Bolton's children were bored.[27]

I thought the film extremely frightening, **but** my friend didn't.[28]

That is the man **whom** Kate was talking about.[29]

What he says doesn't make any sense to me.[30]

---

① 새로 생긴 그 인도 식당은 여기서 가깝다. ② 책장에 있는 사전은 우리 형의 것이다. ③ 시차가 있으니까 시계를 두 시간 앞으로 맞추는 것을 기억해라. ④ 내 생각에 잭이 그 커튼의 색깔을 좋아할 것 같지 않아. ⑤ 화요일은 내가 동료들과 함께 타히티에 가는 날이야. ⑥ 나는 그가 우리 반이라는 것 외에는 그에 대해 아는 것이 없어. ⑦ 수영장 안에 있는 그 남자는 창백해 보인다. ⑧ 10대들이 수영장에서 놀고 있다. ⑨ 다른 언어를 배우는 것은 쉬운 것이 아니다. ⑩ 네가 해야 할 일은 당분간 돈을 모으는 것이다. ⑪ 비서의 의무에는 전화를 받고 회의를 준비 하는 것이 포함되어 있습니다. ⑫ 그 지원자는 나이 제한이 있는지 몰랐다. ⑬ 개인 트레이너의 일은 훈련받는 사람이 운동 프로그램에 적응하도록 돕는 것이다. ⑭ 치즈를 넣은 타코는 그녀가 가장 좋아하는 음식이다. ⑮ 우리가 해야 할 일은 자연을 보호하는 것이다. ⑯ 나는 그녀를 배신하는 일만큼은 하지 않을 것이다. ⑰ 그는 그저 공부하는 것에 집중하기만 하면 된다. ⑱ 경기장에서 미식축구를 하는 남자는 내 친구이다. ⑲ 저것이 우리 삼촌이 미국에서 내게 보내주신 바로 그 백과사전이다. ⑳ 그녀는 평상시에는 기분이 좋다. ㉑ 서울로 가는 첫 기차를 타기에는 너무 늦었다. ㉒ 우리 가족은 작년 여름에 캠핑을 갔다. ㉓ 시험 결과가 예상보다 늦게 발표되었다. ㉔ 사실, 나는 이곳을 당장 떠나고 싶다. ㉕ 네가 시간이 있을 때, 마음대로 들르도록 해. ㉖ 이곳은 여행객들에게 가장 인기 있는 곳 중 하나지만 아주 작은 마을이다. ㉗ 춥고 습한 날이었고, 볼튼 씨네 아이들은 지루했다. ㉘ 나는 그 영화가 굉장히 무섭다고 생각했지만 내 친구는 그렇지 않았다. ㉙ 저 사람이 케이트가 말했던 그 남자야. ㉚ 나는 그의 말 이 전혀 이해가 가지 않는다.

EXERCISES

A 밑줄 친 부분이 구와 절 중 무엇인지 밝히고, 명사, 형용사, 부사 중 어떤 역할을 하는지 쓰시오.

martial art 무술
trim 장식
private jet 전용기

1 To learn martial arts can be fun. _____

2 Look at the pictures in the blue frame. _____

3 If she comes here, I will explain the situation. _____

4 I think that she is the smartest person in my class. _____

5 My younger sister wants to study abroad next year. _____

6 The white house with blue trim is where I want to live. _____

7 I had nothing to drink when I finished exercising. _____

8 The person who you were talking to looked a lot like my father. _____

9 The president always travels by private jet when he travels abroad. _____

10 We took a shower and changed our clothes before we went to school. _____

B 〈보기〉에서 가장 알맞은 것을 골라 문장을 완성하시오.

volleyball 배구
grilled 구운
emigrate 이민 가다
intersection
교차로, 사거리

| 보기 | although when and if or that what where |

1 Leave earlier _____ you will be late.

2 I asked her _____ she could play volleyball.

3 Grilled steaks with baked potatoes were _____ he liked the best.

4 _____ she is the shortest on the team, she is one of the best players.

5 Jessica will never forget the day _____ she and her family emigrated to the USA.

6 She knows nothing about the music except _____ it was written in the 1950s.

7 Do you remember the restaurant _____ we went to dinner on your twentieth's birthday?

8 Go straight one block, then turn left at the intersection, _____ you will see the gym on your left.

14

C 밑줄 친 부분이 수식하는 말을 찾아 쓰시오.

1 The woman <u>entering the building</u> is my grandmother.

2 It is too early <u>to give up pushing forward with your plan</u>.

3 Some of my classmates came to school later <u>than usual</u>.

4 <u>Unfortunately</u>, my friend failed the entrance exam last year.

5 The church <u>we used to go to every Sunday</u> had a long history.

6 There are so many <u>exciting</u> things to do in Hong Kong, so you'll never be bored.

push forward 추진하다
unfortunately
안타깝게도
entrance exam
입학시험

D 〈보기〉에서 알맞은 것을 골라 문장을 완성하시오.

[1-4]

보기
in advance
in alphabetical order to get an interview
he'll have to move his car
at the graduation ceremony

1 Each candidate's name was called _____.

2 I'm afraid _____. This is a No-Parking Zone.

3 Who presented the students with their certificates _____?

4 The company should have warned the new employees about the danger _____. Many of them were injured while working on the machine.

in advance 미리, 사전에
alphabetical
알파벳순의
candidate 지원자
present ~을 주다; 현재의
certificate 학위, 증서
work on ~을 다루다
check-up 건강 검진
interest 관심

[5-8]

보기
whether there was a swimming pool at the hotel
in the shop
to make an appointment for a check-up
as soon as possible

5 I'll get this radio fixed _____.

6 Max called the hospital _____.

7 They asked the travel agent _____.

8 Everyone _____ showed interest in the new line of clothing.

문형

FOCUS

1   주어, 동사만으로 이루어진 문장과 주어, 동사 외에 반드시 수식어가 와야 하는 문장이 있다.

> 주어 + 동사(+ 수식어)

The bus will arrive in a short while.①

> 주어 + be동사 + 수식어

The real estate agency is <u>below the fitness center.</u>②

2   주어, 동사, 보어로 이루어진 문장이 있고, 보어 자리에는 명사나 형용사가 온다. 주어와 보어를 연결하는 동사를 '연결동사(linking verbs)'라고 하고, 연결동사에는 다음과 같은 것들이 있다.

감각	sound, feel, taste, smell, look ...
존재	be, become, grow, remain, appear, stay, seem, turn ...

> 주어 + 동사 + 보어(+ 수식어)

Today's airports have **become** <u>gateways</u> to cities throughout the world.③

The new movie **sounds** extremely <u>interesting.</u>④

She **seems** <u>positive</u> about passing the exam.⑤

|주의| 의미에 따라 연결동사와 타동사로 둘 다 쓰이는 동사가 있다.
     As we approached the car, the driver **sounded** <u>the horn.</u>⑥
     You can **grow** <u>some tomatoes</u> on your balcony.⑦

3   주어, 동사, 목적어로 이루어진 문장이 있다. 목적어 자리에는 명사, 명사구, 명사절 등이 올 수 있다.

> 주어 + 동사 + 목적어(+ 수식어)

My mother **bought** <u>some clothes</u> at the department store.⑧

My family **wants** <u>to move to Seoul.</u>⑨

The professor **emphasized** <u>that all assignments must be turned in on time.</u>⑩

4   주어, 동사, 간접목적어(indirect objects), 직접목적어(direct objects)로 이루어진 문장이 있다.

> 주어 + 동사 + 간접목적어 + 직접목적어

My older brother **owes** <u>me</u> <u>three hundred dollars.</u>⑪
                   IO   DO

The seniors **teach** <u>freshmen</u> <u>how to deal with obstacles.</u>⑫
              IO   DO

5   주어, 동사, 목적어, 목적격보어로 이루어진 문장이 있다. 목적격보어 자리에는 명사, 형용사, to부정사, 동사원형 등이 올 수 있다.

목적격보어로 〈명사〉를 취하는 동사	name, call, elect, make …
목적격보어로 〈형용사, 분사〉를 취하는 동사	keep, make, find, leave …
목적격보어로 〈to부정사〉를 취하는 동사	want, tell, ask, get, allow, *help, advise, warn, order … *help는 목적격보어로 동사원형도 취한다.
목적격보어로 〈동사원형〉을 취하는 동사	사역동사: make, have, let 지각동사: see, hear, feel, watch …

주어 + 동사 + 목적어 + 목적격보어

My mother likes Vincent van Gogh, so she **named** <u>me</u> <u>Vincent</u>.⑬

My acceptance at Princeton University **made** <u>my family</u> <u>delighted</u>.⑭

Korean national parks **won't allow** <u>people</u> <u>to cook</u> in the mountains.⑮

Swimming **lets** <u>people</u> <u>maintain</u> their fitness and health.⑯

 KEY EXAM POINTS

A   「S+V+IO+DO」의 문형은 「S+V+DO+전치사(for/to)+IO」의 문형으로 바꿔 쓸 수 있다.

「DO+to+IO」 구조를 이루는 동사   bring, give, offer, send, show, teach, tell, write …

My co-worker **gave** me some aspirin.⑰

→ My co-worker **gave** some aspirin **to** me.

「DO+for+IO」 구조를 이루는 동사   build, buy, cook, get, make, order …

A head chef **cooked** regular patrons wonderful Mexican dishes.⑱

→ A head chef **cooked** wonderful Mexican dishes **for** regular patrons.

---

① 잠시 후에 버스가 올 것이다. ② 부동산 중개소가 헬스클럽 아래에 있다. ③ 오늘날의 공항은 전 세계 도시로 가는 관문이 되고 있다. ④ 새로 나온 영화는 정말 재미있을 것 같다. ⑤ 그녀는 시험에 합격할 수 있다고 자신하는 것 같다. ⑥ 우리가 그 차에 다가가자 운전자가 경적을 울렸다. ⑦ 당신은 발코니에서 토마토를 기를 수 있어요. ⑧ 우리 어머니가 백화점에서 옷을 몇 벌 샀다. ⑨ 우리 가족은 서울로 이사하기를 원한다. ⑩ 교수는 모든 과제가 정시에 제출되어야 한다고 강조했다. ⑪ 우리 형은 나에게 3백 달러를 빚졌다. ⑫ 졸업반 학생들이 1학년 학생들에게 역경에 대처하는 방법을 가르쳐 준다. ⑬ 우리 어머니는 빈센트 반 고흐를 좋아해서 나를 '빈센트'라고 이름 지었다. ⑭ 내가 프린스턴 대학의 입학 허가를 받아서 우리 가족들이 아주 기뻐했다. ⑮ 한국의 국립 공원은 산에서 취사 행위를 허락하지 않을 것이다. ⑯ 수영은 사람들이 체력을 단련하고 건강을 유지하도록 해준다. ⑰ 내 동료가 내게 아스피린 몇 알을 주었다. ⑱ 수석 주방장이 단골손님들에게 아주 멋진 멕시코 음식을 요리해 주었다.

EXERCISES

martial art 무술
outfit 의상
gorgeous 멋진
agree with
~의 의견에 동의하다
anonymous 익명의
all through
내내, ~동안 줄곧
discovery 발견
radium 라듐
uranium 우라늄

A 〈보기〉와 같이 밑줄 친 부분을 S(subjects), V(verbs), SC(subject complements), OC(object complements), O(objects), IO(indirect objects), DO(direct objects)로 표시하시오.

> **보기** His father made him a martial art expert.
>   S   V   O   OC

1 The beef soup smells wonderful.

2 Her aunt made her a doll to play with.

3 My teacher's new outfit looks gorgeous.

4 Lucy bought me a cup of coffee and a donut.

5 Most of the students agree with your opinion.

6 Her parents made her an international lawyer.

7 That grocery store always sells people fresh food.

8 Most netizens prefer to remain anonymous online.

9 The government has built lots of libraries for the people.

10 These organic apples taste different from nonorganic ones.

11 The noise from outside keeps me awake all through the night.

12 They will see the freshmen at the welcoming party next Monday.

B ( ) 안에서 가장 알맞은 것을 고르시오.

1 My classmates found her (amuse / amusing).

2 They remain (calm / calmly) in financial turmoil.

3 The lawyer proved that Sally is not (guilt / guilty).

4 He is (terrible / terribly) itchy because of atopic dermatitis.

5 She heard her classmate Tim (sing / to sing) in the classroom.

6 My brother appears (positive / positively) about winning the game.

7 She feels (loneliness / lonely) on holidays when she is at home.

8 He saw a stranger (entering / to enter) his neighbor's house last night.

9 The faculty's plan for the new student union sounds (good / well).

10 The dormitory supervisor won't allow students (bring / to bring) friends into the dormitory.

11 Using the air conditioner makes me (comfortable / comfortably) when it is really hot and humid.

12 His mother had him (study / to study) Chinese for two hours every day before he went to China.

financial turmoil
금융 위기
prove ~을 입증하다
itchy 가려움
atopic dermatitis
아토피 피부염
faculty 교직원
supervisor 사감, 관리자
allow ~을 허락하다

C 〈보기〉와 같이 알맞은 전치사를 이용하여 문장을 바꿔 쓰시오.

| 보기 | Sophia taught me English grammar. |
| → | Sophia taught English grammar to me. |

1 Amanda bought me a brand-new computer.
→ _____

2 The curator showed us Picasso's early works.
→ _____

3 The company offered her a very good job.
→ _____

4 Leon made his daughter a miniature doll's house.
→ _____

5 Volunteers gave the visually challenged some Braille books.
→ _____

curator 책임자, 관장
visually challenged
시각적으로 장애가 있는
Braille [breil]
점자, 점자법

REVIEW

정답 및 해설 P. 3

anniversary 기념일
complicated 복잡한
unbelievable
믿을 수 없는
bother ~을 귀찮게 하다

A 다음 빈칸에 들어갈 가장 알맞은 것을 고르시오.

1 A: Are you doing something special for your anniversary?

B: Yes, but I'm not sure _____ Jim is taking me for our anniversary.

① that   ② what
③ why   ④ where

2 A: I don't know anything about the project _____ it is complicated.

B: You're right, Charlie. It is very complicated.

① although   ② except that
③ or   ④ what

3 A: It's unbelievable how Mary kept herself cool while the kids were bothering her.

B: Yeah, I couldn't stay _____ in that situation.

① to calm   ② calmly
③ calm   ④ calmness

shy 부끄러운
freckle 주근깨
get rid of ~을 없애다
refer ~ to (도움 등을 받을
수 있도록) ~을 …에게 보내다
skin specialist
피부과 전문의
be fond of ~을 좋아하다
stomach 배

B 다음 대화를 읽고, 어법상 어색한 문장을 고르시오.

1 ① A: I feel shy because the freckles on my face.

② B: It's no big deal. I have some, too.

③ A: But I don't like them. How can I get rid of them?

④ B: Do you know Dr. Jenkins? He can refer you to a skin specialist.

2 ① A: Tell me what you think of my cooking.

② B: Most of the time, I enjoy your food a lot; however, I'm not fond of this fish soup.

③ A: Really? What didn't you like about it?

④ B: Actually, seafood makes me sickness to my stomach.

3 ① A: I'm full because Lisa brought me pecan pie and coffee.

② B: That's not fair. Lisa didn't bring me anything. It seems that she likes you more.

③ A: Lisa and I have been best friends since the first grade.

④ B: Yeah. I'm knowing that, but I can still hope, can't I?

20

C 다음을 읽고, 바르지 <u>않은</u> 문장을 고르시오.

1

① Blue crabs preserved in soy sauce are such a Korean delicacy that even royalty would rather use their fingers instead of using utensils to get the juicy flesh. ② The cook in this restaurant prepares the dish for the guests by selecting only fresh female crabs packed with eggs. ③ According to the cook, since the raw crabs are preserved in sauce for several days, it is very important to get rid of the fishy smell. ④ So they season the crabs with pickled fish and ginger, which makes the meat to taste fresher.

blue crab 꽃게, 바닷게
preserve
저장하다, 보존하다; 보호하다
soy sauce 간장
delicacy
별미; 여림, 연약함
royalty 왕족(들); 인세
utensil
(가정에서 사용하는) 도구
packed with
~로 가득한
season ~으로 양념하다
pickled 간물(식초)에 절인
ginger 생강

2

① The weather agency suggests that people remain indoors if possible, due to the severity of the yellow dust. ② Furthermore, it is suggested that they wear masks when going outside. ③ This year's yellow dust is expected to be more severe than in previous years, because of drier than usual conditions in the Gobi Desert, when the dust originates. ④ People should check for changes in the yellow dust warnings daily as the condition of the yellow dust level tends to fluctuate.

weather agency
기상청
severity 혹독; 엄격
yellow dust 황사
furthermore 더욱이
expect ~을 예상하다
severe 심각한
previous 이전의, 앞선
originate 비롯되다
warning 경고
fluctuate
계속 변화하다, 동요하다

3

① Many different cultural events will hold in Seoul Plaza as well as other small stages around Seoul. ② From May to October, people can enjoy concerts and live jazz performances on the banks of the Hangang near Banpo every Saturday night. ③ Diverse performances will be ongoing each Saturday afternoon in Dongdaemun Market. ④ And during the week, street artists will dance and do other performing arts daily.

bank 둑, 제방
diverse 다양한
ongoing 계속 진행 중인

REVIEW PLUS

정답 및 해설 P. 4

affect ~에 영향을 미치다
personality 성격
account for 설명하다
aggressive
대단히 적극적인; 공격적인
passive 수동적인
temperament 기질
overbearing 고압적인
thus 그래서
in other words
바꾸어 말하면
define ~라고 정의하다
mature 성인이 되다;
(치즈 등이) 숙성하다
adulthood 성인(기)
insignificant 무의미한

A 다음 (A), (B), (C)에 들어갈 말이 바르게 짝지어진 것을 고르시오. [기출 응용]

Many social scientists have believed for some time (A) (that / what) birth order directly affects both personality and achievement in adult life. In fact, people have been using birth order to account for personality factors such as an aggressive behavior or a passive temperament. One might say, "Oh, I'm the eldest of three sisters, so I can't help that I'm so overbearing," or "I'm not very successful in business, because I'm the youngest child and thus less (B) (aggressively / aggressive) than my older brothers and sisters." Recent studies, however, have proved this belief to be false. In other words, birth order may define your role within a family, but as you mature into adulthood, (C) (accepted / accepting) other social roles, birth order becomes insignificant.

	(A)		(B)		(C)
①	that	⋯	aggressively	⋯	accepting
②	that	⋯	aggressive	⋯	accepting
③	that	⋯	aggressive	⋯	accepted
④	what	⋯	aggressive	⋯	accepted
⑤	what	⋯	aggressively	⋯	accepted

award 수여하다
purchase 구입하다
keep in mind 명심하다
register 등록하다
transaction 거래

B 다음 글의 밑줄 친 부분 중, 바르지 않은 것을 고르시오. [기출 응용]

From this page, you will be able to leave feedback for products you ① <u>bought for</u> other uBay members. Remember, uBay only awards feedback points for items ② <u>purchased</u> within 90 days. If it is greater than 90 days, you will not be able to leave feedback on this page. Please keep in mind that the uBay feedback system does not allow you ③ <u>to leave</u> feedback for someone who is not registered as a uBay member. If you need to leave feedback for a transaction that ④ <u>is</u> more than 90 days, you may do so ⑤ <u>used</u> the "single transaction form" link located on the *Post Leave Feedback (PLF)* page. However, uBay does not award points for the feedback on the PLF page.

PART 2

시제와 태

단순 시제

FOCUS

1   현재 시제(simple present)는 현재의 상태, 변하지 않는 진리나 일반적인 사실, 반복적인 행동이나 습관, 시간표 등에 의해 확정된 미래의 일에 쓴다. 시간·조건의 부사절에서는 미래 시제 대신에 현재 시제를 쓴다.

London **is** a huge city that **has** many bridges.① (fact)

At night, I **feel** tired because I **cycle** to and from school every day.② (everyday activity)

The plane **departs** at 10 <u>tonight</u> and **arrives** at 7 <u>tomorrow morning</u>.③ (future)

<u>After</u> I **finish** this article, I'll start working on an article on environmental issues.④ (adverbial clause)

Ⅰ참고Ⅰ   say, hear, learn, forget, understand 등과 같은 동사는 현재완료 시제 대신에 현재 시제를 사용하기도 한다.
> I **hear** you're going to transfer to another school.⑤
> We **understand** why she didn't buy it.⑥

2   과거 시제(simple past)는 과거에 이미 끝난 동작이나 상태, 과거의 습관, 역사적 사실에 쓴다. 또는 과거완료를 대신해서 쓰기도 한다.

I **went** to the park yesterday.⑦

When I **was** a child, I **ate** candy every day.⑧

The Second World War **lasted** for five years and **ended** in 1945.⑨

My father **got** home after my birthday party **was** [had been] over.⑩

Ⅰ참고Ⅰ   시제는 과거형이지만 현재와 반대되거나 불가능한 상황을 가정하거나 가능성이 낮은 미래를 가정해 보는 의미로 쓰일 수 있다.
> If I **were** you, I would study very hard.⑪
> If I **won** the lottery, I would buy a big yacht.⑫

3   미래 시제(simple future)는 시간적으로 단순하게 미래 일을 언급할 때, 미래의 일을 예측하거나 계획, 일정 등을 나타낼 때 쓴다.

My little sister **will be** eight next year.⑬

She's **going to have** a baby this summer.⑭

4   미래 시제를 나타내는 will과 be going to의 차이를 알아두자. 화자의 의지나 고집에 의한 순간적 결정에는 will을, 근거가 있거나 미리 계획된 일정에는 be going to를 쓴다.

A: Oh, no! I forgot to tell David the time of the meeting.

B: Don't worry. I'll **call** him. What time does the meeting start?⑮

A: I'm **going to go** to English camp this summer with my friend. Susie, **will** you join us?

B: Sure. That sounds interesting.⑯

A 동사의 시제는 시간을 나타내는 부사(구)와 일치시켜야 한다.

I **play** tennis <u>once a week</u>.⑰

Our vacation **ended** <u>last week</u>.⑱

During his visit to Seoul <u>tomorrow</u>, the minister **will discuss** issues of mutual interest.⑲

B 시간, 조건을 나타내는 부사절에서는 미래 시제 대신에 현재 시제를 써야 한다.

When the rain **stops**, I'll drive you home.⑳

Before you **have** the main course, an appetizer will be served.㉑

If the sun **shines** tomorrow, we'll go on a picnic.㉒

Unless you **complete** your homework regularly, you won't pass the exam.㉓

|주의| if가 '만약 ~라면'이라는 조건(부사절)의 뜻이 아닌 '~인지 아닌지'라는 뜻으로 쓰인 경우(명사절), 미래 시제 will을 쓸 수 있다.
We can't predict if there'll be enough snow for skiing.㉔
I'm not sure if my sister will go to the library tomorrow.㉕

C 미래 시제를 나타내는 표현에는 be to, be about to, be supposed to, be scheduled to, be due to 등이 있다.

Jessica **is to** skate in Japan.㉖

Hurry up! The movie **is about to** begin.㉗

Where is our teacher? He's **supposed to** be at school by 8 a.m.㉘

The train **is scheduled to** arrive at 6 p.m.㉙

My boyfriend **is due to** host the wedding ceremony.㉚

① 런던은 다리가 많이 놓인 거대 도시이다. ② 나는 매일 자전거로 등하교하기 때문에 밤이면 피곤하다. ③ 그 비행기는 오늘 밤 열 시에 출발하여 내일 아침 일곱 시에 도착한다. ④ 나는 이 기사를 끝내고 환경 문제에 대한 기사를 쓰기 시작할 것이다. ⑤ 나는 네가 다른 학교로 전학 간다는 얘기를 들었어. ⑥ 우리는 그녀가 왜 그것을 사지 않았는지 이해한다. ⑦ 나는 어제 공원에 갔다. ⑧ 나는 어렸을 때 매일 사탕을 먹었다. ⑨ 제2차 세계대전은 5년간 지속되었으며 1945년에 종전되었다. ⑩ 우리 아빠는 내 생일파티가 끝나고 나서 집에 왔다. ⑪ 내가 너라면 정말 열심히 공부할 텐데. ⑫ 내가 복권에 당첨된다면 큰 요트를 살 텐데. ⑬ 내 여동생은 내년에 여덟 살이 될 것이다. ⑭ 그녀는 이번 여름에 출산할 예정이다. ⑮ A: 오, 이런! 데이비드에게 회의 시간을 말해 주는 것을 잊어버렸어. B: 걱정하지 마. 내가 그에게 전화할게. 회의가 몇 시에 시작하니? ⑯ A: 나는 이번 여름에 친구와 영어 캠프에 갈 거야. 수지야, 너도 우리랑 같이 갈래? B: 그래. 재미있을 것 같아. ⑰ 나는 일주일에 한 번 테니스를 친다. ⑱ 우리의 방학이 지난주에 끝났다. ⑲ 내일 서울을 방문하는 동안 장관은 상호 관심사에 대해 논의할 것이다. ⑳ 비가 그치면 내가 너를 집에 태워다 줄게. ㉑ 당신이 주요 리를 먹기 전에 전체 요리가 제공될 것입니다. ㉒ 우리는 내일 해가 나면 소풍을 갈 것이다. ㉓ 숙제를 규칙적으로 하지 않으면 너는 시험에 통과하지 못할 것이다. ㉔ 우리는 스키를 탈 수 있을 만큼 충분히 눈이 올지 예측할 수 없다. ㉕ 나는 내 여동생이 내일 도서관에 갈지 안 갈지 잘 모르겠다. ㉖ 제시카는 일본에서 스케이트 경기를 할 예정이다. ㉗ 서둘러! 영화가 곧 시작할 거야. ㉘ 우리 선생님은 어디 계시니? 아침 여덟 시까지 학교에 오시기로 하셨는데. ㉙ 기차는 오후 여섯 시에 도착할 예정이다. ㉚ 내 남자친구가 결혼식 사회를 맡기로 되어 있다.

EXERCISES

attend ~에 참석하다

substitute teacher
임시 교사

take place
열리다, 개최되다

pull over
차를 길 한쪽에 세우다

brand-new
신제품의, 신형의

A ( ) 안에서 가장 알맞은 것을 고르시오.

1 I wonder if Robin (attends / will attend) next month's conference.

2 Winter in Korea (was / is) very cold and (had / has) a lot of snow.

3 Last week, she (told / tells) her students to be nice to the substitute teacher.

4 This zoo (had / has) at least one special event that takes place every Saturday.

5 When it (starts / will start) to snow, I'll pull my car over and wait until it (stops / will stop).

6 After she found out about the problem, she (spent / spends) over five hours discussing the matter.

7 The last bus (left / leaves) twenty minutes ago. According to the timetable, the next one (left / leaves) in ten minutes.

8 I wanted to have a brand-new bicycle, so I've saved money for it. Finally, I (am going to buy / will buy) a new one this Saturday.

make up one's mind
결심하다

accept ~을 받아들이다

turn down 거절하다

rush hour
러시아워, 혼잡한 시간

B 주어진 동사를 과거, 현재, 미래(will) 중 가장 알맞은 것으로 바꿔 대화를 완성하시오.

1 A: What _____ you _____ (do) last weekend?
B: Oh, nothing much. I _____ (watch) TV and _____ (play) computer games.

2 A: Have you made up your mind whether or not you _____ (accept) the job offer?
B: Yes, I have. I'm going to turn it down. It's not what I had expected.

3 A: I usually _____ (get up) at 6 a.m. and _____ (have) breakfast at 7 a.m.
B: That's early! I usually _____ (get up) at 8:30 a.m., and I don't eat breakfast.

4 A: I don't like waiting! The bus _____ (be) supposed to be here ten minutes ago.
B: Yeah, but there _____ (be) usually heavy traffic around this time. It _____ (be) rush hour.

26

C 〈보기〉에서 동사를 골라 과거, 현재, 미래(will) 중 가장 알맞은 것으로 바꿔 문장을 완성하시오.

보기   wear   run   create   play   clean   expand   stay   sleep

1 I'll help you with your homework if you _____ your room.

2 King Sejong the Great _____ *Hangeul*, the Korean writing system.

3 The Korean soccer team _____ against Italy in Rome tomorrow.

4 Kittens generally _____ for most of the day in the first six months.

5 Tonight, I _____ home when my parents go to meet their friends.

6 In the past, only girls _____ pink clothing, but these days boys do, too.

7 The railroad tracks have spaces between them because when heated, metal _____.

8 The Mississippi River _____ from a small stream in northern Minnesota to the Gulf of Mexico.

generally 일반적으로
heat 가열하다
expand 확장하다
stream 강, 시내
gulf 만

D 주어진 동사를 과거, 현재, 미래(will) 중 가장 알맞은 것으로 바꿔 글을 완성하시오.

1 The new semester will start on March 1st. I am so excited because I _____ (see) all my friends from last year. From this semester, I _____ (cycle) to school every day because my mom says it is good for my health. Tomorrow I _____ (get) my bicycle from the repair shop. I wonder how much it _____ (cost).

2 I _____ (go) to Guam last month. There _____ (be) a delay at the airport. Our flight _____ (be) scheduled to leave at 11 a.m., but we only _____ (depart) at 4 p.m. When I arrived in Guam, I was tired because of the long wait at the airport. However, when I _____ (see) the blue water, I _____ (be) excited and _____ (go) swimming right away.

3 I am the first Korean figure skater to win a medal at any figure skating championship. I _____ (be) one of the most recognized athletes in Korea and the world. Now I _____ (hold) the world record in all women's programs under the international skating judging system. I _____ (be) currently ranked third in the world and _____ (live) in Toronto, Canada where I train.

semester 학기
cycle 자전거를 타다
cost (비용이) 들다
delay 연착, 지연
be scheduled to
~할 예정이다
recognized
인정받는, 인정된, 알려진
hold the world
record
세계 신기록을 보유하다
rank 차지하다

진행 시제

FOCUS ···

1 현재진행(present progressive)은 말하는 시점에 진행 중인 동작, 현재를 포함하여 일정 기간 계속되는 일, 이미 정해져 있는 일정에 쓴다.

Don't turn on the music. My mother **is sleeping**.① (진행 중인 동작)

Many businesses **are losing** money these days because of the economic recession.② (일정 기간 지속되는 일)

I'm **flying** to London tomorrow for business.③ (정해진 일정)

| 참고 | 「be always -ing」는 습관적으로 반복되는 일에 사용하며, 불평의 의미가 포함된다.
　　　Ted needs some exercise. He's **always playing** a computer game.④

2 일반적으로 감정, 소유, 지각, 인지 등의 상태를 나타내는 동사는 진행형으로 쓰지 않지만, have, look, think, want, taste 등의 동사가 동작을 나타내면 진행형으로 쓸 수 있다.

My uncle **has** an apartment downtown.⑤ (상태)

Melanie **was having** a good time.⑥ (동작)

3 과거진행(past progressive)은 과거의 어느 한 시점에서 진행되고 있는 동작을 나타낼 때 쓴다. 과거진행이 과거 시제와 함께 쓰이면 먼저 시작된 일에 과거진행을 쓴다.

Junsoo **was walking** the dog while his sister **was cleaning** the kitchen.⑦

He **was swimming** side by side with Jensen as they <u>headed</u> into the final ten meters.⑧

4 미래진행(future progressive)은 미래의 특정 시점에서 진행될 일이나 이미 계획된 일을 나타낼 때 쓴다. 이미 계획된 일을 나타내는 미래진행은 현재진행으로 바꿔 쓸 수 있다.

I'll **be having** a guest from my hometown this weekend.⑨

I **will be attending** my son's wedding in Sydney next Friday. ⑩
(→ I'm attending my son's wedding in Sydney next Friday.)

🔑 KEY EXAM POINTS

A 시간(time)과 시제(tense)는 일치하지 않을 수 있다.

When the exam **is** over, I'll be relieved.⑪ (time: future) (tense: present)

I'm **having** lunch with Dasom tomorrow.⑫ (time: future) (tense: present progressive)

---

① 음악을 틀지 마. 우리 어머니께서 주무시고 계셔. ② 최근 많은 사업체가 불경기 때문에 자산을 잃어가고 있다. ③ 나는 내일 비행기를 타고 런던에 출장을 갈 거예요. ④ 테드는 운동을 좀 해야 해. 그는 항상 컴퓨터 게임을 해. ⑤ 우리 삼촌은 시내에 아파트 한 채를 소유하고 있다. ⑥ 멜라니는 좋은 시간을 보내고 있었다. ⑦ 준수는 여동생이 부엌을 청소하는 동안 강아지를 산책시키고 있었다. ⑧ 그는 마지막 10미터를 남겨두고 젠슨과 나란히 헤엄치고 있었다. ⑨ 이번 주말에 고향에서 손님이 올 거예요. ⑩ 난 다음 주 금요일 시드니에서 아들의 결혼식에 참석하고 있을 거예요. ⑪ 나는 이번 시험이 끝나면, 한시름 놓을 것이다. ⑫ 나는 내일 다솜이와 점심을 먹을 것이다.

EXERCISES

정답 및 해설 P. 5

A 주어진 동사를 현재나 현재진행 중 가장 알맞은 것으로 바꿔 문장을 완성하시오.

migrate 이주하다
trustworthy
신뢰할 수 있는
stew 스튜 (요리)
serve ~을 대접하다

1 Birds _____ (migrate) to the south in winter.

2 Be quiet! The students _____ (take) an exam now.

3 I _____ (think) Brandon is trustworthy and honest.

4 Now, the chef _____ (taste) the stew to see if it is good enough to be served.

5 Sue wanted to speak other languages, so now she _____ (think of) learning French and Spanish.

B 주어진 동사를 먼저 시작된 일은 과거진행으로, 나중에 일어난 일은 과거로 바꿔 문장을 완성하시오.

throw A at B
A를 B에게 던지다
garbage 쓰레기

1 He _____ (sleep) when I _____ (call) him yesterday.

2 He _____ (study) when his dad _____ (come) home.

3 Sam _____ (meet) Christine when he _____ (work) in Beijing.

4 He _____ (shout) angrily when the kid _____ (throw) garbage at the animals.

5 When a new science teacher _____ (walk) into our classroom today, I _____ (listen) to the radio.

C 주어진 동사를 미래진행으로 바꿔 문장을 완성하시오.

scuba dive
스쿠버다이빙을 하다
mow (풀을) 베다
vacuum
진공청소기로 청소하다
miss ~을 놓치다

1 I _____ (travel) alone in Italy this time next week.

2 I _____ (scuba dive) between 2 p.m. and 4 p.m. tomorrow.

3 While Jamie is mowing the lawn, I _____ (vacuum) the whole house.

4 I won't be able to call you at 7 p.m. I _____ (have) dinner then.

5 He _____ (play) soccer in the park at 10 a.m. tomorrow, so he will miss the TV program.

Unit
06

완료 시제

FOCUS ···

1   현재완료(present perfect)는 어느 특정한 과거 시점에서 시작된 동작이나 상태가 현재까지 영향을 줄 때 쓰며, 주로 경험, 계속, 완료, 결과 등을 의미한다.

Eric **has seen** that movie five times.①
Mr. Hwang **has taught** math for seven years.②
I've just **finished** eating dinner.③
Jenny is wearing a cast because she **has broken** her leg.④

2   현재완료진행(present perfect progressive)은 특정한 과거 시점에 시작한 동작이 현재에도 진행 중임을 나타낼 때 쓴다. 현재완료는 동작이 완료되었음에, 현재완료진행은 그 동작이 계속되고 있음에 중점을 둔 표현이다.

It **has been raining** for weeks. I'm not sure when it will stop.⑤
I've **been using** the library since I moved to this town.⑥

3   과거완료(past perfect)는 특정한 과거 시점 이전부터 그 과거 시점까지의 경험, 계속, 완료, 결과 등을 나타낼 때 쓰며, 그 과거 시점보다 이전에 발생한 일이라는 것을 의미한다.

When Stella <u>got</u> to school, her friends **had started** the game without her.⑦
We <u>could play</u> computer games because we **had** already **finished** our homework.⑧
Tina <u>didn't laugh</u> at my joke because she **had heard** it before.⑨

4   과거완료진행(past perfect progressive)은 특정한 과거 시점 이전에 시작하여 그 과거 시점까지 계속 진행 중인 일을 나타낼 때 쓴다.

My father <u>retired</u> last year. He **had been working** at the bank for thirty years.⑩
Junghoon <u>was</u> tired because he **had been playing** basketball for hours.⑪

5   미래완료(future perfect)는 미래의 어느 시점까지의 경험, 계속, 완료, 결과 등을 의미한다.

I expect they **will have made** a decision by next week.⑫
My dad's birthday party **will** already **have started** by the time I get home.⑬
If my Australian friend comes to Korea once again, she **will have visited** here two times.⑭
By the time Minji comes back from Canada, she **will have greatly improved** her English.⑮

|참고| 미래완료진행(future perfect progressive)은 미래의 특정한 시점까지 계속 진행되는 일을 나타낼 때 쓴다.
When Ms. Kim retires this June, she **will have been teaching [will have taught]** for thirty-one years.⑯

KEY EXAM POINTS

A   「for+기간」 ~동안   vs.   「since+특정한 과거 시점」 ~이래로, ~으로부터

for	+ two hours / three days / four weeks / a month / five years / ages / a long time ...
since	+ six o'clock / 2014 / I was born / November 25th / last night / yesterday / Monday ...

For <u>many years</u>, she **has served** on a number of international boards.[⑰]

The headquarters of this company **have moved** several times **since** <u>it was founded in 2000</u>.[⑱]

|참고| for는 all이 동반되는 시간의 표현(all day [long], all one's life ...) 앞에서는 사용하지 않는다.
   The couple have lived in Switzerland <u>all their lives</u>.[⑲] (~~for all their lives~~)

B   현재완료는 분명한 과거를 나타내는 표현과 함께 쓰지 않는다.

James **suffered** from a knee injury <u>when he was a freshman</u>.[⑳]

(James ~~has suffered~~ from a knee injury <u>when he was a freshman</u>.)

Peter **read** all the *Harry Potter* books <u>last year</u>.[㉑]

(Peter ~~has read~~ all the *Harry Potter* books <u>last year</u>.)

When I **talked** to Carl, he **told** me he **went** to New York <u>last week</u>.[㉒]

(When I ~~have talked~~ to Carl, he ~~has told~~ me he ~~has gone~~ to New York <u>last week</u>.)

|참고| last week과 같이 분명한 과거를 나타내는 표현이라도 since와 함께 쓰이면 현재완료 시제와 함께 쓸 수 있다.
   I <u>learned</u> how to bake a cake **last week**.[㉓]
   I've been <u>learning</u> how to bake a cake **since last week**.[㉔]

---

① 에릭은 그 영화를 다섯 번 봤다. ② 황 선생님은 7년 동안 수학을 가르쳐왔다. ③ 나는 방금 저녁을 다 먹었어요. ④ 제니는 다리가 부러져서 깁스를 하고 있다. ⑤ 몇 주간 비가 내리고 있다. 언제 그칠지 확실치 않다. ⑥ 나는 이 도시에 이사 온 이후로 계속 그 도서관을 이용하고 있다. ⑦ 스텔라가 학교에 도착했을 때 친구들은 스텔라 없이 이미 게임을 시작했다. ⑧ 우리는 이미 숙제를 끝냈기 때문에 컴퓨터 게임을 할 수 있었다. ⑨ 티나는 전에 그 농담을 들어본 적이 있어서 내 농담에 웃지 않았다. ⑩ 작년에 아버지께서 은퇴하셨다. 아버지께서는 30년 동안 그 은행에서 일하셨다. ⑪ 정훈이는 몇 시간 동안 농구를 했기 때문에 피곤했다. ⑫ 나는 그들이 다음 주까지는 결정을 내릴 것이라 예상한다. ⑬ 내가 집에 도착할 때쯤이면 우리 아빠의 생일 파티가 이미 시작되었을 것이다. ⑭ 내 호주 친구가 한국에 다시 한 번 온다면 그녀는 여기에 두 번 방문하는 것이 될 것이다. ⑮ 민지가 캐나다에서 돌아올 때쯤이면 영어실력이 많이 향상되어 있을 것이다. ⑯ 김 선생님께서 이번 6월에 퇴직하시면, 31년간 교직에 몸담으시는 셈이 된다. ⑰ 수년간 그녀는 여러 곳의 국제 위원회에서 일해 왔다. ⑱ 이 회사의 본사는 2000년에 설립된 이후로 여러 번 이전했다. ⑲ 그 커플은 스위스에서 평생을 살고 있다. ⑳ 제임스는 대학 1학년 때 무릎 부상으로 고생했다. ㉑ 피터는 작년에 '해리포터' 시리즈를 모두 읽었다. ㉒ 내가 칼과 이야기했을 때 그는 지난주에 뉴욕에 다녀왔다고 했다. ㉓ 나는 지난주에 케이크 굽는 법을 배웠다. ㉔ 나는 지난주부터 케이크 굽는 법을 배우고 있다.

EXERCISES

graduate from
~을 졸업하다

antique 골동품

co-host
공동으로 주최하다

improve
향상하다, 나아지다

award (상)을 수여하다

A ( ) 안에서 가장 알맞은 것을 고르시오.

1 When he met her, she (had / has) already graduated from university.

2 Your skin looks red. (Had / Have) you been walking in the sun without a hat?

3 They (had driven / have driven) for five hours before they got to the nearest hotel.

4 If I don't return to China next year, I (have lived / will have lived) in Korea for ten years.

5 My mother was angry because I (had broken / have broken) her favorite antique vase.

6 Her English wasn't very good. Now it is much better. It (has improved / had improved) a lot.

7 When she is awarded a Grammy, she (has won / will have won) more music awards than any other musician.

8 My neighbor (had grown / has grown) flowers for several years and (had won / has won) many competitions.

9 Korea and Japan (co-hosted / have co-hosted) the World Cup in 2002, and Germany (lost / has lost) 2-0 against Brazil in the final.

value 가치

apply for ~에 지원하다

current 현재의

be eligible to
~할 자격이 있다

scholarship 장학금

B ( ) 안에서 가장 알맞은 것을 고르시오.

1 (How long / When) have you known each other?

2 Michael has taken many photographs (today / yesterday).

3 Have you seen any Japanese horror movies (before / still)?

4 Most artists' paintings have increased in value (for / since) their deaths.

5 I'll have been exercising (for / since) six months by the end of this month.

6 Jennifer had applied for seven jobs (before / since) she got her current job.

7 I haven't heard from James (recently / yesterday). I wonder what he's been doing.

8 I spoke to Professor Kim (last night / next time) and found out that I am eligible to get a scholarship.

C 주어진 단어를 현재완료나 과거완료 중 가장 알맞은 것으로 바꿔 문장을 완성하시오.

be in a cast 깁스를 하다
predict
예상하다, 예언하다
flood 홍수
world-famous
세계적으로 유명한
composer 작곡가

1 Dan can't play soccer with us. His leg is in a cast. He _____ (break) it.

2 Before the competition started, many people _____ (predict) that she would win.

3 I _____ (study) English for four years, but there is still so much more to learn.

4 There _____ (be) several floods along the east coast for the last two summers.

5 Michelle is a world-famous composer. She _____ (write) hundreds of songs so far.

6 He _____ (travel) for three years when he finished his trip around the world last year.

7 Yuna _____ (study) English for almost ten years in Korea before she came to Canada.

8 Since I _____ (already, save) $100, next month I will buy a new computer game.

9 I _____ (not, see) the new *James Bond* film yet. _____ you _____ (see) it?

10 Yesterday, I saw my teacher at the shopping mall. It was the first time I _____ (ever, see) her outside of school.

D 밑줄 친 부분이 맞지 <u>않다면</u> 바르게 고치시오.

cheat on
(시험에서) 부정행위를 하다
wait for ~을 기다리다
fluent 유창한

1 A: <u>Did you ever cheat</u> on a test before?
B: No, I have not and never will.

2 A: How long <u>have you been waiting</u> for the bus?
B: I'm not sure. Maybe ten minutes.

3 A: How many years has your brother studied abroad?
B: He <u>studies</u> for six years already. His English is fluent.

4 A: Have you seen the newspaper today?
B: Yes, I <u>have read</u> it while I was eating lunch. Maybe Jim is reading it now.

Unit 07

시제의 비교

FOCUS

1 현재 시제(present tense)와 현재진행 시제(present progressive tense)를 사용하여 미래(future time)를 나타내기도 한다.

The train **leaves** at eight <u>tonight</u>.①

We're **going to** the Italian restaurant for dinner <u>tomorrow evening</u>.②

<u>As soon as</u> everybody **is** here, we will start.③

<u>If</u> I **speak** to Karen, I'll let you know.④

<u>When</u> he **comes** home, his mom will ask him about his grade.⑤

2 현재 시제(simple present)   vs.   현재진행 시제(present progressive)

Nobody **wants** to be lonely. But sometimes I really **need** my own time.⑥ (일반적 현상, 반복적 일상)

My father **drives** to and from work every day.⑦ (반복적 일상)

She's **having** the day of her life because she has just won the championship.⑧ (일시적 상태)

Bill **is calling** me more frequently these days. He might have something to discuss with me.⑨ (일정 기간의 동작)

3 과거 시제(simple past)   vs.   현재완료(present perfect)

과거 시제는 과거에 이미 일이 끝났음을 의미하고, 현재완료는 과거에 일어난 일이 현재까지 영향을 준다는 것을 의미한다. 따라서 현재완료는 분명하게 과거 시제를 나타내는 부사(구)와 함께 사용할 수 없다.

When he came home yesterday, Ken **wrote** three emails to his friends about his new video game.⑩

Betty doesn't usually like to write emails, but she **has** already **written** five emails **this week**.⑪

One would never guess from her young appearance that she **graduated** from college **in 2001**.⑫

(One would never guess from her young appearance that she ~~has graduated~~ from university in 2001.)

---

① 기차가 오늘 밤 여덟 시에 떠난다.   ② 우리는 내일 저녁에 식사하러 이태리 식당에 갈 것이다.   ③ 모두가 여기에 도착하는 대로 시작할 거야.   ④ 내가 카렌과 이야기하게 되면, 네게 알려 줄게.   ⑤ 그가 집에 오면 엄마가 그에게 성적에 대해서 물어볼 것이다.   ⑥ 아무도 외로운 것을 원하지 않지만, 나는 때로는 나만의 시간이 정말 필요하다.   ⑦ 아버지께서는 매일 운전해서 출퇴근하신다.   ⑧ 그녀는 선수권대회에서 막 우승했기 때문에 생애 최고의 시간을 보내고 있다.   ⑨ 빌은 최근에 나에게 더 자주 전화를 한다. 나와 의논할 일이 있는지도 모르겠다.   ⑩ 켄은 어제 집에 와서 새 비디오 게임에 대해 친구들에게 세 통의 이메일을 보냈다.   ⑪ 베티는 보통 이메일을 쓰는 것을 좋아하지 않지만, 이번 주에는 벌써 다섯 통이나 썼다.   ⑫ 그녀의 어려 보이는 겉모습을 보고는 누구도 그녀가 2001년에 대학을 졸업했다고 추측할 수 없을 것이다.

EXERCISES

A 주어진 동사를 현재나 현재진행으로 바꿔 문장을 완성하시오. [둘 다 가능하면 현재진행으로 쓸 것]

1 She will never forgive me if I _____ (tell) you the secret.

2 I'm so excited. The new semester _____ (start) on Monday.

3 The game will start as soon as all spectators _____ (be) inside.

4 When kids _____ (sleep), Santa Claus will bring the presents.

5 I have to go home now. It _____ (get) late. Mom will be worried.

6 When he _____ (wake up) in the morning, he'll find out how cold it is outside.

7 There is further evidence that global sea levels _____ (rise) faster than ever before.

8 If Roger Federer _____ (win) one more game, he will break the record for most games won.

> spectator 관중
> find out
> ～을 알아내다, 알게 되다
> further
> 추가의, 더, 더 나아가
> evidence 증거
> sea level 해수면
> break the record
> 기록을 깨다

B 주어진 동사를 과거나 현재완료로 바꿔 문장을 완성하시오. [둘 다 가능하면 현재완료로 쓸 것]

1 Alison _____ (act) in three plays since her debut in 2006.

2 James _____ (win) a lot of golf tournaments since turning professional.

3 Jenny _____ (never, be) to the Great Wall since she moved to Beijing last year.

4 The government _____ (just, announce) that oil prices will not increase this year.

5 My grandfather _____ (join) the army in the 1940s and _____ (fight) in the Second World War.

6 I _____ (meet) Colin when I _____ (be) fifteen, and we _____ (be) best friends ever since.

7 My family and I _____ (be) to Italy many times on vacation, but last year we _____ (go) to Russia instead.

8 What dreadful weather! Yesterday, it _____ (rain) a lot, and the sun _____ (not, shine) for the whole week.

> debut 데뷔, 첫 출연
> turn professional
> 프로로 전향하다
> The Great Wall
> 만리장성
> announce ～을 발표하다
> join the army 입대하다
> ever since 이후로 줄곧
> dreadful 지독한
> shine 빛나다

태

FOCUS

1. 능동태(active voice)는 주어가 동작의 주체가 되는 문장이고, 수동태(passive voice)는 주어가 동작을 당하는 대상이 되는 문장이다. 수동태 문장은 동작을 당하는 대상을 강조하고자 할 때 쓴다.

The plumber repaired the leaky faucet.[1]

→ The leaky faucet **was repaired** by the plumber.

2. 수동태에는 「be p.p.」, 「be being p.p.」, 「have been p.p.」, 「will be p.p.」 등이 있다.

He **was invited** to the opening party by the owner of the store.[2]

An exhibition of her art **is being held** in Insa-dong.[3]

The movie **has been seen** by millions of people.[4]

Marc **will be given** a prize at the ceremony on Thursday.[5]

3. appear, belong, disappear, happen, occur, rise, become 등의 자동사는 수동태로 쓰지 않는다.

My wallet **disappeared** from my bag.[6] (was disappeared)

The spring festival **happens** in April.[7] (is happened)

Warren Buffet **has become** the largest individual shareholder in the US company.[8] (has been become)

4. 간접목적어와 직접목적어가 있는 문장은 두 개의 수동태 문장을 만들 수 있다.

The admission council **gave** <u>him</u> <u>enough information on the application form</u>.[9]
　　　　　　　　　　　　　　① 　　　　　　　　　　②

① → He **was given** enough information on the application form by the admission council.

② → <u>Enough information on the application form</u> **was given to** him by the admission council.

|참고| 1. 직접목적어를 주어로 하는 수동태에서는 간접목적어 앞에 전치사를 붙인다.
　　　① give, write, send, read, teach 등의 동사: 간접목적어 앞에 to가 온다.
　　　　The story was read to them by the teacher.[10]
　　　② make, buy, cook, do, find 등: 간접목적어 앞에 for가 온다.
　　　　The tomato spaghetti was made for my parents.[11]

　　2. make, read, get, sell, write, buy, send 등의 동사가 쓰인 문장은 주로 직접목적어를 주어로 하여 수동태를 만든다.
　　　Bruce wrote me <u>a thank-you letter</u>.[12]
　　　→ A thank-you letter **was written** to me by Bruce.

5 say, believe, know, expect, suppose, consider 등의 동사는 다음과 같은 수동태 형태로 쓰인다.

People say that honesty is the best policy.⑬
→ **It is said that** honesty is the best policy.
→ Honesty **is said to be** the best policy.

People believe that car exhaust is harmful to the environment.⑭
→ **It is believed that** car exhaust is harmful to the environment.
→ Car exhaust **is believed to be** harmful to the environment.

🔑 **KEY EXAM POINTS**

A have(~을 갖다), resemble(~을 닮다), cost(비용이 ~가 들다) 등은 수동태로 쓰지 않는다. 또한 목적어를 주어로 하여 수동태를 만들지 않는다.

Thus far, my grandfather **has had** seven cars.⑮ (~~have been had~~)
The chocolate ice cream **costs** two thousand won.⑯ (~~is cost~~)

B 지각동사(see, hear, watch, feel 등)나 사역동사(have, let, make)는 목적격보어로 동사원형을 취하기도 하는데, 이런 문장을 수동태로 전환할 경우 동사원형을 to부정사로 바꿔준다. 단, 지각동사 뒤에 온 동사원형은 현재분사로도 바꿀 수 있다.

We **heard** a strange noise **come** from the basement.⑰
→ A strange noise **was heard to come [coming]** from the basement.

The teacher **made** us **sit** in the hallway because we made a noise.⑱
→ We **were made to sit** in the hallway because we made a noise.

|참고| 1. 목적격보어가 분사인 경우는 분사를 그대로 쓴다.
　　　We saw her **talking** to the stranger.⑲
　　　→ She was seen **talking** to the stranger.
　　　2. 사역동사 let의 수동태는 be allowed to를 사용한다.
　　　My mother let me sleep over at Peter's house yesterday.⑳
　　　→ I **was allowed to** sleep over at Peter's house yesterday.

---

① 배관공이 새는 수도꼭지를 수리했다. ② 그는 가게 주인으로부터 개점 행사에 초대받았다. ③ 그녀의 작품 전시회가 인사동에서 열리고 있다. ④ 그 영화는 수백만 명의 사람들이 관람했다. ⑤ 마르크는 목요일 기념식에서 상을 받을 것이다. ⑥ 내 지갑이 가방에서 사라졌다. ⑦ 봄 축제는 4월에 개최된다. ⑧ 워렌 버핏은 그 미국 회사의 개인 최대 주주가 되었다. ⑨ 입학 위원회는 그에게 입학 원서에 대한 충분한 정보를 제공했다. ⑩ 그 이야기는 선생님이 그들에게 읽어주었다. ⑪ 토마토 스파게티는 부모님을 위해 만든 것이다. ⑫ 브루스가 나에게 감사의 편지를 썼다. ⑬ 사람들은 정직이 최선의 방책이라고 말한다. ⑭ 사람들은 자동차 배기가스가 환경에 유해하다고 믿는다. ⑮ 지금까지 우리 할아버지는 일곱 대의 차를 소유했다. ⑯ 그 초콜릿 아이스크림은 2천 원이다. ⑰ 우리는 지하에서 이상한 소리가 나는 것을 들었다. ⑱ 우리가 떠들어서 선생님이 우리를 복도에 앉아 있게 했다. ⑲ 우리는 그녀가 낯선 사람과 말하고 있는 것을 보았다. ⑳ 우리 어머니는 어제 내가 피터의 집에서 자도록 허락해 주셨다.

EXERCISES

apology 사과
groom ~의 털을 다듬다
pet parlor
애완동물 미용실
organize ~을 준비하다
collect ~을 수집하다
ground 분쇄한, 간
hand in ~을 제출하다

A ( ) 안에서 가장 알맞은 것을 고르시오.

1 He (is writing / is being written) a long letter of apology.

2 The dog (is grooming / is being groomed) at the pet parlor.

3 She (drew / is drawn) me a map to show me where she lives.

4 Is the opening party (organizing / being organized) by Peter?

5 Trash (collects / is collected) twice a week in our neighborhood.

6 The students (will test / will be tested) on yesterday's homework.

7 The Petronas Twin Towers (built / were built) in Kuala Lumpur, Malaysia.

8 My uncle (will help / will be helped) by his kids during the winter vacation.

9 We (bought / were bought) several bags of ground coffee from the coffee shop.

10 Every morning, all cell phones (handed in / are handed in) to our teacher before class.

light bulb 백열전구
separate ~을 분리하다
recall ~을 회수하다
garage 창고
customer 고객
Taiwanese
대만 사람, 대만의
depend on
~에 달려 있다
employee 직원

B 주어진 동사를 수동 또는 능동으로 바꿔 문장을 완성하시오.

1 The light bulb _____ by Edison. (improve, 과거)

2 My mother _____ the trash every day. (separate, 현재)

3 I _____ one of my classmates the book this morning. (lend, 과거)

4 Some food products _____ for safety reasons. (will, recall)

5 The garage _____ by my brother this weekend. (will, clean)

6 A group email _____ to its customers by the department store.
(send, 과거)

7 The Taiwanese _____ Taipei 101 between 1999 and 2004.
(build, 과거)

8 Randall _____ 911 when he saw the children were in trouble.
(call, 과거)

9 The future of our company _____ the new employees.
(depend on, 현재)

C 주어진 능동태 문장을 수동태 문장으로 바꿔 쓰시오.

missing 실종된
pitcher 투수
first base 1루
formulate
체계화 하다, 만들어 내다
the theory of
relativity 상대성 이론
persuade ~을 설득하다
land on ~에 착륙하다
direct ~을 감독하다
play the part of
~의 역을 맡아 (연기)하다
deliver ~을 배달하다
spectator 관중

1 They reported the journalist missing.

→ _____

2 The pitcher threw the ball to first base.

→ _____

3 The police caught the criminals yesterday.

→ _____

4 Einstein formulated the theory of relativity.

→ _____

5 Sarah persuaded me to do yoga with her.

→ _____

6 Some people saw the plane land on the river.

→ _____

7 Everyone cleaned the classroom after school.

→ _____

8 Park Chanwook directed the movie *Old Boy* in 2003.

→ _____

9 J.K. Rowling wrote seven bestselling *Harry Potter* novels.

→ _____

10 He's playing the part of Romeo in *Romeo and Juliet* this week.

→ _____

11 We will deliver your package between 2 p.m. and 4 p.m. tomorrow.

→ _____

12 Around 56,000 spectators at Dodger Stadium saw the WBC final game.

→ _____

REVIEW

정답 및 해설 P. 7

leave for ~로 떠나다
performance 공연
act 연기하다
applaud
박수를 치다, 갈채를 보내다

A 다음 빈칸에 들어갈 가장 알맞은 것을 고르시오.

1 A: I _____ for New York tomorrow.

B: Really? You must be excited.

① left   ② am leaving

③ will have left   ④ have left

2 A: She said that they _____ before.

B: I don't think so. She knew where he lived.

① had met   ② met

③ hadn't met   ④ don't meet

3 A: Have you driven a car before?

B: Yes, I have. I _____ a car last week.

① drive   ② have driven

③ drove   ④ will drive

4 A: The actors _____ for ten minutes at tonight's performance.

B: Yeah, they really acted well.

① are applauding   ② applauded

③ will be applauded   ④ were applauded

win an award 상을 타다
keep a pet
애완동물을 기르다
huge 큰, 엄청난
responsibility 책임

B 다음 대화를 읽고, 어법상 어색한 것을 고르시오.

1 ① A: What are you going to buy at the shopping mall today?

② B: I want to get the latest CD by Big Bang.

③ A: Oh, that CD listens to by all our classmates these days.

④ B: Right, that's why I want to get it.

2 ① A: Have you seen the sports awards show last night?

② B: Yeah, it was great. I've watched it since the first year.

③ A: All my favorite sports players won an award.

④ B: And they said that Lee Mina became a world star.

3 ① A: These days I think of keeping a pet.

② B: Wow, what kind of pet do you want to get?

③ A: Maybe a dog, but my mom isn't sure if I can get one.

④ B: Well, keeping a pet is a huge responsibility.

C 다음을 읽고, 바르지 <u>않은</u> 문장을 고르시오.

1

> ① London is the capital of England and the UK, and is the largest urban and the most populous area in Europe. ② London has been founded by the Romans in 43 AD and was called Londinium. ③ London, a global city, is one of the world's most important financial and cultural centers with a diverse population that speaks over 300 languages. ④ London also hosted the 2012 Summer Olympic Games.

capital 수도
urban 도시의
populous 인구가 많은
found 세우다, 건설하다
financial 금융의
diverse 다양한
host 주최하다

2

> ① Organic food has become increasingly popular since the early 1990s. ② The use of conventional pesticides and chemicals, which consider harmful, is prohibited and restricted in organic food. ③ Many people would therefore argue that organic food is healthier, but no definite proof exists. ④ One thing that is certain is that organic food isn't cheap; it can be up to 40% more expensive than regular food products.

conventional 전통적인
pesticide 살충제
chemicals 화학약품
consider ~으로 여기다
prohibit ~을 금지하다
restrict ~을 제한하다
definite 확실한

3

> ① Most people all over the world keep pets. ② Pets are kept for companionship, and they provide happiness to their owners. ③ Pets are famous for their loyalty and playfulness, and can bring a lot of benefits to their owners. ④ Keeping pets has known to help relieve stress, and walking a dog can offer both the owner and the pet exercise and fresh air.

companionship
우정, 동지애
provide ~을 제공하다
loyalty 충성심
playfulness 명랑함
benefit 이익
relieve stress
스트레스를 풀다

REVIEW PLUS

정답 및 해설 P. 8

distressed 괴로워하는
theft 도둑
recover
회수하다, 되찾다, 회복하다
damage ~을 손상하다
restoration 복원
go on display 전시되다
security 보안

A 다음 (A), (B), (C)에서 어법에 맞는 표현으로 가장 적절한 것을 고르시오.

The Scream was painted by Edvard Munch. He created five versions of this painting. A distressed person against a red sky (A) (depicts / is depicted) in this painting. *The Scream* (B) (had / has) been the target of several well-known art thefts. In 1994, one of the painted versions was stolen from the National Gallery in Oslo, Norway, and in 2004, the painted version in the Munch Museum was stolen. Both paintings were recovered. The paintings, however, were damaged and had to (C) (restore / be restored). After restoration, they went on display again under tighter security.

	(A)		(B)		(C)
①	depicts	…	has	…	be restored
②	is depicted	…	has	…	restore
③	is depicted	…	has	…	be restored
④	is depicted	…	had	…	restore
⑤	depicts	…	had	…	restore

business setting
업무적인 상황
take the time 짬을 내다
essential 필수적인
interaction 상호 작용
valid 타당한; 유효한
matter 문제, 일
physical 물질적인
fingertip 손가락 끝
route 수단
purchase ~을 구입하다
decent 괜찮은
flow 흐름

B 다음 글의 밑줄 친 부분 중, 바르지 않은 것을 고르시오. [기출 응용]

In business settings, it's really easy to forget ① to take the time to say Thank-You, and yet, it's an essential part of interaction with others. It's important to people that they feel valid, important, and ② respected. Just as saying sorry matters, so does ③ remembering to thank those who help you move forward. And I think it's much nicer to send along a physical card than an email. A personal note which ④ has written by hand matters far more than a few lines of typing into a window that's so easily available at your fingertips. One more thing: if you're going to go this route, ⑤ put in the extra few minutes to purchase a nice card and use a pen that gives you a decent flow.

42

PART 3

명사, 관사, 대명사

Unit
09
명사

FOCUS ·······································

1 명사(nouns)는 셀 수 있는 명사(countable nouns)와 셀 수 없는 명사(uncountable nouns)로 나뉜다.

George enjoys watching **films** and **plays.**①

Most **children** really love **ice cream.**②

He has an unexplained **pain** in his **neck.**③

2 셀 수 있는 명사는 -(e)s를 붙여 복수를 만들고, 규칙을 따르지 않는 명사는 복수형을 외워야 한다.

불규칙 명사	an analysis → **analyses** a basis → **bases** a crisis → **crises** an oasis → **oases** a hypothesis → **hypotheses** a louse → **lice** a mouse → **mice** a goose → **geese** a tooth → **teeth** a foot → **feet**	a bacterium → **bacteria** a curriculum → **curricula** a datum → **data** a medium → **media** a memorandum → **memoranda** a phenomenon → **phenomena** a child → **children** an ox → **oxen** a person → **people / persons** a woman → **women**
단수와 복수가 같은 명사	a deer → **deer** an offspring → **offspring** a series → **series** a shrimp → **shrimp**(s)	a fish → **fish** a salmon → **salmon** a sheep → **sheep** a species → **species**

Most doctors agree that aspirin shouldn't be given to young **children.**④

Before the invention of the tractor, most farmers used two **oxen** to pull their plows.⑤

Hundreds of **sheep** and cows are grazing in the meadow.⑥

3 한 쌍(雙)으로 이루어진 명사는 복수 취급을 하고, 학과명이나 병명은 단수 취급을 한다.

한 쌍으로 이루어진 명사	binoculars, glasses, scissors, mittens, pajamas, pants, shorts, trousers, slacks, socks, gloves, stockings …
학과명	mathematics, politics, economics, ethics, statistics, physics, linguistics …
병명	measles 홍역, diabetes 당뇨병, gastritis 위염, dermatitis 피부염, arthritis 관절염, tonsillitis 편도선염, tuberculosis 결핵 …

Those **pants** <u>look</u> really good on you.⑦

Statistics <u>is</u> a very difficult subject. I prefer to study history.⑧

Measles <u>is</u> considered a dangerous disease for adults.⑨

4

셀 수 없는 명사는 단수 취급을 하며, 다음과 같은 것들이 있다.

액체로 된 것	water, oil, orange juice, coffee, tea, cocoa, milk, wine, beer, soup ...
고체로 된 것	gold, ice, glass, bread, cheese, meat, silver, iron, paper, wool ...
기체로 된 것	air, gas, oxygen, steam, smoke, smog ...
작은 입자로 된 것	sugar, pepper, salt, flour, rice, sand, corn, hair, wheat, barley, dust ...
추상적 개념	luck, truth, courage, fun, patience, knowledge, justice, peace, health, pride, happiness, homework, advice, news, information, proof, time, space, energy ...
언어	English, Chinese, Japanese, Spanish, Portuguese, Arabic, German ...
유사한 품목으로 구성된 집합체	mail, money, furniture, clothing, baggage, luggage, equipment, food, jewelry, machinery ...

Like humans, whales breathe **air** into their lungs.[10]

I used to have **hair** that stretched halfway down my back.[11]

Chinese has more than fifty thousand written characters.[12]

What is the latest **news**?[13]

|참고| 셀 수 없는 명사는 계량 단위나 용기 등을 사용하여 수량을 나타낸다.
Nicky bought **two cartons of** milk on his way home.[14]
Half **a pound of** cheese should be enough.[15]
Jim ate **three pieces of** chocolate cake last night.[16]

5

복수형으로 쓰여 특정한 의미를 가지는 명사들이 있다.

arms 무기	earnings 소득	savings 저축	pains 수고
goods 상품	damages 배상금	airs 뽐내는 태도	means 수단; 수입
customs 세관	riches 재물	valuables 귀중품	surroundings 주변 환경

She takes great **pains** not to offend other people.[17]

He claimed five hundred dollars **damages** from the other driver.[18]

We saw our baggage through **customs** at the airport.[19]

|참고| means의 경우 형태는 복수이나 단/복수 취급 모두 가능하다. 단, 각각의 의미는 다르다.
An instant messaging application is an effective **means** of communication.[20] (단수 취급: 수단, 방법)
He should learn to live within his **means**.[21] (복수 취급: 수입, 재력)

---

① 조지는 영화와 연극 관람을 즐긴다. ② 대부분의 아이들은 아이스크림을 정말로 좋아한다. ③ 그는 목에 원인 모를 통증을 느꼈다. ④ 대부분의 의사들은 아스피린을 어린아이들에게 주어서는 안 된다는 데 동의한다. ⑤ 트랙터가 발명되기 전에 대부분의 농부들은 쟁기를 끄는 데 황소 두 마리를 사용했다. ⑥ 수백 마리의 양과 소가 초원에서 풀을 뜯고 있다. ⑦ 그 바지가 너게 정말로 잘 어울린다. ⑧ 통계학은 매우 어려운 과목이다. 나는 역사 공부하는 것을 선호한다. ⑨ 홍역은 어른들에게 위험한 병으로 인식된다. ⑩ 인간처럼 고래도 폐로 공기를 들이마신다. ⑪ 나는 등의 반쯤 오는 머리를 하곤 했다. ⑫ 중국어에는 5만 개 이상의 글자가 있다. ⑬ 최신 소식은 뭐니? ⑭ 니키는 집에 오는 길에 우유 두 통을 샀다. ⑮ 반 파운드의 치즈면 충분할 것이다. ⑯ 짐은 어젯밤에 초콜릿 케이크 세 조각을 먹었다. ⑰ 그녀는 다른 사람의 기분을 상하게 하지 않기 위해 무지 애를 쓴다. ⑱ 그는 상대편 운전자로 인해 입은 500달러의 손해 배상 청구를 했다. ⑲ 우리는 공항에서 수화물이 세관을 통과하는 것을 보았다. ⑳ 메신저 프로그램은 의사소통을 하는 데 효과적인 수단이다. ㉑ 그는 자신의 수입에 맞게 생활하는 것을 배워야 한다.

셀 수 있는 명사	셀 수 없는 명사
The room has a breathtaking **view**.[22]	Beautiful **scenery** always makes her happy.[23]
Did he find a **job**? [24]	He's still looking for **work**.[25]
You're not allowed to take lots of **suitcases**.[26]	He didn't need to pack a lot of **luggage**.[27]
I think that's such a nice **suggestion**.[28]	**Advice** is no use to my son.[29]

6 family, government, group, staff, team, jury, class, audience, committee 등과 같은 집합명사(collective nouns)는 의미에 따라서 단/복수 취급 모두 가능하다.

My **family** <u>is</u> more important than anything else in my life.[30] (as a whole entity)

My **family** all <u>gather</u> and <u>play</u> musical instruments on Christmas Eve.[31] (a group of individuals)

|참고| police, cattle, people 등과 같은 집합명사는 항상 복수 취급한다.
The **police** <u>have</u> been searching for the kidnapped children.[32]
Cattle <u>are</u> eating grass in meadows near his farm.[33]

7 수량을 나타내는 표현은 다음과 같다.

	수량 표현	셀 수 있는 명사	셀 수 없는 명사
수	one, two, three … every, each (a) few many a number of, the number of	○	×
양	(a) little much a great deal of a large amount of	×	○
모두	some, any a lot of, lots of, plenty of	○	○

Because of his **many** <u>mistakes</u>, John felt very embarrassed.[34]

Big Bang's latest release has caused **a great deal of** <u>excitement</u>.[35]

Please have **some** <u>cookies</u>. They are just out of the oven.[36]

A 주어 뒤에 수식어구가 있는 경우, 주어와 동사의 수 일치에 주의해야 한다.

During the festival, **the entire village** of 2,000 people <u>was</u> dressed in beautiful traditional clothing.㊲

Many students receiving a degree in economics <u>were</u> upset about the new graduation requirements.㊳

Crime dramas, which designate characters as strictly good or bad, <u>are</u> very popular among the young.㊴

B 「one of the[소유격]+복수명사+단수동사」 ~ 중 하나

One of the horses <u>has</u> hurt its leg and <u>needs</u> medical attention.㊵

One of my friends <u>wants</u> to study in the United States.㊶

One of the richest women in the world <u>is</u> Oprah Winfrey.㊷

C 「a number of+복수명사+복수동사」

「the number of+복수명사+단수동사」

「each/every+셀 수 있는 단수명사+단수동사」

A number of students <u>are</u> to take part in a new program.㊸

The number of cars on the roads <u>has</u> continued to grow despite the high price of gas.㊹

Each participant <u>has</u> to bring enough food for three days.㊺

D dozen, hundred, thousand, million 등의 명사가 명확한 수를 나타낼 때는 단수형을 쓰고, 막연한 다수를 나타낼 때는 복수형을 쓴다.

A small demonstration was held in front of City Hall, and there were only <u>half</u> **a dozen** spectators.㊻

Thousands of acres of farmland have been destroyed in the flood.㊼

Hundreds of fans were waiting at the airport for Tom Cruise's arrival.㊽

E 돈의 금액, 기간, 거리 등이 한 덩어리의 의미일 때에는 복수형이더라도 단수 취급한다.

Five hundred dollars <u>was</u> stolen in the crowded subway station.㊾

Seven miles <u>is</u> a long way for a child to walk.㊿

㉒ 그 방은 전망이 환상적이다. ㉓ 아름다운 풍경은 항상 그녀를 행복하게 한다. ㉔ 그는 일자리를 찾았나요? ㉕ 그는 아직도 일을 찾고 있어요. ㉖ 여행 가방을 많이 가져가는 것은 허용되지 않는다. ㉗ 그는 많은 짐을 쌀 필요가 없었다. ㉘ 나는 그것이 정말 좋은 제안이라고 생각해. ㉙ 나의 아들에게 충고는 소용없다. ㉚ 내 인생에서 가족보다 중요한 것은 아무것도 없다. ㉛ 크리스마스이브에 우리 가족은 모두 모여서 악기를 연주한다. ㉜ 경찰은 유괴된 아이들을 계속 찾고 있다. ㉝ 소 떼가 그의 농장 근처 초원에서 풀을 뜯고 있다. ㉞ 존은 자신이 저지른 수많은 실수 때문에 매우 부끄러웠다. ㉟ 빅뱅이 최근에 출시한 음반은 상당한 반향을 불러 일으켰다. ㊱ 쿠키 좀 드세요. 오븐에서 방금 꺼냈어요. ㊲ 축제 기간 중 이천 명의 마을 주민 전체가 아름다운 전통 의상을 입었다. ㊳ 경제학 학위를 받는 다수의 학생들이 새로운 졸업 요건에 언짢아했다. ㊴ 인물의 선과 악이 정확하게 드러나는 범죄 드라마는 젊은이들에게 매우 인기가 있다. ㊵ 말들 중 한 마리가 다리를 다쳐서 치료가 필요하다. ㊶ 내 친구들 중 한 명은 미국에서 공부하기를 원한다. ㊷ 세계에서 가장 부유한 여성 중 한 명은 오프라 윈프리이다. ㊸ 많은 학생들이 새로운 교과 과정으로 공부할 것이다. ㊹ 높은 기름 값에도 불구하고 도로에 자동차의 수가 계속 증가하고 있다. ㊺ 참가자들은 각자 삼일 동안 먹을 충분한 음식을 가져와야 한다. ㊻ 소규모의 시위가 시청 앞에서 있었는데, 구경하는 사람은 겨우 여섯 명이었다. ㊼ 수천 에이커의 농지가 홍수로 소실되었다. ㊽ 수백 명의 팬들이 공항에서 톰 크루즈의 도착을 기다리고 있었다. ㊾ 혼잡한 지하철역에서 오백 달러를 도난당했다. ㊿ 7마일은 아이가 걷기에는 먼 길이다.

complicated 복잡한
auditorium 강당
hypothesis 가설
gamble 도박
precious 값비싼, 귀중한
export 수출하다
mutton
(다 자란 양의) 고기
lamb
새끼 양, (새끼 양의) 고기
raise ~을 기르다
wheat 밀
barley 보리

A 주어진 명사를 단수나 복수로 바꿔 문장을 완성하시오.

1 Every _____ (language) is very complicated in its own unique way.

2 Few _____ (person) were on the streets because of cold weather.

3 All of the _____ (freshman) gathered in the auditorium for the opening ceremony.

4 We can find some evidence to support these _____ (hypothesis) in only a few _____ (month).

5 Many _____ (visitor) to Las Vegas lose a lot of _____ (money) gambling in the casinos.

6 Canada is rich in precious _____ (metal) like _____ (gold), _____ (silver), and _____ (platinum).

7 New Zealand exports a great deal of _____ (mutton) and _____ (lamb). The people raise many _____ (sheep) there.

8 While in northern parts of China _____ (wheat) and _____ (barley) are widely grown, in the southern parts of China lots of _____ (rice) is grown.

owing to ~때문에
surrounding 주변의
binoculars 쌍안경
displace (살던 곳에서) 쫓아내다, 옮기다
violence 폭력
confidence 신뢰
consumer 소비자
tuberculosis 결핵
co-evolve 서로 영향을 주며 함께 진화하다

B 주어진 동사를 시제에 맞게 바꿔 문장을 완성하시오.

1 Dozens of homes _____ left without power owing to the storm. (be, 과거)

2 Many different types of fish _____ in the seas surrounding Korea. (live, 현재)

3 Binoculars _____ used to see things that _____ far away. (be, be, 현재)

4 Thousands of people _____ due to the violence in Sudan. (be displaced, 현재완료)

5 Chinese, used by 1.3 billion people, _____ a very difficult language to learn. (be, 현재)

6 Several factors _____ to a crisis in confidence among businesses and consumers this year. (lead, 현재완료)

7 Tuberculosis _____ with humans for many thousands of years, perhaps as many as several million years. (co-evolve, 현재완료)

48

C 〈보기〉에서 알맞은 명사를 골라 단수나 복수로 바꿔 문장을 완성하시오.

보기   person   chimney   bacterium   country   salmon   tooth   luggage

1   Would you put all of your _____ here to check in?

2   Karen is really growing up fast, and she has already lost all of her baby _____.

3   _____ are ubiquitous in every habitat on earth, growing in the air, water, and soil.

4   Pacific _____ migrate thousands of miles to return to the streams of their birth to breed and lay their eggs.

5   New jumbo jets can carry as many as eight hundred _____. These planes will greatly reduce the cost of air travel.

6   One of the _____ that I want to visit is China. I really want to see the Great Wall and Forbidden City in Beijing.

7   Santa Claus is believed to travel around the world on Christmas Eve delivering presents to homes. He enters homes by climbing down _____.

chimney 굴뚝
salmon 연어
check in 짐을 부치다
ubiquitous
도처에 존재하는
habitat 서식지
migrate 이주하다
breed 번식하다
lay ~을 낳다

D 주어진 명사를 단수나 복수로 바꿔 대화를 완성하시오.

1   A: What does Mr. Baker look like?
    B: He's got a nice mustache and very short _____ (hair).

2   A: I seem to have lost one of my _____ (mitten).
    B: Look, it's over there in the snow. You should have been more careful.

3   A: I really think we should go to Jejudo for our holiday.
    B: That's a good idea. The _____ (water) there is so lovely.

4   A: John, could you run to the store and buy some _____ (sugar)? We've run out.
    B: OK. How much do we need?

5   A: Sarah, what are you doing? Shouldn't you be in bed?
    B: I just can't seem to finish my homework. One of these math _____ (problem) is giving me a really hard time.

mustache 콧수염
run to 급히 가다. 달려가다
run out
다 떨어지다. 바닥나다

Unit

10

관사

FOCUS ··

1 관사(articles)는 부정관사(indefinite articles) a(n)와 정관사(definite article) the로 나뉜다. 부정관사 a(n)는 '막연한 하나(one)', '~마다/~당(per)', '대표 명사(all)'를 나타낼 때 사용한다.

Hyunwoo brought **a new video game** to play.①

Dogs should be walked at least twice **a day**.②

A goldfish makes a great pet for young children.③

2 원래 사람 이름(고유명사) 앞에는 관사를 붙이지 않지만, 사람 이름 앞에 a(n)가 붙으면 '어떤 ~라는 사람', '~의 작품' 등 보통명사의 의미가 된다.

There's **a Laura** at the door. Is she your friend? ④

Impressionist paintings are very beautiful. I particularly hope to see **a Monet**.⑤

3 정관사 the는 '이미 언급되었거나 알고 있는 것', '세상에 하나밖에 없는 것', '수식어구로 한정되는 것', '최상급/서수사/only/first 등으로 한정되는 것' 앞에 주로 쓴다.

He saw a duck in the pond. **The duck** seemed to be searching for food.⑥

The <u>Sahara Desert</u> is the largest desert on the planet.⑦

The child <u>in the water</u> was learning how to swim.⑧

The <u>first</u> Chinese astronaut in space was Yang Liwei.⑨

|참고| same 앞에도 정관사 the가 온다.

His scarf is the <u>same</u> color as hers.⑩

4 the는 악기, 해양(oceans, seas), 강(rivers), 해협(canals), 산맥(mountain ranges), 건물(빌딩, 레스토랑, 극장, 박물관, 공공건물 등), 다리(bridges), 신문, 잡지 이름, 나라 이름 중 공화국(republic), 왕국(kingdom), 합중국 (states) 등의 앞에 쓴다.

Juliana wants to learn how to play **the violin**.⑪

The Amazon River flows into **the Atlantic Ocean**.⑫

We're going to **the National Gallery** this afternoon.⑬

The Economist is a very important magazine for learning about world affairs.⑭

He wanted to be a citizen of **the United States**.⑮

|참고| 사람 이름: the Smith<u>s</u> (=the Smith family) ...

나라 이름: the Netherland<u>s</u>, the Philippine<u>s</u>, the United State<u>s</u> of America

군도(groups of islands) 이름: the Bahama<u>s</u> ...

산맥(mountain ranges) 이름: the Rocky Mountain<u>s</u>, the Alp<u>s</u> ...

5 식사, 학과목, 운동 경기를 나타내는 말 앞과 「by+교통·통신 수단」 사이에는 관사를 쓰지 않는다.

Minhyuk eats **breakfast** every morning before going to school.[16]

The students like **physics** and **biology**.[17]

Soccer is very popular in most European and South American nations.[18]

Jenny prefers to travel **by train** because it's better for the environment.[19]

6 건물이나 장소가 본래의 목적으로 쓰인 경우 관사를 붙이지 않는다.

go to bed 잠자러 가다	go to school 학교에 다니다	go to court 소송을 제기하다	go to church 예배 보러 가다
go to prison 투옥되다	go to sea 선원이 되다, 출항하다	go to college[university] 대학에 다니다	

Nobody wants to **go to prison** for something he or she didn't do.[20]

Sylvia is the only person in her family who **goes to college**.[21]

7 건물이나 장소가 본래의 목적으로 쓰이지 않은 경우에는 the가 붙는다.

My dog always hides under **the bed** when I try to give him a bath.[22]

George went to **the church** to pick up his nephew.[23]

|참고| by mistake 실수로   on purpose 고의로   as a rule 일반적으로   as a result 결과적으로   all of a sudden 갑자기

Glenda caused the accident when she hit the accelerator **by mistake**.[24]

🔑 KEY EXAM POINTS

A 소유격, 지시형용사, 수량형용사가 붙은 명사 앞에는 관사를 붙이지 않는다.

My apartment is very far from the city center, so it's quiet.[25] (~~The my apartment~~)

Was **this trip** your first time abroad? Did you enjoy it?[26] (~~a this trip~~)

Some African nations have English as their official language.[27] (~~The some African nations~~)

B 「the+형용사」는 '~한 사람들'이라는 의미로 「형용사+people」로 바꿔 쓸 수 있다.

The French are well-known for their love of food and wine.[28] (The French=French people)

The rich should be taxed more heavily than the poor.[29] (The rich=Rich people, the poor=poor people)

---

① 현우는 가지고 놀 새 비디오 게임을 가져왔다.   ② 개들은 적어도 하루에 두 번 산책을 시켜야 한다.   ③ 금붕어는 어린아이들에게 좋은 애완동물이다.   ④ 현관에 '로라'라는 사람이 있어. 그녀는 네 친구니?   ⑤ 인상파 그림은 매우 아름답다. 나는 특히 모네의 작품을 보고 싶다.   ⑥ 그는 연못에서 오리 한 마리를 보았다. 그 오리는 먹을 것을 찾고 있는 것 같았다.   ⑦ 사하라 사막은 지구에서 가장 큰 사막이다.   ⑧ 물 안에 있는 아이가 수영을 배우고 있었다.   ⑨ 첫 번째 중국인 우주 비행사는 양리웨이였다.   ⑩ 그의 목도리는 그녀의 목도리와 같은 색이다.   ⑪ 줄리아나는 바이올린을 배우고 싶어 한다.   ⑫ 아마존 강은 대서양으로 흘러 들어간다.   ⑬ 우리는 오늘 오후에 국립 미술관에 갈 거야.   ⑭ 이코노미스트지(誌)는 세계정세를 배우는 데 있어서 매우 중요한 잡지이다.   ⑮ 그는 미국 시민이 되길 원했다.   ⑯ 민혁이는 매일 등교하기 전에 아침 식사를 한다.   ⑰ 그 학생들은 물리학과 생물학을 좋아한다.   ⑱ 축구는 유럽과 중남미의 대부분 지역에서 매우 인기가 있다.   ⑲ 제니는 환경에 더 좋기 때문에 기차 여행을 선호한다.   ⑳ 아무도 자기가 하지 않은 어떤 일로 인해 감옥에 가고 싶어 하지는 않는다.   ㉑ 실비아는 그녀의 가족 중 대학에 다니는 유일한 사람이다.   ㉒ 내 강아지는 목욕을 시키려 하면 늘 침대 밑에 숨는다.   ㉓ 조지는 조카를 태우러 교회에 갔다.   ㉔ 글렌다는 실수로 액셀을 밟아서 그 사고를 일으켰다.   ㉕ 나의 아파트는 도시 중심부에서 아주 멀리 떨어져 있어서 조용하다.   ㉖ 이번 여행이 당신의 첫 번째 해외여행이었나요? 즐거웠나요?   ㉗ 일부 아프리카 국가들은 공용어로 영어를 쓴다.   ㉘ 프랑스인들은 음식과 포도주에 대한 사랑으로 잘 알려져 있다.   ㉙ 가난한 사람들보다 부자들에게 더 많은 세금이 부과되어야 한다.

EXERCISES

obese 뚱뚱한, 살찐
lose weight 살을 빼다
flow into ~로 흘러가다
adapt 적응하다
climate 기후
polar bear 북극곰
escape from
~에서 달아나다
happen to + 동사원형
우연히 ~하다
approach
다가가다, 접근하다
immediately 즉시
Portugal 포르투갈

A 빈칸에 a(n) 또는 the를 넣어 문장을 완성하시오.

1 _____ obese often have great difficulty losing weight.

2 _____ longest river in Europe is _____ Volga. It begins in northern Russia and flows into _____ Caspian Sea.

3 As _____ rule, summers in Alaska are short and cool. _____ native people of Alaska are well adapted to living in a cool climate.

4 Daniel went to _____ shopping center on Elm Street to buy _____ new bicycle. But _____ bike he wanted was too expensive.

5 _____ polar bear has escaped from the zoo. If you happen to see _____ bear, please don't approach it and call the police immediately.

6 Vasco da Gama was born in _____ small town in southwestern Portugal. He was _____ first European to find a southern route from Europe to India.

talented 재능 있는
in one's youth
젊은 시절에
constitutional
monarchy 입헌 군주국
Renaissance 르네상스
artistic 예술적인
enlightenment 계몽
on display 전시하는

B 빈칸에 a(n), the 또는 ×를 넣어 문장을 완성하시오. [×는 필요 없는 경우]

1 Kate Winslet is such _____ talented actress. _____ her films are very popular all over _____ world.

2 _____ Mr. Smith, there's an Alice Kim on _____ phone. Would you like to take _____ call in your office?

3 In her youth, Minji played _____ piano whenever she had time. But these days, she goes _____ hiking in her free time.

4 Junghyun always goes to _____ bed early. He never wants to be late for _____ school because he is such _____ good student.

5 New Zealand is _____ constitutional monarchy with _____ Queen Elizabeth II as head of state.

6 During _____ early Renaissance, _____ Italian city of Florence was _____ center of culture and artistic enlightenment. There are _____ many great works of art on display in _____ city even today.

C 문장을 읽고, 밑줄 친 부분이 어법상 어색하다면 바르게 고치시오.

1 English is <u>a</u> most commonly spoken language in the world.

2 Philip bought <u>the</u> brand-new car yesterday. Have you seen it?

3 Yoonhee was very sick, and she stayed <u>in bed</u> all day.

4 Designer luxury goods are very popular among <u>a wealthy</u> in China.

5 Hohyun and Jihoon <u>play the soccer</u> every weekend when they have time.

6 If her boss continues refusing to pay her, Lauren is going to <u>go to court</u>.

7 If I won the lottery, I would buy my mother <u>the Picasso</u>. He is her favorite artist.

8 Jungin gave a wonderful presentation about <u>a</u> world-famous Opera House in Sydney.

9 Some students like to study <u>in the afternoon</u>, but others prefer to study <u>in the morning</u>.

D 빈칸에 a(n), the 또는 ×를 넣어 대화를 완성하시오. [×는 필요 없는 경우]

1 A: Excuse me, what's _____ quickest way to get to the airport from here?
B: I suggest that you go by _____ bus. It stops just over there.

2 A: Bonnie, did you buy _____ guitar?
B: Yes. I've started taking lessons. I would like to play _____ guitar well.

3 A: How often does _____ bus for the 63 Building come by here?
B: It comes about four times _____ hour. _____ next one will be along any minute.

4 A: Anne, do you see _____ boy sitting on the bench? That's my new neighbor.
B: Well, he is really cute. Why don't we invite him to go _____ skiing this weekend with us?

5 A: Where are you going for _____ your holiday this year?
B: I'm planning on going to Mexico. I really want to visit _____ Pyramid of the Sun in Mexico City.

대명사

FOCUS

1 대명사(pronouns)는 인칭, 소유, 재귀, 지시대명사 등으로 나뉜다. 인칭대명사(personal pronouns)는 앞서 언급된 사람이나 사물의 중복을 피하고자 할 때 쓴다.

Since <u>Mina</u> worked day and night, **she** should get a good score.①

<u>Jake</u> had changed so much that none of us recognized **him**.②

2 「대명사의 소유격+명사」는 소유대명사(possessive pronouns)로 바꿔 쓸 수 있다.

A: Jeffrey, can I borrow one of **your pens**?

B: Sure. Did you lose **yours**?

A: No, I left **mine** at the library.③

3 재귀대명사(reflexive pronouns)는 재귀적 용법과 강조적 용법으로 쓰인다. 강조적 용법은 (대)명사를 강조하므로 생략이 가능하지만, 재귀적 용법은 타동사나 전치사의 목적어가 되므로 생략할 수 없다.

Paula (**herself**) made a birthday cake for her friend Jessica.④

Narcissus died because he couldn't stop looking <u>at **himself**</u> in the pond.⑤

Cassius Clay <u>called</u> **himself** Muhammed Ali after converting to Islam.⑥

4 지시대명사(demonstrative pronouns)는 특정한 사람이나 사물을 대신 가리키는 말이다. 앞서 언급된 지시대명사를 다시 받을 때 사람인 경우 she, he, they로, 사물인 경우 it, they로 받는다.

<u>This</u> is my husband, James Clark. **He**'s a professor of linguistics.⑦

<u>Those</u> are my sons. **They**'re both elementary school students.⑧

🔑 KEY EXAM POINTS

A 앞서 언급된 명사를 받을 때 그 명사가 단수이면 that, 복수이면 those로 받는다.

The <u>geographic size</u> of Korea is similar to **that** of Great Britain.⑨

My <u>grades</u> were always better than **those** of my siblings.⑩

B 대명사 it은 가주어 또는 가목적어 역할을 한다.

It is very easy <u>to get lost in an unfamiliar city</u>.⑪ (preparatory subject)

Elizabeth has always found **it** difficult <u>to speak in front of an audience</u>.⑫ (preparatory object)

---

① 미나는 밤낮으로 공부했기 때문에 좋은 점수를 받을 것이다. ② 제이크는 너무 많이 변해서 우리 중 누구도 그를 알아볼 수 없었다. ③ A: 제프리, 네 펜을 빌려도 되니? B: 물론이지. 네 것을 잃어버렸니? A: 아니, 내 것을 도서관에 두고 왔어. ④ 폴라는 친구 제시카를 위해 생일 케이크를 직접 만들었다. ⑤ 나르키소스는 연못에 비친 자신의 모습을 바라보는 것을 멈출 수가 없어서 죽음에 이르렀다. ⑥ 캐시어스 클레이는 이슬람교로 개종한 뒤 자신을 무하마드 알리로 불렀다. ⑦ 이 사람은 내 남편 제임스 클라크이다. 그는 언어학 교수다. ⑧ 저 아이들은 내 아들들이다. 그들 둘 다 초등학생이다. ⑨ 한국의 국토 크기는 영국의 국토 크기와 비슷하다. ⑩ 내 성적은 언제나 형제들보다 더 좋았다. ⑪ 낯선 도시에서 길을 잃기는 매우 쉽다. ⑫ 엘리자베스는 청중 앞에서 말하는 것이 항상 어렵게 느껴진다.

EXERCISES

정답 및 해설 P. 10

A 주어진 대명사를 알맞게 바꿔 빈칸에 써넣으시오.

> independence 독립
> get married 결혼하다
> Venezuela 베네수엘라
> make friends
> 친구를 사귀다
> outgoing 사교적인

1 Tim just got a new video game for _____ (he) birthday. _____ (he) is going to share it with me because I always let _____ (he) play _____ (I).

2 Children really need to learn independence. You shouldn't always do things for _____ (they). _____ (they) have to learn to do things _____ (they).

3 Chris and Jane plan to get married in the fall. _____ (he) proposed to _____ (she) after having a wonderful dinner that _____ (he) had prepared _____ (he).

4 David often calls _____ (he) mother when _____ (he) is away from home. When _____ (he) was studying in Korea, _____ (she) worried about _____ (he) very much.

5 This is _____ (I) friend Liza from Venezuela. _____ (she) is here in Seoul studying Korean. _____ (she) has found _____ (it) very easy to make friends here because _____ (she) is outgoing.

B 문장을 읽고, 어법상 <u>어색한</u> 대명사를 찾아 바르게 고치시오.

> react 반응하다
> recognize ~을 인식하다
> bark at ~에게 짖어대다
> colleague 동료
> treat 대우하다
> fairly 공정하게
> store 저장하다
> retrieve ~을 검색하다
> depth 깊이

1 It is difficult for many Koreans to speak English because its language is so different from it.

2 Dogs often react strangely to mirrors as they don't recognize them. It even sometimes barks at a mirror.

3 Jinwoo was very upset because his salary was less than it of his colleagues. They had expected to be treated fairly.

4 Computers are getting faster and faster. It can quickly store and retrieve all kinds of information with its huge memory.

5 The depth of the Pacific Ocean is greater than it of the Atlantic Ocean. Its contains the Mariana Trench, the deepest part of the world's oceans.

6 Jisu wanted a new blouse, so she went to the mall after school. But the one it wanted was very expensive, so she decided not to buy one.

Unit **12**

부정대명사

FOCUS

1 부정대명사(indefinite pronouns) one(s)은 동일한 종류의 불특정한 것(들)을, 대명사 it이나 them은 앞서 언급한 바로 그것(들)을 가리킨다.

Martin broke <u>his cell phone</u> yesterday. He has to buy a new **one**.①
Martin broke <u>his cell phone</u> yesterday. He has to get **it** repaired.②

2 부정대명사 another는 동일한 종류의 또 다른 하나를 언급할 때 쓴다.

This onion is rotten. I'll go to the market for **another**.③
The red skirt is too small for me. I'll look around for **another**.④

3 부정대명사를 이용한 표현에는 다음과 같은 것이 있다.

I have two dogs. **One** is a Maltese, and **the other** is a German Shepherd.⑤ (one: 둘 중 하나, the other: 나머지 하나)
There are three boys in the playground. **One** is crying, **another** is playing by himself, and **the other** is building a sandcastle.⑥ (one: 셋 중 하나, another: 또 다른 하나, the other: 나머지 하나)
I have five umbrellas. **One** is wet, **another** is broken, and **the others** are still at school.⑦
(one: 다섯 중 하나, another: 또 다른 하나, the others: 나머지 모두)
Some children like pigeons, but **others** don't.⑧ (some: 일부, others: 또 다른 일부)

4 「all/both of+복수대명사」에서 of는 생략할 수 없다.

All of us <u>were</u> exhausted from the long train journey.⑨
Both of them <u>are</u> planning to study abroad next year.⑩

|참고| all이 '단 하나의 것(the only thing)'의 뜻일 경우 단수동사를 쓴다.
All I want <u>is</u> a place to sit down.⑪
If you'd like to travel to Hong Kong, all you need <u>is</u> a passport.⑫

5 none은 '아무(것)도 없다'라는 의미이며, 단독으로 쓰거나 none of 뒤에 명사를 쓴다.

I wish I could offer you some cookies, but I've got **none** left.⑬
None of the cake on the table <u>was</u> eaten. They mustn't have been hungry.⑭
None of the applicants <u>have[has]</u> enough experience to work at our company.⑮

6 -one, -body, -thing 앞에 any, every, no, some을 붙여 단수 취급한다.

Does anybody in our class speak Spanish? [16]

Anyone who <u>solves</u> this problem can go home early. [17]

Somebody <u>is</u> waiting for you in front of the box office. [18]

Everybody <u>wants</u> to know the truth about the affair, but **nothing** has been revealed yet. [19]

|참고| -one, -body, -thing을 수식하는 형용사(구)는 이들 뒤에 위치한다.
  I want to eat **something** <u>delicious</u>, but there's nothing to eat in my refrigerator. [20]

🔑 KEY EXAM POINTS

A each는 '각각, 각자'라는 의미로, 단독으로 쓰거나 단수명사를 수식한다. 또한 「each of+복수(대)명사+단수동사」의 형태로 쓴다.

She began to consult doctors, and **each** had a different diagnosis. [21]

Each person coming to the picnic should bring some food and drinks. [22]

The book is divided into nine parts, and **each of these** <u>has</u> four units. [23]

B every는 '모든'이라는 의미로, 단수명사를 수식하며 단독으로는 사용되지 않는다.

These days, **every household** <u>is</u> having difficulty because of the economic crisis. [24]

Every member of the family came home for Thanksgiving. [25]

C either 둘 중 어느 한 쪽의   vs.   neither 둘 중 어느 한 쪽도 아닌

If **either of my parents** <u>calls</u>, please let me know immediately. [26]

Neither of my brothers <u>have[has]</u> started middle school yet. [27]

D some of+복수명사+복수동사   vs.   some of+불가산명사+단수동사

Some of my best friends <u>live</u> in the southern city of Busan. [28]

Some of the cheese <u>needs</u> to be thrown out for it has gone bad. [29]

---

① 마틴은 어제 휴대 전화를 고장 냈다. 그는 새것을 사야 한다. ② 마틴은 어제 휴대 전화를 고장 냈다. 그는 그것을 수리해야 한다. ③ 이 양파는 썩었다. 나는 다른 양파로 바꾸기 위해 시장에 갈 것이다. ④ 이 붉은 치마는 내게 너무 작다. 나는 다른 것을 찾아보기 위해 둘러볼 것이다. ⑤ 나에게는 강아지 두 마리가 있다. 하나는 몰티즈이고, 다른 하나는 셰퍼드이다. ⑥ 놀이터에 세 명의 소년이 있다. 한 명은 울고 있고, 또 한 명은 혼자서 놀고 있고, 나머지 한 명은 모래성을 만들고 있다. ⑦ 나는 다섯 개의 우산이 있다. 하나는 찢어 있고, 또 하나는 부서졌고, 나머지는 아직도 학교에 있다. ⑧ 어떤 아이들은 비둘기를 좋아하지만, 다른 아이들은 좋아하지 않는다. ⑨ 우리 모두가 오랜 기차 여행으로 지쳤다. ⑩ 그들 둘 다 내년에 유학을 계획하고 있다. ⑪ 내가 원하는 한 가지는 않을 장소이다. ⑫ 네가 홍콩으로 여행을 가고 싶다면 필요한 것은 오직 여권이다. ⑬ 나는 네게 쿠키를 주고 싶지만 남아 있는 것이 없다. ⑭ 테이블 위에 있는 케이크가 그대로였다. 그들은 배가 고프지 않았던 게 틀림없다. ⑮ 우리 회사에서 일할 만큼의 충분한 경력을 가지고 있는 지원자는 아무도 없다. ⑯ 우리 반에서 스페인어를 할 수 있는 사람 있나요? ⑰ 이 문제를 푸는 누구라도 집에 일찍 갈 수 있다. ⑱ 어떤 사람이 영화 매표소 앞에서 너를 기다리고 있어. ⑲ 모두가 사건의 진상을 알고 싶어 하지만 아직 아무것도 밝혀진 것이 없다. ⑳ 나는 뭔가 맛있는 것을 먹고 싶지만 냉장고 안에는 먹을 게 아무것도 없다. ㉑ 그녀는 의사들에게 상담을 받기 시작했는데, 각기 다른 진단이 나왔다. ㉒ 소풍 오는 사람들은 각자 약간의 음식과 음료수를 가져와야 한다. ㉓ 그 책은 아홉 개의 파트로 나누어져 있고, 각각의 파트에는 네 개의 유닛이 있다. ㉔ 요즘 경제 위기로 인해 모든 가정이 어려움을 겪고 있다. ㉕ 가족들 모두 추수 감사절을 보내기 위해 집으로 돌아왔다. ㉖ 우리 부모님 중 한 분이 전화하시면, 즉시 제게 알려 주세요. ㉗ 내 남동생들 중 누구도 아직 중학교에 다니지 않는다. ㉘ 내 절친한 친구들 중 일부는 남부 도시인 부산에 산다. ㉙ 치즈의 일부분이 상해서 버려야 한다.

EXERCISES

> be supposed to
> ~하기로 되어 있다
> permission 허가, 허락
> hold ~을 진행하다
> appreciate
> ~에 감사하다
> forward (농구) 포워드

A ( ) 안에서 가장 알맞은 것을 고르시오.

1 Every parent (worry / worries) about his or her child.

2 All the (foreign student / foreign students) at our school speak Korean well.

3 Last week, Riley left his computer at the repair shop. Today he is supposed to pick (it / one) up.

4 All we need to do (is / are) get permission from the teacher, and then we can hold class outside today.

5 Neither of the (boy / boys) could have broken the window in the classroom. They weren't even at school that day.

6 I have an idea. If you buy (it / one) of these video games and I buy (one / the other), then we can share and play both of them.

7 Each of her seven children (call / calls) on Mother's Day. All of them really (appreciate / appreciates) everything that she has done for them.

8 (All / Each) of the basketball players were supposed to be at school early for practice. However, both of the forwards (were / was) late.

> consider ~을 고려하다
> depend on
> ~에 달려 있다
> athletic shoes 운동화

B 〈보기〉에서 알맞은 것을 골라 빈칸에 써넣으시오. [중복 사용 가능]

> 보기   one   the other   another   others   the others

1 Carrie's computer is very old. She should consider upgrading it or even buying a new _____.

2 Some of girls wore green, and _____ wore blue. It depended on which of the teams they were supporting.

3 She has three pairs of athletic shoes. _____ is for running, _____ is for walking, and _____ is for hiking.

4 I have two elder sisters. _____ is married and lives in Houston. _____ is single and still lives at home with our parents in Seattle.

5 There were five messages while you were out. _____ was from your boss, _____ was from your mother, and _____ were from your friends.

C 밑줄 친 부분이 어법상 <u>어색하다면</u> 바르게 고치시오.

1 None of the students <u>has</u> admitted to cheating on the exam.

2 When either he or his parents <u>visits</u> here, please let me know.

3 The prime minister promised to help the refugees in every <u>ways</u>.

4 Some of her colleagues <u>were</u> invited to the bridal shower last night.

5 Either of my parents <u>are</u> going to take care of my little sister tonight.

6 Each of her paintings <u>tell</u> a lot of stories about her happy childhood.

7 The child had just finished his food but asked for <u>another</u> dish, smacking his lips.

D 우리말과 같은 뜻이 되도록 〈보기〉에서 알맞은 말을 골라 빈칸에 써넣으시오.

> 보기   none   each   another   either   both   the others

1 각각의 상품에는 교재와 CD가 포함되어 있습니다.
→ _____ package contains a textbook and a CD.

2 그 요리는 모양과 맛 둘 다 인상적이었다.
→ The food was impressive _____ in appearance and taste.

3 주디와 나는 피자를 먹고 있었고, 그동안 나머지 다른 사람들은 보드게임을 했다.
→ Judy and I were having pizza while _____ were playing a board game.

4 내 생각에는 저 드레스 둘 중 어떤 것도 나에게 정말 잘 어울리는 것은 없을 것 같아.
→ I don't think _____ of those dresses would look really great on me.

5 나는 학교에 너무 일찍 온 것 같다. 교실에 우리 반 친구들이 아무도 없다.
→ I think I'm too early for school. _____ of my fellow students is in the classroom.

6 나는 요가를 하면 무릎이 아프다. 무릎에 무리가 가지 않는 다른 운동을 찾을 것이다.
→ When I do yoga, my knees hurt. I'll find _____ exercise which doesn't put stress on them.

REVIEW

정답 및 해설 P. 11

impressive 감명 깊은
man-made 사람이 만든

A 다음 빈칸에 들어갈 가장 알맞은 것을 고르시오. [×는 필요 없는 경우]

1 A: What are you going to have for _____ lunch today?

B: My mother will make me *bulgogi* with rice.

① ×   ② the

③ a   ④ some

2 A: What are you doing after school, Dan?

B: Since I lost my book yesterday, I'll go to the bookstore to buy a new

_____ .

① it   ② one

③ thing   ④ ones

3 A: What do you think the most impressive thing in China is?

B: I think it's the Great Wall. It's one of _____ .

① greatest man-made objects   ② greatest man-made object

③ the greatest man-made object   ④ the greatest man-made objects

athlete (운동)선수
exhausting 지친
be off to
～을 향해 떠나다, 출발하다
collection 소집품, 소장품

B 다음 대화를 읽고, 바르지 <u>않은</u> 문장을 고르시오.

1 ① A: As a Korean, I'm so proud of Kim Yujin. She's a very talented athlete.

② B: You're right. She practices very hard every day. It must be exhausting for her.

③ A: And living and training abroad by her can't be easy either.

④ B: I know what you mean. I wouldn't want to live so far away from my family.

2 ① A: Yoonjin, where are you going?

② B: Well, I'm off to the department store to buy birthday presents for my twin sisters.

③ A: What are you going to buy?

④ B: I'm going to buy crayons because each of them like to draw.

3 ① A: Barbara, what a beautiful collection of dolls you have!

② B: Thanks. I've been collecting them for years.

③ A: Where did you get them all, if you don't mind my asking?

④ B: Some of them were given to me as gifts, and other were bought here and there while I was traveling.

C 다음을 읽고, 바르지 <u>않은</u> 문장을 고르시오.

1

① Rain forests produce a great amount of oxygen while removing carbon dioxide from the air. ② Oxygen is necessary to sustain all living things. ③ Today, rain forests from Indonesia to Brazil to the Congo is endangered. ④ All of humanity must work together to protect these important natural resources for future generations.

rain forest 열대 우림
a great amount of
엄청난 양의
oxygen 산소
carbon dioxide
이산화탄소
necessary 필요한
sustain 살아가게 하다
endanger
위험에 빠뜨리다
humanity 인류
generation 세대

2

① Opened in the spring of 2008, the Singapore Flyer is the tallest ferris wheel in the world. ② It is located in the heart of this beautiful tropical city and thus offers breathtaking views of the Singapore skyline. Passengers may ride in any one of its 28 capsules. ③ Each of these air-conditioned capsules are designed for up to 28 passengers. ④ Because of its large size, the wheel moves very slowly, providing wonderful opportunities for pictures of Singapore and its environs.

ferris wheel 대관람차
breathtaking
(너무 아름다워서) 숨이 막히는
up to ~까지
provide ~을 제공하다
opportunity 기회
environs 주변 (지역)

3

The first time I walked into the international airport in Incheon, I was amazed. ① The high-ceilings and glass facade give the structure a very light, airy feeling. ② In addition, there are many shops filled with Korean-made products as well as luxury goods from around the world. ③ If you get hungry waiting for your flight, there are restaurants to suit every taste and budget. ④ I was, therefore, not surprised to learn that it is rated as one of the best airport in the world.

facade
건물의 외관 또는 정면
structure 구조
airy 가벼운, 통풍이 잘 되는
in addition 게다가
suit ~에 적합하다
budget 예산
rate 여기다, 평가하다

REVIEW PLUS

정답 및 해설 P. 11

notice ~을 알아차리다
upon -ing ~하자마자 곧
dozens of 수십의, 많은
wildflower 야생화
countless
무수한, 셀 수 없이 많은
creeping plants
덩굴 식물
polish 윤을 내다
bubbling 거품이 이는
rest against
~에 기대다

A 다음 (A), (B), (C)에서 어법에 맞는 표현으로 가장 적절한 것을 고르시오. [기출 응용]

The first thing I notice upon entering this garden is that the ankle-high grass is greener than (A) (that / those) on the other side of the fence. Dozens of wildflowers of countless varieties cover the ground to (B) (both / either) sides of the path. Creeping plants cover the polished silver gate and the sound of bubbling water comes from somewhere. The perfume of wildflowers (C) (fill / fills) the air as the grass dances upon a gentle breeze. A large basket of herbs rests against the fence to the west. Every time I walk in this garden, I think, "Now I know what it is like to live in paradise."

	(A)		(B)		(C)
①	that	…	both	…	fill
②	that	…	both	…	fills
③	that	…	either	…	fills
④	those	…	either	…	fill
⑤	those	…	either	…	fills

be held 열리다, 실시되다
particular 특별한
run for 출마하다
vote 투표하다
mark ~을 기재하다
ballot
무기명(비밀) 투표, 투표 용지
candidate 후보자
belong to ~에 속하다
nominate
지명하다, 추천하다

B 다음 글의 밑줄 친 부분 중, 바르지 <u>않은</u> 것을 고르시오. [기출 응용]

Elections are held to choose a person for a particular office. For example, ① seventh grade students may want to choose a class president. Students interested in the position will talk to their classmates and make posters to let class members know they are running for that office. The class will then vote by marking their choices on ballots. A ballot is ② a piece of paper listing the candidates for president. The votes are counted, and the person who gets the most votes ③ becomes the new class president. You may belong to a club or organization that ④ nominate candidates and elects officers. Many clubs, organizations, and businesses ⑤ follow this same procedure.

PART 4

to부정사의 시제와 태

OCUS ···

1   to부정사(to-infinitives)는 동사의 성질을 가지므로 시제와 태가 존재한다.

> 문장의 동사와 같은 시제를 나타낼 때 : 「to+동사원형」

Mr. Johnson <u>wants</u> us **to attend** the weekly staff meetings.①

> 문장의 동사보다 먼저 일어난 일을 나타낼 때 : 「to+have+p.p.」

Mary <u>seems</u> **to have worked** overseas before.②
→ It <u>seems</u> that Mary **has worked** overseas before.

> to부정사의 수동형 : 「to+be+p.p.」, 완료 수동형 : 「to+have been+p.p.」

His condition seemed too serious **to be ignored**.③
Stonehenge seems **to have been built** for astrological studies.④

> to부정사의 진행형 : 「to+be+-ing」

They seem **to be having** fun. They're really into surfing.⑤

2   to부정사의 행위자가 문장의 주어 또는 목적어와 같거나 일반인일 경우에는 의미상의 주어를 따로 쓰지 않지만, 그 밖의 경우에는 to부정사 앞에 「for+목적격」을 쓴다.

<u>We</u> decided **to move** to another country.⑥
The majority of people expect <u>Tom Smith</u> **to be** a good president.⑦
The project was too difficult <u>for them</u> **to complete**.⑧

KEY EXAM POINTS

A   「for+목적격+to부정사」: difficult, hard, impossible, important, strange …
It is quite <u>hard</u> **for her** to have a part-time job and go to college at the same time.⑨
It is <u>impossible</u> **for them** to solve the question without using computers.⑩

B   「of+목적격+to부정사」: kind, polite, rude, careful, careless, generous, clever, foolish, mean, silly, stupid …
It was very <u>kind</u> **of her** to help the disabled.⑪
It was very <u>generous</u> **of him** to donate money to the orphanage.⑫

---

① 존슨 씨는 우리가 주간 직원회의에 참석하기를 원한다.   ② 메리는 전에 해외에서 근무했던 것 같다.   ③ 그의 상태가 너무 심각해 보여서 무시할 수가 없었다.   ④ 스톤헨지는 점성술 연구를 위해 지어진 것 같다.   ⑤ 그들은 재미있게 보내고 있는 것 같다. 그들은 정말 서핑을 좋아한다.   ⑥ 우리는 다른 나라로 이주하기로 결정했다.   ⑦ 대부분의 사람들은 톰 스미스가 훌륭한 대통령이 될 거라고 기대한다.   ⑧ 그 과제는 그들이 완수하기에는 너무 어려웠다.   ⑨ 그녀에게 있어서 아르바이트를 하며 동시에 대학에 다니는 것은 꽤 어려운 일이다.   ⑩ 그들에게 있어 컴퓨터를 사용하지 않고 그 문제를 해결하는 것은 불가능한 일이다.   ⑪ 그녀는 참 친절하게도 장애인을 도와주었다.   ⑫ 그는 참 관대하게도 고아원에 기부를 했다.

A ( ) 안에서 가장 알맞은 것을 고르시오.

1 It's rare (to find / to be found) diamonds of such quality.

2 They seem (to be enjoying / to be enjoyed) the art class.

3 She promised (to finish / to have finished) repairing the wall by May.

4 He was excited (to accept / to be accepted) by the university.

5 Joseph is anxious (to start / to be started) school this semester.

6 The archaeologist expects (to discover / to be discovered) artifacts.

7 She wants you (to come / to be come) to the dinner party tomorrow.

8 The students are waiting (to give / to be given) the result of their exam.

9 It is strange (for her / of her) to have been absent from school for a while.

10 Dave hopes (to be / to have been) a well-known calligrapher like his uncle.

11 It is impossible (for you / of you) to read such a difficult book. It's too technical.

12 It was careless (for you / of you) not to check your answers before turning in the exam.

rare 드문, 희귀한
quality 질
anxious ~하고 싶어 하는
archaeologist
고고학자
artifact 유물
calligrapher 서예가
technical 전문적인
careless
부주의한, 경솔한
turn in 제출하다

 B ( ) 안에서 가장 알맞은 것을 고르시오.

1 A: Why haven't you prevented the dog from eating food off the table?
B: He was too swift for me (to stop / to be stopped).

2 A: What happened, Dongsu? You look so happy.
B: I'm the youngest player (to choose / to be chosen) for the national football team.

3 A: What's that strange smell? Something seems (to have spoiled / to have been spoiled).
B: Really? I can't smell anything because I'm all stuffed up.

4 A: I didn't order this. The beef steak was supposed (to serve / to be served), not garlic spaghetti.
B: Oh, I'm really sorry. Let me check in the kitchen.

prevent A from B
A가 B하는 것을 막다
off ~에서 떨어진
swift 빠른
spoil (음식이) 상하다
stuff up ~을 꽉 막다
garlic 마늘

to부정사의 쓰임

FOCUS

1 to부정사는 문장에서 명사처럼 주어, 목적어, 보어의 역할을 한다.

To fly solo for the first time is an exciting challenge.① (주어)

I like **to listen** to classical music in the morning.② (목적어)

Her goal is **to run** five miles each day, which is good for her health.③ (주격보어)

My family wants me **to become** a doctor or a lawyer.④ (목적격보어)

ㅣ참고ㅣ 주어로 쓰인 to부정사가 길어지는 경우 가주어 it으로 바꿔 쓰고 to부정사는 문장의 뒤로 보낸다.

To fly solo for the first time is an exciting challenge.

→ It is an exciting challenge **to fly solo for the first time**.

2 「의문사+to부정사」는 문장에서 주어, 보어, 목적어로 쓰인다.

How to communicate with people is the key point of her lecture.⑤ (주어)

The question is **whom to hire** for the advertising team.⑥ (보어)

I haven't yet decided **where to meet** them next week.⑦ (목적어)

ㅣ참고ㅣ 목적어로 쓰인 「의문사+to부정사」는 「의문사+주어+should[can/could]+동사원형」으로 바꿔 쓸 수 있다.

She isn't sure **where to park** her car.⑧

→ She isn't sure **where she should park** her car.

3 to부정사는 명사 뒤에 위치하여 명사를 수식하는 형용사 역할을 한다.

The woman has two babies **to take care of**.⑨

There are many steps **to go through** before the contract gets approved.⑩

ㅣ주의ㅣ 「be+to부정사」가 예정, 의무, 운명, 가능, 의도 등의 뜻을 나타낼 때, to부정사는 형용사 역할을 한다.

The new professor is **to arrive** next Thursday.⑪ (be supposed to)

You are **to clean** your room every day.⑫ (should)

They were never **to see** each other again after their trip to Mexico.⑬ (be destined to)

This kind of diamond is never **to be found** in this area.⑭ (can)

If we are **to work** together on this project, we should get to know each other better.⑮ (intend to)

ㅣ참고ㅣ 형용사 역할을 하는 to부정사는 관계사를 이용한 형용사절로 바꿔 쓸 수 있다.

I have an essay **to write**.⑯

→ I have an essay **which I must write**.

4 to부정사는 형용사를 수식하거나, 목적(~하기 위해서), 판단의 근거(~하다니 …하다, ~하게도 …하다), 감정의 원인(~하게
되어 …하다), 결과(~해서 그 결과 …하다) 등을 나타내는 부사적 역할을 한다.

We'll always be ready **to welcome** you. We hope you make it back home safely.[17] (형용사 수식)

We worked all week **to complete** the hotel renovations.[18] (목적)

I was foolish **to go out** in the rain without an umbrella.[19] (판단의 근거)

Tom was surprised **to get** a job offer from a major university in England.[20] (감정의 원인)

James grew up **to be** a top executive in New York City.[21] (결과)

🔑 KEY EXAM POINTS

A to부정사의 부정형은 「not+to부정사」로 쓴다.

The school chose **not to expel** him in the end.[22]

The chef was determined **not to make** the same mistake again.[23]

B to부정사가 형용사 역할을 할 때 전치사 또는 부사를 수반해야 하는지 아닌지는 to부정사 뒤에 목적어를 놓아
보면 알 수 있다.

I need a chair **to step on** to reach the top shelf.[24] (step on a chair)

The lawyer needs something **to write with**.[25] (write with something)

The little girl has a notebook **to write on**.[26] (write on a notebook)

The puppy has many things **to play with**.[27] (play with many things)

---

① 처음으로 단독 비행하는 것은 흥미진진한 도전이다. ② 나는 아침에 클래식 음악을 듣는 것을 좋아한다. ③ 그녀의 목표는 매일 5마일을 달리는 것으로, 그것은 그녀의 건강에 도움이 된다. ④ 우리 가족은 내가 의사나 변호사가 되기를 원한다. ⑤ 사람들과 의사소통을 하는 법이 그녀 강의의 핵심이다. ⑥ 문제는 광고 팀에 누구를 고용하는가이다. ⑦ 나는 다음 주에 그들을 어디서 만나야 할지 아직 정하지 못했다. ⑧ 그녀는 차를 어디에 주차해야 할지 모른다. ⑨ 그 여자는 돌봐야 할 아기가 두 명 있다. ⑩ 계약이 승인되기 전에 거쳐야 할 단계가 많이 있다. ⑪ 새로운 교수님이 다음 주 목요일에 도착하기로 되어 있다. ⑫ 너는 매일 네 방을 청소해야 한다. ⑬ 그들은 멕시코 여행 이후 다시는 서로 볼 수 없는 운명이었다. ⑭ 이런 종류의 다이아몬드는 이 지역에서 결코 발견할 수 없다. ⑮ 우리가 이 프로젝트를 함께 하려면, 서로에 대해 좀 더 잘 알아야 한다. ⑯ 나는 써야 할 에세이가 있다. ⑰ 우리는 언제나 너를 환영할 준비가 되어 있을 거야. 무사히 집에 돌아오기를 바라. ⑱ 우리는 호텔의 보수 공사를 끝내기 위해 한 주 내내 일했다. ⑲ 우산도 없이 비를 맞으며 나가다니 내가 어리석었다. ⑳ 톰은 영국의 일류 대학으로부터의 일자리 제의를 받고 놀랐다. ㉑ 제임스는 자라서 뉴욕 시의 고위 간부가 되었다. ㉒ 학교는 결국 그를 퇴학시키지 않기로 결정했다. ㉓ 주방장은 다시는 같은 실수를 하지 않겠다고 굳게 결심했다. ㉔ 나는 맨 꼭대기 선반에 닿기 위해서 딛고 설 의자가 필요하다. ㉕ 그 변호사는 필기도구가 필요하다. ㉖ 그 어린 소녀는 (뭔가를) 적을 공책을 가지고 있다. ㉗ 그 강아지는 가지고 놀 것이 많이 있다.

EXERCISES

gymnasium 체육관
weigh ~의 무게를 달다
camel 낙타
a wide range of
광범위한
electrical outlet
콘센트
pretend ~인 체하다
tendency 경향
nervous 긴장되는, 불안한
break into ~에 침입하다
scan ~을 눈여겨보다,
(유심히) 살피다
bulletin board 게시판

A ( ) 안에서 가장 알맞은 것을 고르시오.

1 The teacher gave her a pencil (to write / to write with).

2 She doesn't think her pants need (to wash / to be washed).

3 The students need a new gymnasium (to play / to play in).

4 At the cafeteria, Sally bought a sandwich (to eat / to eat in).

5 She thinks his decision (to quit / to be quit) school is foolish.

6 He couldn't find a good topic (to deal / to deal with) in his essay.

7 Do you have any luggage (to check / to check in)? Let me weigh it.

8 Camels can survive for days without anything (to drink / to be drunk).

9 The shopping mall offers a wide range of goods (to choose / to choose from).

10 The children were warned (not to touch / to not touch) the electrical outlet.

11 Sue hopes to have many opportunities (to talk / to talk with) her new friend.

12 He pretended (not to see / to not see) her when he passed her on the stairs.

13 Christine often makes peanut butter sandwiches (to have / to have for) as a snack.

14 I was shocked (to find out / to be found out) that she had been married for 10 years.

15 He has a tendency (to talk / to be talked) very fast especially when he is really nervous.

16 I was disappointed because there were no baby tigers (to take pictures / to take pictures of).

17 Somebody broke into the office last night. It was careless of him not (to lock / to be locked) the door.

18 I scanned the job ads on the bulletin board, but there were no job openings for me (to apply / to apply for).

B 〈보기〉에서 알맞은 동사를 골라 to부정사로 바꿔 문장을 완성하시오.

보기	ask	understand	drive	donate	see
	fly	wait on	create	accomplish	vote

1 French women didn't have the right _____ until 1945.

2 Tim wants to be a pilot. His dream is _____ a jumbo jet.

3 There is not always going to be someone there _____ you.

4 Every sculptor's dream is _____ the greatest monument in the world.

5 It was not a great idea _____ during rush hour. I was late for the meeting.

6 It isn't easy _____ a professor to write a letter of recommendation.

7 It is very generous of you _____ once a month for the homeless.

8 You'll learn several useful tips on how _____ your goals, so please pay attention to me.

9 Jessica broke up with her boyfriend three years ago. She has no desire _____ him again.

10 Animated movies are really popular among adults and young kids alike because they're easy _____ .

donate 기부하다
wait on ~의 시중을 들다
accomplish ~을 이루다
vote 투표하다
right 권리
sculptor 조각가
monument 기념물
rush hour
러시아워, 혼잡한 시간
recommendation
추천서
generous 관대한
homeless 노숙자
pay attention to
~에 주의를 기울이다
break up with
~와 헤어지다
desire 욕망, 욕구
animated
만화 영화로 된; 활기찬

C (A)와 (B)에서 각각 알맞은 것을 하나씩 골라 〈보기〉와 같이 문장을 완성하시오.

보기	He hasn't decided _____ where to go _____ for his summer vacation.

decide ~을 결정하다
sure 확신하는

A	whether	where
	how	what

B	play	put
	buy	do

1 If you can't decide, I'll tell you _____ .

2 I'm still not sure _____ the cat or not.

3 Do you know _____ this picture on the wall?

4 You'll never forget _____ badminton once you've learned.

동명사의 쓰임

FOCUS

1 동명사(gerunds)는 문장에서 명사처럼 주어, 보어, 목적어의 역할을 한다.

Wearing shoes inside the house is unacceptable throughout most of Asia.① (주어)

His favorite hobby is **cooking** Italian food.② (보어)

She likes **watching** animated movies on the weekends.③ (목적어)

You should give up **playing** computer games if you want to get good marks.④

|주의| 동명사 주어는 단수 취급을 한다.

Taking pictures is not allowed in the National Gallery.⑤

2 동명사는 동사의 성질을 가지므로 목적어를 취할 수 있다.

Bonnie enjoys **reading** magazines in her free time.⑥

Wearing perfume makes her feel good.⑦

3 동명사의 행위자가 문장의 주어 또는 목적어와 같거나 일반인일 경우에는 의미상의 주어를 따로 쓰지 않지만, 그 밖의 경우에는 동명사 앞에 소유격이나 목적격을 사용하여 나타낸다.

My grandfather enjoys **wearing** a big straw hat.⑧ (행위자가 주어와 동일)

Rick insisted on **my staying** with Natalie.⑨ (행위자가 따로 존재)

|참고| 동명사 앞에는 소유격 말고도 다른 한정사(정관사, 지시형용사 등)가 나올 수 있다.

The rebuilding of the shopping mall met with stiff opposition from local residents.⑩

What's all this arguing about? Let's stop it. OK? ⑪

4 동명사는 동사의 성질을 가지므로 시제와 태가 존재한다.

문장의 동사와 같은 시제를 나타낼 때 : 「동사원형+ing」

He finished **making** the blueprint for the new shopping mall.⑫

Sandra is proud of her daughter **being** intelligent.⑬

문장의 동사보다 먼저 일어난 일을 나타낼 때 : 「having+p.p.」

She <u>appreciated</u> **having received** the expert's interest in her project.[14]

He admitted **having stolen** the picture.[15]

동명사의 수동태 : 「being+p.p.」, 「having been+p.p.」

She hates **being treated** like a baby by the adults.[16]

The beach showed no signs of ever **having been walked** on before.[17]

  **KEY EXAM POINTS**

A   현재분사   vs.   동명사

쓰임	현재 분사	동명사
-ing+명사	a **sleeping** girl 자고 있는 소녀 **smoking** people 담배 피고 있는 사람들 a **working** man 일하고 있는 사람	a **sleeping** pill 수면제 a **smoking** room 흡연실 a **washing** machine 세탁기
be+-ing	Vanessa is **baking** a cake in the kitchen.[18] (present progressive)	Vanessa's hobby is **baking** a cake.[19] (complement: Vanessa's hobby=baking a cake)
주어	−	**Traveling** by bicycle is very nice.[20]
목적어	−	Emma clearly remembers **having put** her passport in her purse last night.[21]
목적격보어	I saw <u>him</u> **watching** a movie in the living room.[22]	−
전치사의 목적어	−	Kara can't hold <u>off</u> **going** to the doctor any longer.[23]

① 집 안에서 신발을 신는 것은 아시아 대부분의 나라에서 허용되지 않는다. ② 그가 가장 좋아하는 취미는 이탈리아 음식을 요리하는 것이다. ③ 그녀는 주말마다 만화 영화를 보는 것을 좋아한다. ④ 좋은 성적을 받으려면 너는 컴퓨터 게임을 하는 것을 그만둬야 한다. ⑤ 국립미술관에서 사진을 찍어서는 안 된다. ⑥ 보니는 여가에 잡지를 읽는 것을 즐긴다. ⑦ 향수를 뿌리는 것은 그녀의 기분을 좋게 만든다. ⑧ 우리 할아버지께서는 큰 밀짚모자를 쓰는 것을 좋아하신다. ⑨ 릭은 내가 나탈리와 함께 머물러야 한다고 고집을 부렸다. ⑩ 쇼핑몰의 재건축은 지역 주민의 거센 반대에 부딪쳤다. ⑪ 왜 이렇게 다투고들 있는 거야? 이제 그만하자, 응? ⑫ 그는 새 쇼핑몰에 대한 설계도를 작성하는 것을 끝마쳤다. ⑬ 산드라는 딸의 총명함이 자랑스럽다. ⑭ 그녀는 자신의 프로젝트가 전문가들의 관심을 받은 것에 대해 감사해 했다. ⑮ 그는 그 그림을 훔쳤다는 것을 인정했다. ⑯ 그녀는 어른들에게 아이처럼 취급받는 것을 매우 싫어한다. ⑰ 그 해변은 전에 사람의 발길이 닿지 않았다는 것을 보여 주었다. ⑱ 바네사는 부엌에서 케이크를 굽고 있다. ⑲ 바네사의 취미는 케이크를 굽는 것이다. ⑳ 자전거로 여행하는 것은 매우 기분이 좋다. ㉑ 엠마는 어젯밤 가방에 여권을 집어넣었던 것을 확실히 기억한다. ㉒ 나는 그가 거실에서 영화를 보고 있는 것을 보았다. ㉓ 카라는 병원에 가는 것을 더는 미룰 수 없다.

PART 4 ＊ UNIT 15_ **71**

EXERCISES

정답 및 해설 P. 13

fairy tale 동화
hang ~을 걸다, 매달다
portrait 초상화
psychology 심리학
graduate school
대학원
assignment 과제; 할당

A 밑줄 친 '-ing형'이 동명사면 G(gerunds), 현재분사면 PP(present participles)를 쓰시오.

1 Kathy enjoys <u>telling</u> fairy tales to kids. _____

2 Hey, are you <u>listening</u> to me? What did I say? _____

3 His dream is <u>winning</u> the next World Baseball Classic. _____

4 She's <u>living</u> with her friends until she finds an apartment. _____

5 I saw your daughter <u>running</u> down the street the other day. _____

6 Jennifer hung a portrait of her grandmother in the <u>living</u> room. _____

7 My daughter went on <u>studying</u> psychology in graduate school. _____

8 When I came back from school, my sister was <u>doing</u> her assignment. _____

give out ~을 나누어주다
leaflet 전단지
recharge 재충전하다
matter 중요하다
delay ~을 연기하다
dissatisfied
불만족스러운
scenery 경치, 풍경

B 밑줄 친 동명사가 주어, 목적어, 보어 중 어떤 역할을 하는지 쓰시오.

1 As far as I know, <u>giving</u> out leaflets in this area is not allowed.

2 <u>Doing</u> nothing for a few minutes helps your brain recharge.

3 It doesn't matter whether she delays <u>paying</u> the money back to me.

4 She'll go shopping with her mom when she has finished <u>cleaning</u> her room.

5 The hardest part of the job is <u>answering</u> calls from dissatisfied customers.

6 Sarah enjoys <u>climbing</u> mountains and watching beautiful scenery on the top.

be in charge of
~을 맡다, 담당하다
mind ~을 꺼리다
bookworm 책벌레
avoid ~을 피하다
sensitive 민감한

C 〈보기〉에서 알맞은 동사를 골라 동명사로 바꿔 문장을 완성하시오.

| 보기 | be | answer | say | study | finish | use |

1 He is in charge of _____ the new project.

2 _____ 70 hours a week is too much for young learners.

3 Would you mind my _____ your computer for a moment?

4 She doesn't seem to enjoy _____ called a bookworm.

5 She tries to avoid _____ questions about sensitive issues.

6 Jenny left the airport without _____ goodbye to her boyfriend.

D 주어진 단어를 to부정사 또는 동명사로 바꿔 문장을 완성하시오. [복수 답 가능]

1 His dream is _____ (become) a distinguished physicist.

2 Do you know why she decided _____ (change) her mind?

3 I think you'd better consider _____ (buy) a new computer.

4 I suggest _____ (make) an international student ID card before you go abroad.

5 Elizabeth finally finished _____ (prepare) her grandfather's 70th birthday party.

E 〈보기〉에서 알맞은 동사를 골라 to부정사 또는 동명사로 바꿔 문장을 완성하시오.
[복수 답 가능]

보기	perform	use	see	build	take	spend

1 _____ our house without any help was not easy.

2 Sue was excited _____ the movie with her friend.

3 I started _____ dental floss to keep my teeth healthy.

4 Are you sure Max doesn't want _____ time with you these days?

5 The students should practice _____ the music very hard since Christmas is around the corner.

6 I should have listened to Mom this morning. She suggested _____ the subway to school.

F 두 문장의 의미가 통하도록 문장을 완성하시오.

1 He admitted that he had been told to lie.
→ He admitted _____ to lie.

2 I am sorry that I lost your notebook.
→ I am sorry for _____ your notebook.

3 I'm so sorry that I spilled water on you.
→ I am so sorry for _____ water on you.

4 I'm so happy that I got a good grade on the test.
→ I am so happy about _____ a good grade on the test.

동명사 vs. 부정사

OCUS ···

1 동명사를 목적어로 취하는 동사: admit, avoid, consider, delay, deny, discuss, dislike, enjoy, finish, give up, go on, keep (on), mind, miss, postpone, quit, stop, suggest …

You **kept** yawning this morning. Are you tired?①

Would you **mind** calling back at six o'clock?②

ㅣ참고ㅣ stop 뒤에 동명사가 오면 stop의 목적어(~을 멈추다, 그만두다)가 되고, stop 뒤에 to부정사가 오면 부사적으로 쓰여 목적(~하려고)의 의미가 된다.
She **stopped** singing and listened to the radio.③
She **stopped** to call her project manager.④

2 to부정사를 목적어로 취하는 동사: afford, agree, ask, decide, expect, hope, learn, manage, plan, promise, want, wish …

I **want** to make a reservation for a flight to Austria.⑤

The student **promised** to turn in his assignment by tomorrow.⑥

ㅣ참고ㅣ want와 need 뒤에 동명사가 온 경우 수동의 의미가 된다.
The front tire on the truck **needs changing[to be changed]** because it is flat.⑦
When my puppy **wants brushing[to be brushed]**, he brings me the brush.⑧

3 to부정사를 목적격보어로 취하는 동사: advise, allow, ask, expect, force, get, invite, order, persuade, permit, remind, tell, want …

His father **allowed** Jamie **to go** on field trips.⑨

My co-workers **persuaded** me not **to quit** my job.⑩

ㅣ주의ㅣ suggest는 목적격보어로 to부정사를 취하지 않는다.
He suggested that I should **pack** everything I need in advance.⑪ (~~me to pack~~)

4 동사원형을 목적격보어로 취하는 동사에는 지각동사(see, watch, listen to, notice, hear, feel …)와 사역동사(have, make, let)가 있다.

He **heard** someone **slam** the door shut.⑫

She **made** her daughter **come** home by nine o'clock.⑬

ㅣ참고ㅣ help는 목적격보어로 to부정사와 동사원형을 모두 쓸 수 있다.
If you are having trouble getting to sleep at night, classical music may help you (to) relax.⑭

5 to부정사와 동명사 모두를 목적어로 취하는 동사: love, like, hate, begin, start, continue, prefer …

She **started** learning[to learn] to make floral arrangements last month.[15]

The concert wasn't good. The audience **began** leaving[to leave] before it was over.[16]

|주의| prefer는 to부정사와 동명사를 모두 목적어로 취하지만 그 형태에 주의해야 한다.

Joe **prefers** playing soccer to watching it.[17]

→ Joe **prefers** to play soccer rather than (to) watch it.

6 remember, forget, regret은 동명사와 to부정사를 모두 목적어로 취하지만 뜻이 달라진다. 주로 동명사는 현재나 과거를, to부정사는 미래를 나타낸다.

He **remembered** seeing Cindy leave two hours ago.[18]

He **remembered** to buy the big box of cheese slices.[19]

I **forgot** seeing that movie before, but now I remember it.[20]

I **forgot** to pack my evening dress for my trip to Germany.[21]

I **regretted** quitting my job without finding a new one.[22]

I **regret** to inform you that I am handing in my resignation.[23]

|주의| try 뒤에 to부정사가 오면 '~을 하려고 노력하다, 애쓰다'라는 의미를 나타내며, try 뒤에 동명사가 오면 '(결과가 어떤지 알아보려고) 시험 삼아 ~ 해 보다'라는 의미를 나타낸다.

When you are tired, try meditating.[24]

The master **tried** to teach her how to defend herself.[25]

🔑 KEY EXAM POINTS

A 지각동사, 사역동사는 목적격보어로 to부정사를 취할 수 없다. 지각동사의 경우에는 현재 진행되고 있는 동작에 초점을 둘 경우 목적격보어로 현재분사를 쓴다.

I **heard** her talk(ing) on the phone when I left the conference room.[26] (to talk)

B get은 사역동사의 의미로 쓰이더라도 목적격보어로 to부정사를 쓴다.

His mother **got** him to bring the dirty dishes to the sink.[27]

---

① 너는 오늘 아침에 계속 하품을 하더구나. 피곤하니? ② 여섯 시에 다시 전화해 주시겠습니까? ③ 그녀는 노래하던 것을 멈추고 라디오를 들었다. ④ 그녀는 프로젝트 관리자에게 전화를 하려고 멈췄다. ⑤ 나는 오스트리아행 비행기를 예약하고 싶다. ⑥ 그 학생은 내일까지 숙제를 제출하기로 약속했다. ⑦ 트럭의 앞바퀴 바람이 빠져서 교체가 필요하다. ⑧ 우리 강아지는 솔질을 원할 때마다 나에게 브러시를 가져온다. ⑨ 아버지는 제이미가 현장 학습 가는 것을 허락했다. ⑩ 내 동료는 일을 그만두지 않도록 나를 설득했다. ⑪ 그는 나에게 미리 필요한 모든 것을 챙길 것을 제안했다. ⑫ 그는 누군가가 문을 세게 닫는 소리를 들었다. ⑬ 그녀는 자신의 딸을 아홉 시까지 집으로 돌아오게 했다. ⑭ 밤에 잠이 드는 게 힘이 든다면 클래식 음악이 당신의 긴장을 푸는 데 도움이 될지도 모른다. ⑮ 그녀는 지난달부터 꽃꽂이를 배우기 시작했다. ⑯ 그 음악회는 재미있지 않았다. 청중은 음악회가 끝나기 전에 떠나기 시작했다. ⑰ 조는 축구를 보는 것보다 하는 것을 좋아한다. ⑱ 그는 두 시간 전에 신디가 떠나는 것을 보았음을 기억했다. ⑲ 그는 큰 상자에 든 치즈 슬라이스를 사야 한다는 것을 기억했다. ⑳ 나는 그 영화를 이전에 봤던 것을 잊어버리고 있었는데, 이제 기억이 난다. ㉑ 나는 독일 여행에 이브닝드레스를 챙겨 가는 것을 잊어버렸다. ㉒ 나는 새 직장을 찾지 않고 일을 그만 둔 것을 후회한다. ㉓ 사직서를 제출할 것이라는 사실을 알리게 되어 유감입니다. ㉔ 당신이 피곤함을 느낀다면 명상을 해보세요. ㉕ 사부는 그녀에게 그녀 자신을 방어할 수 있는 기술을 가르치려고 애를 썼다. ㉖ 나는 회의실에서 나올 때 그녀가 전화로 이야기하는 것을 들었다. ㉗ 그의 어머니는 그에게 지저분한 접시를 싱크대에 가져다 놓도록 했다.

EXERCISES

afford ~할 여유가 있다
biology 생물학
research 연구
lab(=laboratory) 연구실, 실험실
used car 중고차
financial 재정적인
go through ~을 겪다
genetic 유전학

Ⓐ ( ) 안에서 알맞은 것을 <u>모두</u> 고르시오.

1 No one was listening, but she kept (talking / to talk) about her trip.

2 This is such a big apartment. Can we really afford (living / to live) here?

3 We need some money (supporting / to support) the biology research lab.

4 I'm sorry that Jina's mother wouldn't let her (go / to go) camping with us.

5 She needs your help (finish / to finish) sending out the wedding invitations by this weekend.

6 Bill and Lora have decided (buying / to buy) a used car because of their financial difficulties.

7 The man wants (making / to make) a dinner reservation for his girlfriend at a famous restaurant.

8 Your support helped me (go through / to go through) difficult times in my life. Now, it's my turn.

9 You should really consider (getting / to get) more sleep if you have difficulty staying awake during the classes.

10 Scientists should continue (working / to work) on genetics in order to save lives in the future.

donate ~을 기증하다
kidney 신장, 콩팥
intake 섭취량
robber 강도
deny ~을 부인하다

Ⓑ 주어진 동사를 to부정사 또는 동명사로 바꿔 문장을 완성하시오.

1 He agreed _____ (donate) his kidney to the patient.

2 Would you please stop _____ (make) so much noise?

3 I think young kids should avoid _____ (eat) junk food.

4 My doctor advised me _____ (reduce) my intake of salt.

5 The robber denied _____ (have) taken money from the bank.

6 Why are you trying to persuade me _____ (join) a health club?

7 She gets her daughter _____ (do) her assignments before bedtime.

8 She doesn't enjoy _____ (go) shopping as much as she used to.

C 〈보기〉에서 알맞은 동사를 골라 to부정사 또는 동명사로 바꿔 문장을 완성하시오.

보기   correct   attempt   resign   depart   exercise   computerize

1 Alex is considering _____ his position this semester.

2 Many small publishers can't afford _____ their process.

3 My family postponed _____ for Africa because of the weather.

4 Some companies were ordered _____ their unfair trading practices.

5 The parents gave up _____ to influence their children's fashion choices.

6 The trainer advised me _____ regularly and consume an appropriate amount of protein.

D ( ) 안에서 가장 알맞은 것을 고르시오.

1 ① I won't forget (watching / to watch) the sunset with you the other night.
② I forgot (closing / to close) the window, so the rain came into the house and the rug was all wet.

2 ① Although they had a very tight itinerary, tourists stopped (watching / to watch) the carnival parade in São Paulo.
② He told his daughter to stop (making / to make) noise on the subway.

3 ① Please remember (sending / to send) the invoice to the client this afternoon.
② She remembered (seeing / to see) him at the party, but he didn't recognize her.

4 ① Dave regretted (asking / to ask) her a silly question, but he had to ask something at that moment.
② We regret (informing / to inform) you that we didn't receive your application by March 1st.

5 ① My English teacher tried (teaching / to teach) me how to pronounce the "v" sound properly, but I still can't.
② If you don't know the word, why don't you try (looking / to look) it up in the dictionary?

부정사와 동명사의 관용 표현

1 동명사를 포함하는 관용 표현은 다음과 같다.

be busy -ing ~하느라 바쁘다	feel like -ing ~하고 싶다
have trouble[difficulty] -ing ~하는 데 곤란을 겪다	go -ing ~하러 가다
spend+시간/돈+-ing ~하는 데 시간/돈을 쓰다	it is no use -ing ~해도 소용없다

We **are** all **busy preparing** a meal for New Year's Day.①

She doesn't **feel like going** out with him.②

John sometimes **goes fishing** with his friends.③

I always **have difficulty finding** my way while traveling in other countries.④

It is no use complaining. It won't change anything.⑤

The teachers **spent** a large amount of their time **grading** papers.⑥

2 그 외 to(전치사) 뒤에 동명사가 오는 관용 표현은 다음과 같다.

adjust to -ing ~에 적응하다	look forward to -ing ~하기를 기대하다
when it comes to -ing ~에 관한 한, ~으로 말하자면	object to -ing = be opposed to -ing ~에 반대하다
be[get] used to -ing = be accustomed to -ing ~에 익숙하다	

Miranda had trouble **adjusting to sleeping** on the floor.⑦

At this time of the year, I usually **look forward to going** on vacation.⑧

When it comes to singing, he is unbelievably talented.⑨

He **is used to eating** his meals alone in the cafeteria.⑩

→ He **gets used to eating** his meals alone in the cafeteria.

→ He **is accustomed to eating** his meals alone in the cafeteria.

Students **object to increasing** the tuition every year.⑪

→ Students **are opposed to increasing** the tuition every year.

3 to부정사를 포함하는 관용 표현은 다음과 같다.

「too+형용사+to+동사원형」너무 ~해서 …할 수 없다

My puppy is **too noisy** for me **to concentrate** on my work.⑫
→ My puppy is **so noisy that I can't concentrate** on my work.

「형용사+enough to+동사원형」~할 만큼 충분히 …한

Jessica is **strong enough to endure** any sort of difficulty.⑬

「enough+명사+to+동사원형」~할 만큼 충분한 …

He doesn't have **enough time to prepare** for the presentation.⑭

「only to+find/discover/realize …」결과적으로 ~을 발견하다/깨닫다

We had watched the documentary series for many years **only to discover** that some of the episodes were not actually true.⑮

4 문장 전체를 수식해 주거나, 삽입구의 역할을 하는 독립부정사는 다음과 같다.

strange to say 이상한 이야기지만	**to begin with** = to start with 우선, 첫째로
to make matters worse 설상가상으로, 공교롭게도	**needless to say** 물론, ~은 말할 나위도 없는
to make a long story short 요약하면	
to tell the truth = to be frank with you = to be honest with you 솔직히 말해서	
not to mention (+명사/-ing) = not to speak of = to say nothing of ~은 말할 것도 없이	

Strange to say, I can't swim, even though I was born and raised on an island.⑯

To begin with, I would like to have a shrimp cocktail.⑰

I'm lost. **To make matters worse**, I'm almost out of fuel.⑱

Needless to say, Koreans are very proud of their heritage.⑲

To make a long story short, we need to find a new place before the lease expires next month.⑳

To tell the truth, I don't really like this house.㉑

The weather here is gorgeous, **not to mention** the wonderful food.㉒

① 우리는 새해를 위한 식사 준비로 모두 바쁘다. ② 그녀는 그와 데이트를 하고 싶지 않다. ③ 존은 가끔씩 친구들과 낚시하러 간다. ④ 나는 외국에서 여행할 때면 길을 찾는 데 항상 어려움을 겪는다. ⑤ 불평을 해도 소용이 없다. 아무것도 변하지 않을 것이다. ⑥ 교사는 답안지를 채점하는 데 상당한 시간을 보냈다. ⑦ 미란다는 바닥에서 잠을 자는 데 적응하는 것이 어려웠다. ⑧ 매년 이맘때쯤이면 나는 대개 휴가 가는 것을 기대한다. ⑨ 노래 부르는 것에 관한 한 그는 놀라운 재능이 있다. ⑩ 그는 구내식당에서 혼자 밥을 먹는 것이 익숙하다. ⑪ 학생들은 매년 등록금이 인상되는 것에 반대한다. ⑫ 내 강아지가 너무 시끄럽게 해서 나는 일에 집중할 수가 없다. ⑬ 제시카는 어떤 종류의 어려움이라도 견뎌낼 만큼 충분히 강하다. ⑭ 그는 발표를 준비할 만한 충분한 시간이 없다. ⑮ 우리는 그 다큐멘터리 시리즈를 수년 동안 봐왔었는데 알고 보니 그 중 에피소드 몇 개는 사실 진짜가 아니었다. ⑯ 이상한 이야기로 들리겠지만 나는 섬에서 태어나고 자랐음에도 수영을 못한다. ⑰ 우선, 저는 새우 칵테일을 먹고 싶어요. ⑱ 나는 길을 잃었다. 설상가상으로 기름도 거의 다 떨어졌다. ⑲ 말할 필요도 없이, 한국인들은 자신들의 문화유산을 자랑스러워한다. ⑳ 요약하자면, 우리는 다음 달에 전세가 만료되기 전에 새 집을 구해야 한다. ㉑ 솔직히 말해서 나는 이 집이 그다지 마음에 들지 않는다. ㉒ 이곳의 날씨가 좋다. 음식은 말할 것도 없이 훌륭하다.

EXERCISES

maintain ~을 유지하다
vehicle 자동차
right 적당한, 꼭 맞는
assemble ~을 조립하다
on average 평균하여
pay attention to
~에 주의를 기울이다
extinct 멸종한, 사라진
dramatic 극적인
take a look at
~을 보다
in detail 상세하게, 자세히
assembly line
조립 라인
be willing to
기꺼이 ~하다

  ( ) 안에서 가장 알맞은 것을 고르시오.

1 I have trouble (to live / living) in the countryside.

2 My father is the best when it comes to (maintain / maintaining) a vehicle.

3 Do you feel like (to watch / watching) a musical tonight?

4 My classmates are looking forward to (meet / meeting) the new science teacher.

5 My friend Michael will go (to camp / camping) this weekend. I really want to join him.

6 It is too difficult (to choose / choosing) the right birthday gift for my family members.

7 My brother was busy (to assemble / assembling) a model airplane.

8 How much time on average do you spend (to play / playing) computer games every day?

9 (To be / Being) honest with you, it's really difficult to take care of very young boys.

10 He had difficulty (to pay / paying) attention to the teacher when he was little.

11 I would be glad to help her, but unfortunately, I'm very busy (to work / working) on the report.

12 (To make / Making) a long story short, dinosaurs became extinct due to the dramatic climate change on the earth.

13 (To begin / Beginning) with, we'll take a look at the main points of this project. Then we can talk about it in detail.

14 I was late for the most important conference of the year. (To make / Making) matters worse, I lost my car keys.

15 The writer has never missed a deadline. Needless (to say / saying), she finished her script before the deadline again.

16 I strongly objected to (work / working) on the new assembly line, even though my company was willing to pay me more money for doing so.

B 주어진 동사를 to부정사 또는 동명사로 바꿔 문장을 완성하시오.

1 On average, how much time do you spend _____ (read) a day?

2 He is the best when it comes to _____ (bargain) over prices.

3 _____ (begin) with, you should find out what happened to the victim last night.

4 Some people have trouble _____ (read) because of a brain disorder. We call it dyslexia.

5 Strange _____ (say), my children don't have a sweet tooth. In fact, they like vegetables a lot.

6 She had enough confidence and courage _____ (speak out) on sensitive issues.

7 We change electronics too often only _____ (realize) that the new products aren't any better than the old ones.

8 The due date for his final report was fast approaching. _____ (make) matters worse, his computer was out of order again.

9 Ben and Maggie have different opinions on raising children. Needless _____ (say), they frequently argued over their daughter.

10 My uncle, who is an astronomer, looks forward to _____ (visit) the outback in Australia, because it is one of the few places where you can see the Milky Way with the naked eye.

bargain
(~에 대하여) 흥정하다
victim 희생자
brain disorder 뇌 장애
dyslexia 난독증
have a sweet tooth
단것을 좋아하다
confidence 자신감
speak out
솔직하게 의견을 말하다
electronics 전자 기기
approach 가까워지다
out of order 고장 난
raise
~을 기르다, 양육하다
frequently
자주, 빈번하게
astronomer 천문학자
the naked eye 육안

C 〈보기〉에서 동사를 골라 to부정사 또는 동명사로 바꿔 문장을 완성하시오.

| 보기 | talk | eat | pack | use | take | live | buy |

1 The little girl is too young _____ care of herself.

2 The exchange student got used to _____ Korean food.

3 She doesn't have enough money _____ a new computer.

4 I'm going on a business trip tonight, so I'm busy _____ now.

5 He has a lot of trouble adjusting to _____ new technologies.

6 Actually, she didn't feel like _____ to him, but she had no choice.

7 Professor Collins transferred from Hawaii to Seoul one year ago. She is still not accustomed to _____ in a cold environment.

exchange student
교환 학생
adjust to ~에 적응하다
transfer
전근 가다, 옮기다
environment 환경

REVIEW

정답 및 해설 P. 15

executive 이사
get along with
〜와 잘 지내다
verbally 구두로
ingredient 재료

A 다음 빈칸에 가장 알맞은 것을 고르시오.

1 A: What do you think of the new executive?

B: He is not an easy person _____ along with.

① to get   ② to be gotten

③ get   ④ to getting

2 A: The government officers verbally promised _____ us.

B: That's terrific! Then everything will be all right.

① support   ② to be supported

③ to support   ④ being supported

3 A: The curry is really delicious. What is your secret ingredient?

B: I suggest _____ some apple powder to your curry. That's my secret ingredient.

① to add   ② to be added

③ adding   ④ being added

convenience store
편의점
remind 〜을 상기시키다
forgetful 잘 잊어버리는
farm 농사를 짓다
adjust to 〜에 적응하다

B 다음 대화를 읽고, 바르지 <u>않은</u> 문장을 고르시오.

1 ① A: It's very hot today. Let's go to the swimming pool around two o'clock.

② B: Okay, I will meet you at the convenience store.

③ A: Oh! I forgot packing my swim suit from my gym locker.

④ B: I should have reminded you. You're so forgetful.

2 ① A: My family is moving back to the country, so we can start farming.

② B: Really? When will you be moving?

③ A: Sometime before the end of winter. We can plant in early spring.

④ B: Do you think you will have a problem adjusting to farm?

3 ① A: I want to eat something special. Do you know how to cook Mexican food?

② B: No, I don't, but my father does. He's the best when it comes to cook Mexican food.

③ A: Oh, really? Do you think he will cook for us?

④ B: Sure, my father loves cooking for me.

다음을 읽고, 바르지 <u>않은</u> 문장을 고르시오.

1

① If you feel sorry for your injured or sick friend, you should not delay to send her or him a get-well card. ② It is a great way to show your friend how you feel about her or him. ③ In the get-well card, enclose a note that says, "I just wanted to let you know how much I miss you. Please get well. ④ I'm looking forward to seeing you real soon."

delay ~을 미루다	
enclose	
동봉하다; 둘러싸다	
get well 건강을 회복하다	

2

① He used to have a simple life until his wife had a cerebral hemorrhage. It occurred while she was pregnant with their second child. ② She underwent four major operations control the hemorrhage; however, she lapsed into a vegetative state as a result. ③ Her husband always talks to her, even though she is unable to respond to anything. Surprisingly, a miracle happened. She gave birth while still in a coma. ④ Without their love for each other and their child, this would have never happened.

*cerebral hemorrhage: 뇌출혈

occur 발생하다
pregnant 임신한
control
~을 막다, 제어하다
lapse into
(더 안 좋은 상태가) 되다
vegetative
식물인간 상태의
as a result 결과적으로
respond ~에 반응하다
in a coma
혼수상태에 빠져서

3

These days, email is thought to be one of the most effective ways to communicate. However, it can be a highly flawed communication vehicle in a workplace setting. ① Some people use it inappropriately to avoid confrontation or to pass secrets among their friends. ② Some employees can say things in email that they would never say to someone's face. ③ To make matters worse, email is likely to misunderstand. ④ Because email lacks the tone, inflection, and body language of the communicator, a message may be misinterpreted by the receiver.

effective 효율적인
highly 매우
flawed 결함이 있는
vehicle 매체, 매개물
inappropriately
부적절하게
avoid ~을 피하다
confrontation
대립, 대치
lack ~이 없다, 결핍되다
inflection 어조, 억양
misinterpret
잘못 해석하다

REVIEW PLUS

정답 및 해설 P. 16

A 다음 (A), (B), (C)에서 어법에 맞는 표현으로 가장 적절한 것을 고르시오. [기출 응용]

automatically
자동으로

get off 내리다

patiently 끈기 있게

depress
누르다; 우울하게 만들다

slide
미끄러지듯이 움직이다

> On most subway trains, the doors open automatically at each station. But when you are on the Métro, the subway in Paris, things are different. I watched a man on the Métro (A) (try / tried) to get off the train and fail. When the train came to his station, he got up and stood patiently in front of the door, waiting for it (B) (opened / to open). It never opened. The train simply started up again and went on to the next station. In the Métro, you have to open the doors yourself by pushing a button, depressing a lever or (C) (slide / sliding) them.

	(A)		(B)		(C)
①	try	…	opened	…	sliding
②	try	…	opened	…	slide
③	try	…	to open	…	sliding
④	tried	…	to open	…	slide
⑤	tried	…	opened	…	sliding

B 다음 글의 밑줄 친 부분 중, 바르지 않은 것을 고르시오.

dormant volcano
휴화산

summit 정상

celestial 천체의

observatory 관측소

astronomical 천문학의

exceptionally
유난히, 대단히

needless to say
말할 필요도 없이

observe ~을 관찰하다

distance 먼 거리, 거리

enforce
(법률 등을) 시행하다

astronomical
observation 천체 관측

> Mauna Kea is the largest dormant volcano of the Hawaiian Islands. On its summit, there ① has been a celestial observatory for hundreds of years, and it is considered to be one of the best astronomical sites in the world. The summit is placed above approximately 40% of Earth's atmosphere, which ② allows exceptionally clear images of the sky. For this reason, many astronomers look forward to ③ visiting the summit. Additionally, observers can enjoy approximately 300 clear nights per year. Needless to say, Mauna Kea is second to none when it comes to ④ observe the night sky. The observatory's distance from city lights and a strong lighting rule enforced in that area help it ⑤ provide an extremely dark sky. Therefore, Mauna Kea is believed to be an ideal location for astronomical observations.

84

PART 5

조동사

can, could, may, might

OCUS ··

조동사(modal verbs)는 본동사와 함께 쓰여 본동사의 의미를 보충하는 동사로, 능력, 가능, 부탁, 허가, 의무, 금지, 필요, 충고, 제안 등의 의미를 지닌다.

1 can과 could는 능력(ability), 추측(expressing certainty), 부탁(request), 허가(permission)를 나타낸다.

I **can** beat you in basketball.[①] (ability)

He **can** be home now.[②] (expressing certainty)

Can you please go and get the door? [③] (request)

Could I go to the concert with Jessica this Friday? [④] (permission)

|참고| can vs. could
　　　1. could는 can의 과거형으로 사용되기도 한다.
　　　　Can you hear something? [⑤] (present)
　　　　I **could** hear somebody call her name.[⑥] (past)
　　　2. could는 현재나 미래에 대한 일을 나타낼 때 사용하기도 한다.
　　　　When you get your driver's license, you **could** borrow my car.[⑦]
　　　3. could는 자신의 감정, 느낌을 강조하기 위해서 사용할 수 있다.
　　　　I am so hungry that I **could** eat a horse.[⑧]

2 can't[cannot]은 불가능(~할 수 없다)이나 강한 부정의 추측(~일리가 없다)을 나타낸다.

I **can't** focus on my homework because of the noise.[⑨]

His lecture was so boring that I **couldn't** even concentrate.[⑩]

That **can't** be possible. Mark is an honest man.[⑪]

3 may와 might는 불확실한 추측(~일지도 모른다)을 나타낸다. 이 경우 may[might]는 could로 바꿔 쓸 수 있다.

Ms. Parrot **may[might]** be my homeroom teacher next year.[⑫]

Let's wait a little longer. The bus **may[might]** be coming a bit later.[⑬]

|참고| 「may/might+have+p.p.」는 '~했을지도 모른다'의 뜻으로 과거에 대한 불확실한 추측을 나타낸다.
　　　I **may[might] have left** my umbrella on the train.[⑭]
　　　Alicia **may[might] have watered** the flowers before going on vacation.[⑮]

4   may는 상대방에게 허가를 구하거나 허가를 해줄 때 쓴다. may not은 금지할 때 사용한다.

A: **May** I leave early? I'm not feeling well.

B: Yes, you **may**.⑯

A: **May** I go into the garden and pick some apples?

B: No, you **may not**. You might hurt the flowers and trees.⑰

🔑 KEY EXAM POINTS

A   can을 이용한 관용 표현은 다음과 같다.

  「cannot+help+-ing」 = 「cannot+but+동사원형」 ~하지 않을 수 없다

He **couldn't help laughing** when he saw his friend fall off the chair.⑱
→ He **couldn't but laugh** when he saw his friend fall off the chair.

Jessica **could not help falling** in love with him.⑲
→ Jessica **could not but fall** in love with him.

  「cannot be too ~」 아무리 ~해도 지나치지 않다

You **cannot be too** careful when driving a car.⑳

B   could have p.p.는 '~할 수 있었을 텐데 …하지 못했다'라는 의미로 과거에 하지 못한 일에 대한 유감을 나타낸다.

I **could have driven** her to the airport.㉑ (I didn't drive her to the airport.)

Why didn't you call me earlier? I **could have gone** with Sam to the party.㉒ (I didn't go with Sam to the party.)

C   may[might]를 이용한 관용 표현으로 '(다른 방법이나 선택 사항이 없어서) ~하는 것이 좋겠다'라는 의미의 「may[might] as well+동사원형」이 있다.

We **may[might] as well stay** at the hotel tonight. The last train to Paris has already left.㉓

---

① 나는 농구 시합에서 너를 이길 수 있어. ② 그는 지금 집에 있을 수도 있어. ③ 네가 가서 문을 열어 줄래? ④ 이번 금요일에 제시카와 함께 콘서트에 가도 될까요? ⑤ 무슨 소리가 들리니? ⑥ 나는 누군가 그녀의 이름을 부르는 것을 들었다. ⑦ 네가 운전면허증을 따면 내 차를 빌릴 수도 있어. ⑧ 난 너무 배가 고파서 말을 먹을 수도 있어. ⑨ 나는 소음 때문에 숙제에 집중할 수가 없다. ⑩ 그의 강의는 너무 지루해서 나는 집중할 수조차 없었다. ⑪ 그럴 리가 없어. 마크는 정직한 사람이야. ⑫ 패롯 선생님께서 내년에 나의 담임선생님이 될지도 모른다. ⑬ 조금만 더 기다려 보자. 버스가 조금 늦게 올지도 몰라. ⑭ 나는 기차에 내 우산을 두고 내렸을지도 모른다. ⑮ 앨리사는 휴가를 가기 전에 꽃에 물을 줬을지도 모른다. ⑯ A: 일찍 가도 될까요? 몸이 좀 안 좋아요. B: 네, 그래도 돼요. ⑰ A: 정원에 가서 사과 몇 개를 따도 될까요? B: 아니, 안 돼. 네가 꽃과 나무를 상하게 할지도 몰라. ⑱ 그는 친구가 의자에서 넘어지는 것을 보고 웃지 않을 수 없었다. ⑲ 제시카는 그와 사랑에 빠지지 않을 수 없었다. ⑳ 운전할 때는 아무리 조심해도 지나치지 않다. ㉑ 나는 공항까지 그녀를 태워다 줄 수 있었을 텐데. ㉒ 너는 왜 좀 더 일찍 전화하지 않았니? 나는 샘과 함께 파티에 갈 수도 있었을 텐데. ㉓ 우리 오늘 밤에 저 호텔에서 묵는 게 좋겠어. 파리로 가는 마지막 열차가 이미 떠났잖아.

EXERCISES

assemble ~을 조립하다
gymnasium 체육관
right 옳은; 오른쪽의

A 밑줄 친 조동사의 의미를 〈보기〉에서 골라 쓰시오.

| 보기 | ⓐ expressing certainty | ⓑ ability | ⓒ permission | ⓓ request |

1 I <u>can</u> give you some advice if you want. _____

2 <u>Can</u> you help me assemble this computer? _____

3 <u>Could</u> you turn on the air conditioner, please? _____

4 Dave <u>can</u> fix computers, but he can't fix this radio. _____

5 I <u>might</u> have left my book at the school gymnasium. _____

6 You <u>may</u> sit down or stand while I make the speech. _____

7 You <u>may</u> be right, but I'm going back to check anyway. _____

8 <u>Can</u> I stay for the night at your house? It's raining heavily. _____

get out of ~에서 나가다
fountain 분수
blackout 정전
had better
~하는 것이 좋다
insert ~을 넣다
slot 투입구
autograph 친필 사인

B 빈칸에 can, could, can't, couldn't 중 알맞은 것을 골라 쓰시오. [중복 사용 가능]

1 A: _____ I have a piece of this brownie?

B: Yes. Help yourself.

2 A: I'm lost. _____ you tell me how I can get out of this mall?

B: Sure. Go past the fountain and make a left turn.

3 A: Have you finished writing your report?

B: No, I haven't. I _____ use the computer last night because of the blackout.

4 A: Have you seen my wallet? I've looked everywhere, but I _____ find it.

B: You had better ask your mother. She may know where it is.

5 A: Excuse me, _____ you tell me where to insert the money in this machine?

B: Yes, ma'am. You _____ insert coins here or bills in this slot.

6 A: Did you get autographs of the band at the concert?

B: No, we didn't. We _____ even get close to the band because there were too many people.

C ( ) 안에서 가장 알맞은 것을 고르시오.

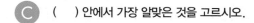

impress ~을 감동시키다
do well 잘 하다
mess 어질러진 것
peel ~의 껍질을 벗기다
clean up ~을 치우다

1 A: Why didn't you call me earlier?

B: I (couldn't find / couldn't have found) my cell phone.

2 A: Oh, no. I (might leave / might have left) my puppy with no water!

B: Don't worry. I'll go to your house and check on him.

3 A: Sarah, you are studying really hard. I'm impressed.

B: I really didn't do well on the last exam. So, I (can / can't) fail again.

4 A: We have a problem. The singer (may / may not) be able to sing tonight.

B: Really? What should we do?

5 A: Look at this mess on the floor! You (could have peeled / couldn't have peeled) the potatoes at the sink.

B: I'm really sorry. I'll clean it up quickly.

6 A: I was so bored at home last weekend.

B: Why did you stay at home? we (could go / could have gone) to the zoo.

D 밑줄 친 조동사의 쓰임이 어법상 맞지 <u>않다면</u> 바르게 고치시오.

weather forecast
일기 예보
cherry blossom 벚꽃

1 A: Can you take those books upstairs for me?

B: Sorry, but I <u>can't</u>. My hands are full right now.

2 A: Did you see the weather forecast for tomorrow?

B: Yes, I just did. They say it <u>might have snowed</u>.

3 A: I have too little time to study for the test tomorrow.

B: Relax. The test <u>can't</u> be easy.

4 A: <u>May</u> you take a picture of us next to these cherry blossoms?

B: Yes. Do I just press this button?

5 A: Did you finish your homework this morning?

B: Sure, there was nobody who bothered me, so I <u>can</u> finish it early.

6 A: We <u>may have been able to get</u> tickets for Great Boys' concert next month.

B: Really? I want to go to that concert.

Unit 19

must, should, had better, don't have to

FOCUS ···

1   must는 강한 의무(~해야만 한다)나 강한 추측(~임이 틀림없다)을, must not은 강한 금지(~해서는 안 된다)를, must have p.p.는 과거 일에 대한 강한 추측(~했음이 틀림없다)을 나타낸다.

You **must** remember to bring your passport.① (obligation)

John doesn't talk to me. He **must** be mad at me.② (certainty)

If you want to lose weight, you **must not** eat white bread and white rice.③ (prohibition)

The furniture appears to have been moved. Someone **must have rearranged** it.④ (certainty)

He **must not have listened** to the lecture carefully.⑤ (certainty)

ㅣ참고ㅣ   1. must가 강한 의무를 나타낼 때, have to[have got to]로 바꿔 쓸 수 있다.
       You have to[have got to] remember to bring your passport.
     2. must가 강한 의무를 나타낼 때, 과거 시제를 나타내고자 할 때에는 had to를 사용해야 한다.
       She had to go to bed early last night.⑥ (~~must~~)

2   should와 ought to는 조언이나 충고(~해야 한다), 미래에 대한 확실한 추측((당연히, 반드시) ~일 것이다)을 나타낸다.

You **should** try to cut out sweets. Diabetes runs in the family.⑦

You **shouldn't[ought not to]** water the garden so often. The roses are dying.⑧ (~~ought to not~~)

I believe you've all prepared well for the interview, so you **should** do fine.⑨

ㅣ참고ㅣ   1. must와 have (got) to는 강제성을 띤 의무를 나타내지만, should와 ought to는 도덕적으로 올바른 일에 대한 조언이나 충고를 나타낸다.
       You **must** wear a seat belt whenever you drive a car.⑩
       → You **have (got) to** wear a seat belt whenever you drive a car.
       You **should** keep quiet in the library.⑪
       → You **ought to** keep quiet in the library.
     2. should는 예상, 추측을 나타내기도 한다.
       There are lots of restaurants in this town. It **should** be easy to find a place to eat.⑫

3   「had better+동사원형(~하는 편이 좋겠다)」은 특정한 상황에서 경고성 있는 강한 충고를, should는 주로 일반적인 상황에서 조언이나 충고를 할 때 쓴다.

You'd **better** take warm blankets and plenty of water when you go camping.⑬

After the event, you'd **better not** speak of Tiffany in front of Jesse.⑭ (~~had not better~~)

We **should** respect the elderly.⑮

4 don't have to는 불필요(~할 필요가 없다)를, must not은 금지(~해서는 안 된다)를 나타낸다.

You **don't have to** give the money back to me right away.[16] (lack of necessity)

You **mustn't** burp during lunch time. You're making your friends lose their appetite.[17] (prohibition)

🔑 KEY EXAM POINTS

A should have p.p.는 '~해야 했는데 그렇게 하지 못했다'라는 의미이고, shouldn't have p.p.는 '~하지 않았어야 했는데 그렇게 했다'라는 의미로 과거의 일에 대한 후회나 유감을 표현하는 데 사용된다.

I **should have gone** to Julia's party last Friday. I heard that it was exciting.[18] (I didn't go to Julia's party.)

He **shouldn't have spent** so much money on the game CDs.[19] (He spent too much money on the game CDs.)

B 「must not+동사원형」은 '~하지 않아야 한다'라는 뜻으로 금지를 의미할 때 사용하고, 「can't[cannot]+동사원형」은 '~일 리가 없다'라는 뜻으로 부정적인 추측을 의미할 때 사용한다. 또한 과거의 일에 대한 부정적인 추측에는 「can't/cannot/must not+have p.p.」를 사용한다.

I've just met Jake in the library. He **cannot be** home now.[20] (~~must not~~)

Tom **can't have left** home that early. He's not really a morning person.[21] (~~must have left~~)

---

① 여권 가져오는 거 기억해야 해. ② 존은 내게 말을 하지 않는다. 그는 내게 화가 난 것이 틀림없다. ③ 만약 살을 빼고 싶다면 흰 빵과 흰 쌀을 먹어서는 안 된다. ④ 가구의 위치가 바뀐 것 같다. 누군가 자리를 재배치를 한 게 틀림없다. ⑤ 그는 그 강의를 주의 깊게 듣지 않은 게 분명해. ⑥ 그녀는 어제 일찍 잠자리에 들어야만 했다. ⑦ 너는 단 것을 먹는 것을 중단해야 한다. 당뇨병은 유전이다. ⑧ 화단에 물을 그렇게 자주 줘서는 안 돼. 장미가 시들고 있잖아. ⑨ 네가 인터뷰를 잘 준비했을 거라 믿어, 그렇기 때문에 잘 해낼 거야. ⑩ 운전할 때마다 안전벨트를 매야 한다. ⑪ 도서관에서는 조용히 해야 한다. ⑫ 이 동네에는 식당이 많아. 먹을 데를 찾는 것은 쉬울 거야. ⑬ 캠핑하러 갈 때 따뜻한 담요와 충분한 물을 가져가는 것이 좋을 거야. ⑭ 그 행사가 끝나면 제시 앞에서는 티파니에 관한 이야기를 하지 않는 편이 좋을 거야. ⑮ 우리는 노인을 공경해야 한다. ⑯ 당장 내게 돈을 갚을 필요는 없어. ⑰ 점심 식사 시간에 트림을 해서는 안 돼. 네가 친구들의 식욕을 떨어뜨리고 있잖아. ⑱ 지난 금요일에 줄리아네 파티에 갔어야 했는데. 그 파티가 재미있었다고 들었어. ⑲ 그는 게임 CD를 사는 데 돈을 그렇게 많이 쓰지 말았어야 했어. ⑳ 나는 방금 도서관에서 제이크를 만났어. 그는 지금 집에 있을 리가 없어. ㉑ 톰이 그렇게 일찍 집에서 나갔을 리가 없어. 그는 아침에 일찍 일어나는 사람이 아니야.

EXERCISES

pack (짐)을 싸다

aggressively
공격적으로

cause ~의 원인이 되다

reserve ~을 예약하다

A 〈보기〉에서 알맞은 조동사를 골라 문장을 완성하시오.

[1-4]   보기   must   don't have to   mustn't   should

1 We _____ get more wood for the campfire. This will do.

2 The closets are empty. Amy _____ have packed and left.

3 You _____ have arrived here earlier. The train has just left.

4 I _____ forget to phone my sister tomorrow. It's her birthday.

[5-8]   보기   must   don't have to   mustn't   should

5 You _____ drive aggressively. You can cause an accident.

6 You _____ choose one of them. You can have them all.

7 I can't find the email you sent me yesterday. I _____ have deleted it.

8 When Yumi and I got to the restaurant, there were no empty tables. We _____ have reserved a table.

due to ~ 때문에

toothache 치통

against
~에 반하여, 어긋나게

head back 다시 돌아가다

give A a break
A에게 휴식을 주다

B 밑줄 친 조동사의 쓰임이 어법상 맞지 <u>않다면</u> 바르게 고치시오.

1 I <u>must cut</u> my hair short due to the school rules.

2 You <u>must have asked</u> me first about using my computer.

3 I have a toothache. I <u>shouldn't have eaten</u> so much chocolate.

4 You <u>don't have to</u> smoke in public buildings. It's against the law.

5 We <u>had better head back</u> down the mountain before it gets dark.

6 You <u>have to</u> eat all of the sandwiches. We can save them in the fridge.

7 Sometimes you <u>mustn't</u> stop working so hard and give yourself a break.

8 You <u>must</u> finish the review questions right now. You can finish them at home.

9 We <u>must have arrived</u> at the ticket booth before 5 o'clock, or there won't be any tickets left.

10 This movie is too cruel and violent for kids. They <u>don't have to</u> watch it.

C ( ) 안에서 가장 알맞은 것을 고르시오.

1 A: It's gorgeous today. We (should / shouldn't) go on a picnic.

B: All right. Let's pack some food and go.

2 A: What was it that you wanted me to get at the store?

B: Oh, you (don't have to / mustn't) go to the store. I took care of it.

3 A: Did you see Katie this morning?

B: No, she (had better / must) still be sleeping. She was watching TV past 1 a.m.

4 A: I smell something burning! You (don't have to / mustn't) take your eyes off the stove.

B: I'm sorry. I forgot.

5 A: Have you seen my pink sweater?

B: You're not even dressed yet? You (had better / don't have to) hurry up, or you'll be late.

6 A: I offered Sally something to eat, but she didn't want anything.

B: She (must not / had better not) be hungry.

D 주어진 동사와 「must (not) have p.p.」또는 「should (not) have p.p.」를 이용하여 대화를 완성하시오.

1 A: Linda was mad at you for wearing her jeans.

B: Really? I _____ (ask) her before I took them.

2 A: My stomach doesn't feel so good. I _____ (eat) that ice cream after eating such a huge meal.

B: Why don't you take some medicine?

3 A: I just heard the sad news. It _____ (be) upsetting to lose your dog.

B: I was really depressed, but I'm getting over it.

4 A: I got my report card last week. I got a C in history, which I had studied the hardest.

B: You _____ (be) happy about that.

5 A: Thank God! You almost broke your arm. You _____ (look) both ways before you crossed the street.

B: Sorry, Mom. I'll be more careful next time.

will, would, used to

OCUS ···

1 will은 '~일(할) 것이다'라는 의미로, 화자의 의지, 확실한 추측, 미래에 대한 일을 나타낼 때 쓴다.

I've never lied to you, and I never **will**.①

The renovation of the school stadium **will** soon be over.②

2 would는 공손한 제안이나 요청을 할 때 쓴다.

Would you please make a photocopy of these papers for me?③

Would you buy some toothpaste before you come home?④

|참고| 「would rather+동사원형」은 '차라리 ~하는 것이 낫겠다', 「would like to+동사원형」은 '~하고 싶다'라는 뜻이다.
I would rather <u>read</u> a book than <u>watch</u> TV.⑤
Would you like me to <u>drive</u> you to the hospital? ⑥

3 「would+동사원형」과 「used to+동사원형」은 '~하곤 했다'라는 의미로, 과거의 반복적인 행동이나 습관을 나타낼 때 쓴다. 과거의 상태를 나타낼 때는 「used to+동사원형」만 가능하다.

My grandmother **would[used to]** <u>make</u> delicious cupcakes for us.⑦

I **used to** <u>get</u> all of my parents' attention before my sister was born.⑧ (would get)

|참고| used to의 부정형은 「didn't use to+동사원형」 또는 「used not to+동사원형」이고, 의문형은 「Did+주어+use to+동사원형 ~?」이다.
I **didn't use to [used not to]** <u>like</u> chocolates. But after trying truffles, I'm in love with them.⑨
Did you use to <u>go</u> to church when you were a child? ⑩

🔑 KEY EXAM POINTS

A 「used to+동사원형」 ~하곤 했다

I **didn't use to** <u>like</u> doing exercise. But now I love to go for a swim.⑪

「be used to+동사원형」 ~하는 데 사용되다

These boats **were used to** <u>catch</u> fish and seashells before the oil spill.⑫

「be/get used to+-ing」 ~하는 데 익숙하다/익숙해지다

I've lived in Japan for a year. I'm **used to** <u>driving</u> on the left now.⑬

---

① 나는 너에게 거짓말을 한 적이 없고, 앞으로도 하지 않을 것이다. ② 학교 경기장의 보수 공사는 곧 끝날 것이다. ③ 이 신문들을 좀 복사해 주시겠어요? ④ 집에 올 때 치약 좀 사다 줄래요? ⑤ 텔레비전을 보는 것보다 책을 읽는 것이 낫겠어. ⑥ 제가 병원에 태워다 드릴까요? ⑦ 할머니는 우리를 위해 맛있는 컵케이크를 만들어 주곤 했다. ⑧ 나는 여동생이 태어나기 전에 우리 부모님의 관심을 독차지 하곤 했다. ⑨ 나는 초콜릿을 좋아하지 않았다. 하지만 트뤼플을 먹은 후로는 정말로 좋아하게 되었다. ⑩ 어렸을 때는 교회에 가곤 했나요? ⑪ 나는 운동하는 것을 좋아하지 않았다. 하지만 지금은 수영하는 것을 좋아한다. ⑫ 이 배들은 기름 유출 사고가 발생하기 전에 물고기와 조개를 잡는 데 사용되었다. ⑬ 나는 일본에 1년 동안 살았다. 이제 왼쪽으로 운전하는 것에 익숙하다.

EXERCISES

 A ( ) 안에서 가장 알맞은 것을 고르시오.

1 I (will / won't) ever forget the day when I first came to Hawaii.

2 Cathy (used to / is used to) eating sushi and pickled garlic now.

3 This barn (was used to / used to) be full of chickens and pigs.

4 We used to (be / being) really close friends. What happened to us?

5 I would like (dance / to dance) with Carolyn at the homecoming party.

6 We (will / won't) look for the perfect vacation place for our girls' weekend.

7 I'd rather not (to call / call) him right now. He hates it when someone calls him at night.

8 That (used to / would) be a meadow, where the apartment complex is now located.

9 I (would like to / used to) subscribe to your economics magazine starting next month.

10 Baking soda (is used to / get used to) wash vegetables and clean stains from glasses.

> barn 외양간; 헛간
> meadow 목초지
> subscribe 구독하다
> stain 얼룩, 때

B 〈보기〉에서 알맞은 동사를 골라 would 또는 used to를 이용하여 문장을 완성하시오.
[복수 정답 가능]

> be made of
> ~로 만들어지다
> fireplace 벽난로

| 보기 | get up | sleep | believe | play | ride | bake |

1 My mom _____ cookies for me on my birthday.

2 I _____ at 6 o'clock and go for a jog around the lake.

3 When I was young, I _____ my bike everywhere I went.

4 Minjun _____ with his friends in the playground after school.

5 I _____ that strawberry milk was made of strawberries and milk.

6 My little brother and I _____ in front of this fireplace on Christmas Eve.

추측, 제안, 요구, 허가

FOCUS

1 must는 강한 추측을, may/might/could는 약한 추측을 나타낸다.

The rabbits **must have escaped** from their cage. The cabbage garden is a mess.①

She **might have changed** her mind. Maybe that's why she hasn't come yet.②

I was really surprised. I **couldn't have guessed** you planned a party for me.③

2 「Would you like ~?」, 「Can/May I ~?」는 제안을 하는 표현이다. 이 중에서 Can I는 격식을 덜 차리고 편하게 상대방에게 제안할 때 사용한다.

Would you like some chocolate cake?④

Would you like to try on a new evening dress?⑤

Can I get you something to eat while you study?⑥

May I help you find your seat?⑦

| 참고 | 「Shall we+동사원형 ~?」(~할까요?)」, 「Let's+동사원형(~하자.)」, 「Why don't+주어+동사~?」(~하는 게 어때?)」 등도 제안을 할 수 있는 표현이다.

Shall we go for a walk along the river after dinner?⑧

Let's be calm and think of a reasonable solution to this problem.⑨

Why don't you go to the dentist?⑩

3 「Can/Could/May I ~?」는 상대방에게 허가를 구하는 표현이다. Could/May I가 Can I 보다 더 공손한 표현이다.

A: **Can I** use your computer after you are done?

B: Sure, you can.⑪

A: **Could I** go camping with my friends this weekend?

B: I'm sorry, but you can't. You have a test next week.⑫

A: **May I** send a text message on your cell phone?

B: Sure. Here it is.⑬

4 「Can/Could/Will/Would you ~?」는 상대방에게 부탁하는 표현이다. Could/Would you는 정중한 부탁에, Can you는 일상적이고 가벼운 부탁에 쓴다.

A: **Can you** change this one-dollar bill into quarters?

B: Sure. Here are four quarters.⑭

A: **Could you** give me a ride to the museum this afternoon?

B: I'm sorry, but my car has broken down.⑮

A: I can't quite understand the homework. **Will you** give me more explanation?

B: Sure. And I'll also email you an example.⑯

A: **Would you** please write down your name and address?

B: OK. I'll do it.⑰

5 「Would you mind -ing~?(~해 주시겠습니까?)」는 정중한 부탁을 할 때 쓰며, 「Would you mind if+주어+동사의 과거형~?(~해도 되겠습니까?)」은 정중하게 허가를 구할 때 쓴다.

A: **Would you mind changing** seats with me? I broke my glasses, so I need to sit closer to the board.

B: No problem.⑱

A: **Would you mind if I turned** on some music?

B: Well, yes. I'm really tired and would like to go to bed early.⑲

🔑 KEY EXAM POINTS

A 「must+동사원형」 ~임이 틀림없다   vs.   「must+have+p.p.」 ~했음이 틀림없다

Sally stayed up all night to finish her final project. She **must be** exhausted now.⑳

You **must have been** to the place that night. Bobby told me he saw you there.㉑

B 「may/might+동사원형」 ~일지도 모른다   vs.   「may/might+have+p.p.」 ~했을지도 모른다

I haven't decided what I'm going to do for my vacation. I **may travel** around Africa.㉒

The rumor **might turn** out to be true.㉓

Her face is familiar. I **may have seen** her somewhere before.㉔

I'm afraid that Junhee **might have lost** his way. I should have gone with him.㉕

---

① 토끼들이 우리에서 도망친 게 틀림없어. 양배추 밭이 엉망이야. ② 그녀는 생각을 바꿨을지도 몰라. 아마도 그래서 그녀가 여기에 아직 오지 않은 것 같아. ③ 난 정말 놀랐어. 네가 나를 위해 파티를 계획했을 줄은 생각도 못했거든. ④ 초콜릿 케이크를 좀 드시겠어요? ⑤ 새 이브닝드레스를 입어 보시겠어요? ⑥ 공부하는 동안 먹을 것 좀 가져다줄까? ⑦ 자리 찾으시는 것을 도와드릴까요? ⑧ 저녁 식사 후에 강가를 산책할까요? ⑨ 진정하고 이 문제에 대한 합리적인 해결책을 생각해 보자. ⑩ 치과에 가는 게 어때? ⑪ A: 네가 컴퓨터를 다 사용하면 내가 써도 될까? B: 물론, 그렇게 해도 돼. ⑫ A: 이번 주말에 친구들과 캠핑을 가도 될까요? B: 미안하지만, 안 돼. 너는 다음 주에 시험이 있잖아. ⑬ A: 당신의 휴대 전화로 문자를 보내도 될까요? B: 물론이죠, 여기 있어요. ⑭ A: 이 1달러 지폐를 25센트 동전으로 바꿔 줄래? B: 물론이죠, 여기 25센트 동전 4개예요. ⑮ A: 오늘 오후에 박물관까지 차를 좀 태워 주실 수 있을까요? B: 죄송하지만, 제 차가 고장이 났어요. ⑯ A: 그 숙제를 잘 이해할 수가 없네요. 좀 더 설명해 주시겠어요? B: 물론이지. 그리고 예시도 이메일로 보내 줄게. ⑰ A: 당신의 이름과 주소를 좀 적어주시겠어요? B: 알겠어요. 그럴게요. ⑱ A: 저랑 자리를 좀 바꿔 주시겠습니까? 안경을 깨뜨려서 칠판에 좀 더 가까이 앉아야 하거든요. B: 알겠어요. ⑲ A: 음악을 좀 틀어도 될까요? B: 아니요. 제가 너무 피곤해서 일찍 자고 싶어요. ⑳ 샐리는 마지막 프로젝트를 끝내기 위해 밤을 샜다. 그녀는 지금 틀림없이 피곤할 거야. ㉑ 너는 그날 밤 그 장소에 갔던 것이 틀림없어. 바비가 내게 너를 그곳에서 봤다고 했어. ㉒ 나는 휴가 중에 무엇을 해야 할지 아직 결정하지 못했어. 아프리카를 여행할지도 몰라. ㉓ 그 소문이 진실로 밝혀질 지도 몰라. ㉔ 그녀의 얼굴이 낯이 익어. 그녀를 전에 어디에선가 봤을지도 몰라. ㉕ 나는 준희가 길을 잃었을지도 몰라 걱정이 돼. 내가 그와 함께 갔어야 했는데.

EXERCISES

out of one's way
(방해물을) 치우다

spare ~을 할애하다

get down to
business
본론으로 들어가다

break into ~에 침입하다

jewelry 보석

confidence 자신감

A 밑줄 친 조동사의 의미를 〈보기〉에서 골라 쓰시오.

> 보기   ⓐ expressing certainty   ⓑ suggestion   ⓒ request   ⓓ permission

1 Excuse me. <u>May</u> I ask you some questions?   _____

2 <u>Will</u> you move your car out of my way, please?   _____

3 <u>Can</u> you spare some time for me tomorrow night?   _____

4 We haven't much time. <u>Shall</u> we get down to business?   _____

5 Erin lost her scarf. She <u>must</u> have dropped it somewhere.   _____

6 <u>Can</u> I borrow your notebook from science class?   _____

7 Someone <u>must</u> have broken into our house. My jewelry is gone.   _____

8 <u>Why don't you</u> try it again if you have confidence?   _____

take A out for a walk
A를 산책시키다

difficult 까다로운

own ~을 소유하다

break up 헤어지다

B (   ) 안에서 가장 알맞은 것을 고르시오.

1 (Let's / Let's not) go to the movies. Why don't we go to the baseball game instead?

2 Why don't you (going / go) without us? We might have to go back to the hotel.

3 (Would you mind / Would you mind if I) asked you to take my dog out for a walk?

4 Mr. Clark (may / may not) be as difficult as we thought. He smiled at our mistake.

5 It (can / can't) be Jason who owns that old bike. He bought a new bike last week.

6 I saw Lori go to the movies with Mark. They (mustn't break up / mustn't have broken up).

7 The car is making funny noises. Rain from last night's storm (must get / must have gotten) in the engine.

8 (Would you mind / Would you mind if I) driving her to school this morning?

C 우리말과 같은 뜻이 되도록 ( )에서 가장 알맞은 것을 고르시오.

1 우리 오늘 밤에 저녁 먹고 영화 보러 갈래요?

→ (Shall / Should) we have dinner and go to the movies tonight?

2 네 휴대 전화를 좀 빌릴 수 있을까? 내 것이 제대로 작동하지 않아서 말이야.

→ (Shall / Can) I borrow your cell phone? Mine doesn't work properly.

3 정말 믿을 수가 없어! 그가 그런 식으로 행동하다니 제정신이 아닌 것이 틀림없어.

→ I can't believe my eyes! He (must / would) be out of his mind to act in that way.

4 당신 옆에 있는 콘센트에 플러그를 꽂아 주시겠어요?

→ (Would / Might) you mind plugging it into that outlet next to you?

5 매들린은 시험공부를 하느라고 아주 바쁘다. 그녀는 저녁을 걸러야 할지도 모른다.

→ Madeline is very busy studying for the exam. She (might / would) have to skip dinner today.

D 〈보기〉에서 알맞은 동사를 골라 「조동사+동사원형」 또는 「조동사+have+p.p.」의 형태를 이용하여 대화를 완성하시오.

| 보기 | finish | call | see | leave | check out |

1 A: Where is Eric? He isn't answering his mobile phone.

B: He _____ (may) his mobile phone at home. Let's start the meeting without him.

2 A: Brenda, do you have any special plans for tonight?

B: I'm not sure. I _____ (could) the new clothing store, or I _____ (could) the movie that was released today. Or I could do both!

3 A I wonder if Katie would go to the ice rink with me. What do you think?

B: I _____ (could) her and ask if she likes ice skating. But you should ask her yourself if you want to go on a date.

A: You are right. I will ask her now.

4 A: We _____ (may, not) this science project if we don't find the components by tomorrow.

B: Relax. We will go to every shop and find the components.

A: OK. I really want us to win first prize in the science fair.

REVIEW

정답 및 해설 P. 19

pitcher 투수
opponent 상대
laundromat 빨래방
bothersome 성가신

A 다음 빈칸에 가장 알맞은 것을 고르시오.

1 A: I'm preparing myself for the marathon. It will feel great to finish the race.

  B: Yeah, but you _____ take it easy since it's your first time.

  ① don't have to   ② mustn't   ③ had better   ④ had to

2 A: Did you watch the game last night? The Reds almost lost the game, but the pitcher saved it.

  B: I know. They _____ the game more easily. Their opponent was a much weaker team.

  ① should have won   ② ought to win

  ③ must have won   ④ had won

3 A: Have you _____ to the laundromat to do your laundry?

  B: Yeah, I thought it would be bothersome, but it became fun after I made some friends there.

  ① used to going   ② gotten used to going

  ③ gotten used to go   ④ been used to go

derail (기차가) 탈선하다
injure 상처를 입히다
article 논문
specific 특정한
combination 조합
knowledgeable
아는 것이 많은
ancestor 조상, 선조
in detail 자세하게
amino acid (아미노산)
tofu 두부

B 다음 대화를 읽고, 바르지 <u>않은</u> 문장을 고르시오.

1 ① A: Oh, my God. It's lucky that you're home safe!

  ② B: What do you mean? I did take an earlier train, but why are you so surprised?

  ③ A: The train you were going to take derailed! Most of the passengers were injured.

  ④ B: Really? That couldn't have been me!

2 ① A: Why didn't you come to the meeting yesterday? We all waited for you.

  ② B: Really? The door was locked, so I couldn't come into the building.

  ③ A: You must try the wrong door. The school only opens the side door on Sundays.

  ④ B: Oh, no. I'm really sorry. I should have called you.

3 ① A: This article says that specific combinations of food show how knowledgeable our ancestors were.

  ② B: Would you mind telling me in detail?

  ③ A: Well, we usually eat beans with corn, right? Corn and beans have different types of amino acids.

  ④ B: That's amazing. Does that mean I must have eaten tofu with corn?

C 다음을 읽고, 바르지 <u>않은</u> 문장을 고르시오.

1

Gas stations are a good example of an impersonal attitude. Motorists pull up to a gas station where an attendant is enclosed in a glass booth with a tray for taking money. ① The driver doesn't have to get out of the car, pump the gas, and walk over to the booth to pay. ② And customers with engine trouble or a non-functioning heater are usually out of luck. ③ Why? Many gas stations have gotten rid of on-duty mechanics. ④ The skillful mechanic has been replaced by a teenager in a uniform who doesn't know anything about cars and couldn't care less.

> impersonal
> 비인격적인, 인간미 없는
> attitude 태도
> pull up 서다
> attendant 종업원
> enclose ~을 집어넣다
> non-functioning
> 작동하지 않는
> get rid of ~을 없애다
> on-duty 근무 중인
> mechanic 정비사
> skillful 숙련된
> replace 대체하다
> couldn't care less
> 조금도 개의치 않다, 전혀 관심
> 이 없다

2

There are many occasions that require us to prepare gifts for someone. ① To see the happy smile of the person you give a gift to can be a great joy. ② However, choosing the perfect gift that brings out the smile can't be painful. ③ But here is a little trick. Try to recall a gift the person gave you. ④ Most people tend to pick presents that they would like to get themselves. You can use a gift you received as a hint.

> occasion 경우
> require ~을 요구하다
> bring out
> ~을 드러나게 하다
> recall 기억해내다
> tend to 경향이 있다

3

People of India are famous for eating with their hands. ① This might look inconvenient, but Indians eat with their hands for a sanitary reason. ② India is a very hot country, so Indians are cautious about using tableware. If the tableware isn't washed clean, saliva can remain on them. Moreover, saliva can be a cause of disease in hot weather. ③ So instead of risking the chance of not-so-clean spoons and forks, they use their hands. Also a cook employed by a rich family only does cooking. ④ If the cook does cleaning, then that person could have got fired for being dirty.

*saliva: 침, 타액

> inconvenient 불편한
> sanitary 위생상의
> cautious 조심스러운
> tableware 식기
> cause 원인; ~을 일으키다
> risk
> ~을 입을 위험을 무릅쓰다
> employ ~을 고용하다

REVIEW PLUS

정답 및 해설 P. 20

jam 움직이지 못하게 되다
basin 세면대
hang from ~에 걸리다
windowsill 창턱
drop 떨어지다
respond 응답하다
hang around
어슬렁거리다

A 다음 (A), (B), (C)에서 어법에 맞는 표현으로 가장 적절한 것을 고르시오. [기출 응용]

One day last summer when I was in the bathroom, the lock on the door jammed. I (A) (couldn't / wouldn't) get it unlocked however hard I tried. I thought about my predicament. I didn't think the neighbors (B) (can / could) hear me if I shouted. Then I remembered the small window on the back wall. The basin near the window provided an easy step up. After climbing out the window, I hung from the windowsill for a few seconds and then easily dropped to the ground. Later my mother came home and asked me what I (C) (have / had) been doing. Laughing, I responded, "Oh, just hanging around."

*predicament: 곤경

	(A)		(B)		(C)
①	wouldn't	···	could	···	have
②	wouldn't	···	can	···	had
③	couldn't	···	can	···	have
④	couldn't	···	could	···	have
⑤	couldn't	···	could	···	had

distance 거리
in no time 곧, 즉시
effort 노력
moving company
이삿짐 운송 회사
false 잘못된
impression 인상
damage 훼손하다
valuable 귀중한

B 다음 글의 밑줄 친 부분 중, 바르지 <u>않은</u> 것을 고르시오. [기출 응용]

You may think that moving a short distance is so easy that you ① can do it in no time with little effort. You may decide to use your own car because you think that you don't need the services of a moving company. Well, you ② might be wrong. You are under the false impression that you do not have as many items to pack as you really ③ do. You find out too late that your car ④ could not carry as much as you thought it could. So, it takes you far more trips to your new home than you thought it ⑤ would. There is also the possibility of damaging your stuff, some of it valuable. All these things considered, it might be better to ask for the services of a moving company.

PART 6

형용사와 부사의 종류

CUS ....

1 접미사(suffixes)로 형용사(adjectives)인지 알 수 있다.

Asian 아시아 (사람)의	**burdensome** 부담이 되는, 귀찮은, 성가신
careful 조심스러운, 조심성 있는	**courageous** 용기 있는, 용감한
frequent 빈번한, 자주 일어나는	**passive** 수동적인, 소극적인
personal 개인의, 사적인	**remarkable** 주목할 만한, 뛰어난
sleepy 졸리는, 활기 없는	**businesslike** 사무적인

Don't forget to collect your **personal** belongings.①

The modern history of this area is quite **remarkable**.②

2 현재분사(–ing)나 과거분사(p.p.)도 형용사가 될 수 있다.

The **screaming** boy in front of the toy store is my brother.③

This expression is more likely to be used in **spoken** English.④

|참고| 1. '–ing'형 형용사는 '~하고 있는, ~하는, ~시키는'이라는 능동, 진행의 의미이고, 'p.p.'형 형용사는 '~된, ~되어진, ~당한'이라는 수동, 완료의 의미이다.

The **snoring** dog is mine.⑤ (코를 골고 있는)

James collapsed to the ground and hugged his **wounded** ankle.⑥ (상처 입은)

2. 두 개 이상의 단어가 모여 만들어지는 형용사를 복합형용사(compound adjectives)라고 한다.

self-centered 자기중심의	**well-known** 잘 알려진
sold-out 매진된	**worn-out** 닳아 해진
nine-year-old 아홉 살의	**two-way** 양방향의
hands-on 실제의, 직접 참가하는	**black-and-white** 흑백의

Amy's delicious apple pies are **well-known** to the town's people.⑦

Those tickets were very difficult for us to buy because the concert is almost **sold-out**.⑧

3 「형용사+ly」 형태의 부사와 「명사+ly」형태의 형용사를 혼동하지 않아야 한다.

He is famous for moving the ball **skillfully** on the field.⑨ (adverb)

He looks **manly**, but he's really sensitive.⑩ (adjective)

|참고| 「명사+ly」형태의 형용사: costly, friendly, lovely, motherly ...

「형용사+ly」형태의 부사: lonely, slowly, carefully ...

–ly로 끝나는 단어 중 형용사, 부사로 모두 쓰일 수 있는 것: hourly, daily, weekly, monthly, yearly ...

104

4 fast, long, early, late, near, high, hard는 형용사와 부사의 형태가 같다.

We had an **early** breakfast.[11] (adjective)

The sun rises **early** in summer.[12] (adverb)

🔑 KEY EXAM POINTS

A 감정동사에서 온 형용사의 경우, 명사가 어떤 감정을 느끼게 만드는 원인이면 '-ing'형을 쓰고, 명사가 그러한 감정을 느끼면 'p.p.'형을 쓴다.

interesting, interested	boring, bored	satisfying, satisfied
depressing, depressed	shocking, shocked	astonishing, astonished
surprising, surprised	confusing, confused	disappointing, disappointed
tiring, tired	amazing, amazed	exciting, excited

It was an **amazing** magic show.[13] (놀라움을 느끼게 만드는 원인: magic show)

I was pretty **amazed** to see the results of the survey.[14] (놀라운 감정을 느끼는 주체: I)

B 다음 단어의 의미상 차이점을 이해한다.

hard 어려운; 딱딱한; 열심히; 단단히, 몹시	hardly 거의 ~하지 않는	high 높은; 높이	highly 매우, 대단히
late 늦은; 늦게	lately 최근에	near 가까운; 가까이	nearly 거의
rare 드문	rarely 거의 ~하지 않는	most 가장	mostly 대부분

Let's just stay home tonight. It's raining **hard** outside.[15]

We **hardly** got to see the parade because of the crowd.[16]

She's had a **high** fever for several days.[17]

I **highly** recommend this book.[18]

We went to bed **late** last night.[19]

I've been having some headaches **lately**.[20]

---

① 네 개인 소지품을 챙겨 가는 것을 잊지 마라. ② 이 지역의 근대사는 매우 주목할 만하다. ③ 장난감 가게 앞에서 소리를 지르고 있는 소년은 내 남동생이다. ④ 이 표현은 구어체 영어에서 더 많이 사용될 것 같다. ⑤ 코를 골고 있는 강아지는 내 강아지이다. ⑥ 제임스는 땅바닥에 주저앉아서 상처 입은 발목을 끌어안았다. ⑦ 에이미의 맛있는 사과파이는 이 마을 사람들에게 유명하다. ⑧ 그 콘서트가 거의 매진이어서 표를 구하기 매우 어려웠다. ⑨ 그는 경기에서 능숙하게 공을 움직이는 것으로 유명하다. ⑩ 그는 남자답게 보이지만, 정말 섬세하다. ⑪ 우리는 이른 아침을 먹었다. ⑫ 여름에는 해가 일찍 뜬다. ⑬ 그것은 놀라운 마술 쇼였다. ⑭ 나는 그 조사 결과를 보고 정말 놀랐다. ⑮ 오늘 밤에는 그냥 집에 있자. 밖에 비가 많이 내리고 있어. ⑯ 우리는 군중 때문에 행진을 거의 볼 수 없었다. ⑰ 그녀는 며칠 동안 계속 고열이 나고 있다. ⑱ 저는 이 책을 강력히 추천합니다. ⑲ 우리는 어젯밤에 늦게 잠자리에 들었다. ⑳ 나는 최근에 계속 두통이 있다.

EXERCISES

정답 및 해설 P. 20

rust 녹슬다
jewelry 보석
hold ~을 잡고 있다
be packed 붐비다
broken English
엉터리 영어

A 밑줄 친 단어가 형용사인지 부사인지 밝히시오.

1 Janine's dream is to invent a new <u>eco-friendly</u> engine.

2 The robbers broke the rusted lock <u>easily</u> and took the jewelry.

3 Dad is running <u>late</u> tonight. There must be a customer holding him.

4 The buffet restaurant was packed, so we could <u>hardly</u> eat any food.

5 I don't like people who ring the doorbell in the <u>early</u> morning on weekends.

6 The lady spoke in <u>broken</u> English, but we all understood her body language.

shake ~을 흔들다
ladder 사다리
oil spill 기름 유출
charm 매혹하다
judge 심사위원
relative 친척
give a strong
impression on
~에 강한 인상을 남기다

B ( ) 안에서 가장 알맞은 것을 고르시오.

1 Shake the medicine bottle (good / well) before use.

2 Don't go up that ladder. It looks (dangerous / dangerously).

3 It is (like / likely) to take several months to clean up the oil spill.

4 We found a (like / likely) spot for camping. It has a fantastic view.

5 I was so busy that I (hard / hardly) had time to go to the bathroom.

6 We should be more (careful / carefully) when we talk in restaurants.

7 Andrea and I had a (cheerful / cheerfully) conversation during lunch.

8 When I arrived, Mom was in the garden with an (anxious / anxiously) look.

9 I couldn't buy the house I had in mind. Its price was very (high / highly).

10 Are there any good movies to see? What movie have you seen (late / lately)?

11 Our school baseball team lost the game because we played very (bad / badly).

12 She performed (beautiful / beautifully) on the ice rink and charmed the judges.

13 I'm sorry. You have come at a (bad / badly) time. My relatives have flown over to visit us.

14 Jim and Casey (certain / certainly) gave a strong impression on their presentation by wearing a clown nose.

C 〈보기〉에서 가장 알맞은 것을 골라 문장을 완성하시오.

bite ~을 물다
pet 쓰다듬다
streetlight 가로등

> 보기   rarely   fast   friendly   forgetful

1 Their friendship has grown very _____.

2 I didn't bring my cell phone today. I'm so _____ these days.

3 The dog looked _____, but he bit me when I tried to pet him.

4 We _____ see stars at night. It's because the streetlights are too bright.

D 다음 주어진 단어를 '–ing'형이나 'p.p.'형으로 바꿔 문장을 완성하시오.

no wonder
~하는 것도 당연하다
terrify 겁먹게 하다
delight 기쁘게 하다
parrot 앵무새
astonish 놀라게 하다
progress 진전

1 We are lost! The road signs are so _____ (confuse).

2 The company's proposal was really _____ (disappoint).

3 Amy has joined five clubs. No wonder she is always _____ (tire).

4 It was truly a _____ (terrify) experience for all of the passengers.

5 The soccer game is quite _____ (excite). We had a really great time.

6 My grandparents were _____ (delight) to see all of us gathered in the room.

7 It's quite _____ (surprise) that Stacey passed the test. No one has seen her study.

8 Our pet parrot has made _____ (astonish) progress. It can get in and out of its cage all by itself.

E 문장을 읽고, 밑줄 친 부분을 바르게 고치시오.

wince
(놀라서) 움찔하다, 주춤하다
know 매듭
untie ~을 풀다
sign up 등록하다

1 We all winced at the shocked scenes on TV.

2 I was amazing that my mom let me go to the concert.

3 He made a courage decision on the future of this company.

4 She was frightening when she felt that someone was behind her.

5 Wow, this is a really hardly knot. I almost broke my nails trying to untie it.

6 Those who are interest in the program should sign up before the 15th of this month.

Unit
23

형용사의 어순과 쓰임

OCUS ....

1   형용사는 명사 앞에서 명사를 수식(한정적 용법)하거나, 동사 뒤에서 주어나 목적어를 보충 설명(서술적 용법)한다.

The mirror has a **smooth** surface.①

The sky became **gray**, and **small** drops of rain fell.②

He found baseball **fascinating**.③

2   서술적으로 사용되는 형용사: afraid, alike, alive, alone, ashamed, asleep, aware, awake, ill, well, glad, sorry …

My brother was **asleep** with his mouth half open.④

Emily wasn't **aware** that the deadline had passed.⑤

3   두 개 이상의 형용사가 하나의 명사를 수식할 때는 주로 다음과 같은 어순을 따른다.

- 일반적인 것+구체적인 것: **a massive windowless** building

- 주관적인 내용+객관적인 내용: **a wonderful yellow** hat

- 한정사+「의견 → 크기 → 형태 → 나이·신구 → 색깔 → 출신·기원 → 재료 → 용도」+명사

Kevin bought a **huge round white Italian oak** table.⑥

4   -body, -one, -thing으로 끝나는 부정대명사와 somewhere, anywhere는 형용사가 뒤에서 수식한다.

Let's have **something** <u>sweet</u>.⑦

Did she ask for **anything** <u>special</u>? ⑧

🔑 KEY EXAM POINTS

A   다음과 같은 연결동사 뒤에는 형용사가 온다.

be ~이다, 있다	become ~하게 되다	look ~으로 보이다, 생각되다
seem ~처럼 보이다, 생각되다	appear ~인 듯하다	sound ~하게 들리다, 느껴지다
smell ~한 냄새가 나다	taste ~한 맛이 나다	get, go 어떤 상태가 되다

I <u>became</u> **tense** as the lottery numbers were announced.⑨

He <u>seems</u> **sure** about the choices he has made.⑩

The washing machine <u>smells</u> **moldy**.⑪

---

① 이 거울은 표면이 매끄럽다.   ② 하늘은 회색빛으로 변했고 작은 빗방울이 떨어졌다.   ③ 그는 야구가 아주 재미있다는 것을 알게 되었다.   ④ 내 남동생이 입을 반쯤 벌리고 자고 있었다.   ⑤ 에밀리는 마감일이 지난 것을 깨닫지 못했다.   ⑥ 케빈은 흰색의 크고 둥근 이탈리아산 오크 식탁을 샀다.   ⑦ 뭔가 단것을 좀 먹자.   ⑧ 그녀가 뭔가 특별한 것을 요구했나요?   ⑨ 복권의 당첨 번호가 발표되는 동안 나는 점점 긴장되었다.   ⑩ 그는 자신의 선택에 대해 확신이 있는 것 같다.   ⑪ 이 세탁기에는 곰팡내가 난다.

EXERCISES

 A ( ) 안에서 가장 알맞은 것을 고르시오.

1 The two pictures are very much (alike / like), but one is a fake.

2 I visited Mike. His house was a (cozy red brick / red brick cozy) house.

3 I found the novel very (interesting / interestingly). It was full of adventure.

4 Almost all of the fairy tales end with "They lived (happy / happily) ever after."

5 The investigators have concluded that it was (an alone / a lone) man's crime.

6 I've invited (someone special / special someone) that you have all been missing.

7 We have to get lots of wood to keep the campfire (alive / live) throughout the night.

8 Let's keep things (simple / simply) and just buy drinks and sandwiches for the picnic.

9 The town's people (strong / strongly) objected to the town's plan of building a crematorium.

> fake 가짜의
> cozy 아늑한
> end with ~로 끝나다
> ever after 그 후
> investigator 수사관
> conclude ~로 결론짓다
> miss 그리워하다
> object to ~에 반대하다
> crematorium 화장터

B 주어진 단어를 알맞게 배열하여 문장을 완성하시오.

1 Kelly (unaware / appears / of) the changes we made.
→ _____ we made.

2 It's such a warm day. Let's go (nice / somewhere / by bicycle).
→ It's such a warm day. _____

3 This (salty / cake / tastes). You must have mixed up salt with sugar.
→ _____ You must have mixed up salt with sugar.

4 Please bring me the (small / English / pink) tea set from the cupboard.
→ _____ from the cupboard.

5 I had to pay for (marble / the / large / white) statue that I had broken in the hotel lobby.
→ _____ that I had broken in the hotel lobby.

> unaware
> 알아채지 못하는
> appear ~인 듯하다
> mix A up with B [mix up A with B]
> A와 B를 혼동하다
> pay for 대가를 지불하다
> statue 조각상

부사의 어순과 쓰임

OCUS ···

1   빈도부사는 일반적으로 be동사나 조동사 뒤, 본동사 앞에 놓이며, 문장의 처음과 끝에 오는 경우도 있다.

I will **always** wish the best for you and your family.①

Sometimes the company allows us to dress casually.②

|참고| 문장에서 반복되는 부분을 be동사나 조동사 등으로 대체하는 경우, always나 never 등의 위치는 다음과 같다.
He's never tried raw octopus, and he **never** <u>will</u>.③

2   모양이나 태도를 나타내는 부사는 본동사와 그 목적어 사이에 오지 않는다.

I <u>put</u> the vase **carefully** on the table.④ (put carefully the vase)

Mother warned me to drive **safely**.⑤

The town is **slowly** recovering from the tsunami.⑥

3   강조하는 부사는 주로 수식하는 말의 바로 앞에 오고, 문장의 처음에는 잘 쓰지 않는다.

She **completely** forgot about our dinner date.⑦

Sam took my words **very** seriously.⑧

Mary **really** loved the couch, but it was **so** expensive.⑨

4   부사는 태도(manner), 장소(place), 방법(means), 시간(time) 순으로 쓴다.

Ellen sang **charmingly on the stage yesterday**.⑩ (manner → place → time)

We're going to **Busan by KTX tomorrow**.⑪ (place → means → time)

5   already, yet, still의 쓰임과 위치에 주의한다.

  already: 긍정문, 의문문, 조건문에 사용하며, 본동사 앞, be동사, 조동사, 문장 뒤에 위치

The police have **already** ordered people to evacuate the building.⑫

  yet: 부정문과 의문문에 사용하며, 주로 문장 끝에 위치

I haven't started the project **yet**.⑬

  still: 긍정문과 의문문에서는 be동사, 조동사 뒤, 본동사 앞 / 부정문에서는 부정어 앞에 위치

I **still** don't know why he suddenly left.⑭

110

6

enough는 형용사로 쓰여 명사를 수식할 때는 명사 앞에 오고, 부사로 쓰여 형용사, 동사, 다른 부사를 수식할 때는 수식하는 말 바로 뒤에 온다.

Make sure you have **enough** <u>water</u> for your hiking trip.[15]

Is the coat <u>warm</u> **enough** for you? [16]

I <u>haven't prepared</u> **enough** for the test.[17]

🔑 KEY EXAM POINTS

A

such와 so의 어순을 잘 알아두자.

「so+형용사+a(n)+명사」

「so+much/many+명사」

「so+형용사/부사(+that절/as to부정사)」

「such/quite+a(n)+형용사+명사」

Like **so many** great heroes, he has a book about his life.[18] (~~such many~~)

Why are you **so upset** today?[19]

Kevin is **such a humorous boy**.[20]

B

목적어가 대명사일 경우 목적어의 위치에 주의해야 하는 구동사(phrasal verbs)가 있다.

fill out ~을 작성하다	give back ~을 돌려주다	turn down ~을 거절하다
throw away ~을 버리다	wake up ~을 깨우다	take off (옷 등을) 벗다
see off ~을 배웅하다	cross out 줄을 그어 지우다	make up ~을 이루다, 형성하다
give away ~을 선물로 주다, 기부하다	turn on (전등, TV 등을) 켜다	turn off (전등, TV 등을) 끄다

My boyfriend will come to **pick** <u>me</u> **up** for the prom.[21] (~~pick up me~~)

I **took** <u>my jeans</u> **off** and **put** <u>sweatpants</u> **on**.[22]

→ I **took off** <u>my jeans</u> and **put on** <u>sweatpants</u>.

---

① 나는 너와 네 가족이 행복하기를 항상 바랄 것이다. ② 가끔씩 회사는 우리가 편안한 복장을 하도록 허용한다. ③ 그는 산낙지를 먹어본 적이 없고, 앞으로도 절대 먹지 않을 것이다. ④ 그녀는 꽃병을 조심스럽게 탁자 위에 놓았다. ⑤ 어머니는 내게 안전하게 운전하라고 주의를 주셨다. ⑥ 이 도시는 쓰나미의 피해로부터 천천히 복구되고 있다. ⑦ 그녀는 우리의 저녁 데이트 약속을 완전히 잊어버렸다. ⑧ 샘은 내가 하는 말을 매우 심각하게 받아들였다. ⑨ 메리는 소파가 정말로 마음에 들었지만, 너무 비쌌다. ⑩ 엘렌은 어제 무대에서 매혹적으로 노래를 불렀다. ⑪ 우리는 내일 KTX를 타고 부산에 갈 것이다. ⑫ 경찰이 사람들에게 그 건물에서 나가라고 이미 지시를 내렸다. ⑬ 나는 아직 과제를 시작하지 않았다. ⑭ 나는 왜 그가 갑자기 떠났는지 아직도 모르겠다. ⑮ 도보여행을 할 만큼 물이 충분한지 확인하도록 해. ⑯ 너는 이 코트가 충분히 따뜻하니? ⑰ 나는 시험에 충분히 대비하지 못했다. ⑱ 수많은 영웅들처럼 그도 자신의 일생을 다룬 책이 있다. ⑲ 너는 오늘 왜 그렇게 화가 나 있니? ⑳ 케빈은 정말 재미있는 소년이다. ㉑ 내 남자 친구가 나를 졸업 무도회에 태우고 가려고 올 것이다. ㉒ 나는 청바지를 벗고 운동복 바지를 입었다.

EXERCISES

figure out ～을 해결하다

dye 염색하다

defrost
해동시키다, 해동하다

instructions
사용 설명서

component
부품, 구성 요소

A 〈보기〉에서 알맞은 것을 골라 문장을 완성하시오.

| 보기 | only | yet | carefully | hard | completely | still |

1 At this point, we can _____ guess why he quit his job.

2 I'm surprised that you haven't heard about the rumor _____.

3 I _____ can't figure out this math question. Maybe it's wrong.

4 Kelly dyed her hair red to look _____ different from her old self.

5 The sausages are frozen very _____. Let's wait for them to be defrosted.

6 You should read the instructions _____ before you remove the components from the box.

hammock 해먹(나무 등에 메다는 직물로 될 침대)

license 면허증

on 켜진

donate 기부하다

B 주어진 단어를 알맞게 배열하여 문장을 완성하시오.

1 Amy carried (bag, a, black, small, plastic).
→ _____

2 Brice didn't get (enough, to be elected, votes).
→ _____

3 My grandmother gave me (nice, new, a, sweater).
→ _____

4 It was (night, so, last, hot) that we slept in hammocks.
→ _____

5 I'll go (next week, to City Hall, by bus) to get my license.
→ _____

6 The lights are still on. Will you (off, turn, them) when you leave?
→ The lights are still on. _____

7 I have never met (generous, such, person, a). He seems born to donate.
→ _____ He seems born to donate.

8 (all, of, almost, the students) at Kipling High School came from Hillside Middle School.
→ _____

112

C ( ) 안에서 가장 알맞은 것을 고르시오.

hang out 시간을 보내다
surface 표면

1 It's (so / such) a beautiful day! Let's go to the beach and hang out.

2 The road surface became (so / such) hot that you could fry eggs on it.

3 The neighbor's dog made (so / such) a loud noise that we had to go and complain.

4 The children were (so / such) excited that they jumped up and down on the beds last night.

5 We had (so / such) a good time yesterday. We should go to the countryside more often.

D 주어진 빈도부사가 들어갈 알맞은 위치를 골라 √ 표하시오.

positively 긍정적으로
achieve ~을 성취하다
late at night 밤늦게

1 I have seen anything like this before. (never)

2 You should think positively to achieve success in life. (always)

3 She eats chocolate chip cookies with milk late at night. (often)

4 We go to the Thai restaurant right down the block on Friday nights. (usually)

E 밑줄 친 부분이 어법상 어색하다면 바르게 고치시오.

wipe away ~을 닦다
ambulance 구급차
patient 환자
unconscious
의식이 없는
enthusiasm 열정
impress ~을 감동시키다
judge 심판
audience 청중

1 She wiped away quickly her tears.

2 Amanda hasn't finished reading her novel yet.

3 I don't still want to talk about what happened that night.

4 Sally put on the headphones and listened to her new CD.

5 She has such much money that she doesn't know what to do with it.

6 It's too quiet here. Oh, there's a radio on the table. Can I turn on it?

7 The children would often ask when the ice cream man was coming.

8 By the time the ambulance arrived, the patient already was unconscious.

9 He didn't have enthusiasm enough to impress the judges or the audience.

10 Mary and Susan had hardly any chance to meet after graduating from high school.

Unit

25

비교

FOCUS

1 「as+원급+as」 ~만큼 …한

This jumper is **as light as** a feather.①

This soup is not **as good as** the last one.②

Kelly was **as good a performer as** her older sister, Kate.③

2 「비교급+than」 ~보다 …한

Michael is a **better cook than** his brother.④

My schedule of this semester is **less hectic than** last semester's.⑤

According to a study, hot water can freeze **more quickly than** cool water.⑥

|주의| 1. 라틴어 비교급(senior, junior, superior, inferior, prior)은 than 대신 to를 쓴다.
　　　　She is **superior to** all other players.⑦

　　　2. 비교 대상이 명확할 때는 than이 포함된 절을 생략하는 경우가 많다.
　　　　This skirt doesn't fit me. Do you have a **smaller** one (than this one)?⑧

3 「the+최상급」 가장 ~한

The Caspian Sea is **the widest** lake in the world.⑨

When was **the scariest** day of your life?⑩

It was **the most delicious** chocolate cake I've ever tasted.⑪

|참고| 「the+비교급+of the two」는 '두 개 중 더 ~한'이라는 의미이다.
　　　Sally is **the taller of the two** sisters.⑫
　　　Juliet is **the better worker of the pair.**⑬

4 비교급을 강조하거나 수식할 때는 much, far, a lot, even, still, a little, slightly 등을 비교급 앞에 쓴다.

American singer Miley Cyrus is **much** <u>more popular</u> than her dad, Billy Ray Cyrus.⑭

This model airplane is **far** <u>more expensive</u> than the old one.⑮

I'm glad you're feeling **much** <u>better</u> now.⑯

5 비교급이나 원급을 써서 최상급의 의미를 나타내기도 한다.

「비교급+than any other+단수명사」= 「비교급+than all the other+복수명사」 어떤 ~보다 더 …하다

「부정어+비교급+than」 어떤 ~보다 더 …한 것은 없다

「부정어+as[so]+원급+as」 ~만큼 …한 것은 없다

This year's Halloween festival was **the best festival.**[17]

→ This year's Halloween festival was **better than any other festival.**

→ This year's Halloween festival was **better than all the other festivals.**

→ **No other festival** is **better than** this year's Halloween festival.

→ **No other festival** is **as good as** this year's Halloween festival.

KEY EXAM POINTS

A

「the+비교급, the+비교급」 ~하면 할수록 더 …하다

The longer I stay here, the better I get to know ways around the area.[18]

The darker the sky gets, the more concerned I become that it is going to rain.[19]

「비교급+and+비교급」 점점 더 ~한 (점진적 변화)

The importance of the environment is becoming **greater and greater.**[20]

「no+비교급」 ~보다 더 …하지 않다, ~와 다름없다

She went bankrupt after only six months in business. Now she is **no better** than a beggar.[21]

B 비교의 대상이 되는 것은 문법적으로 동등한 것이어야 하고, 앞서 언급된 명사는 that, those로 받는다.

The size of the Ulsan plant is larger than that of the Seoul plant.[22] (the Seoul plant)

The care of a mother seems more necessary for a baby than that of a father.[23] (a father)

---

① 이 스웨터는 깃털처럼 가볍다. ② 이 수프는 지난번 것만큼 맛이 있지 않다. ③ 켈리는 언니인 케이트만큼 훌륭한 연주자였다. ④ 마이클은 자기 형보다 훌륭한 요리사이다. ⑤ 이번 학기의 내 시간표는 지난 학기 시간표보다 덜 빡빡하다. ⑥ 한 연구에 따르면, 뜨거운 물이 차가운 물보다 더 빨리 얼 수도 있다. ⑦ 그녀는 다른 모든 선수들보다 우수하다. ⑧ 이 치마가 저한테 맞질 않네요. (이것보다) 더 작은 것이 있나요? ⑨ 카스피 해(海)는 세계에서 가장 넓은 호수이다. ⑩ 너는 인생에서 가장 무서웠던 날이 언제였니? ⑪ 이것은 내가 먹어본 것 중에서 가장 맛있는 초콜릿 케이크이다. ⑫ 샐리가 두 명의 자매 중에서 키가 더 크다. ⑬ 줄리엣이 둘 중에 일을 더 잘한다. ⑭ 미국 가수인 마일리 사이러스는 자신의 아버지인 빌리 레이 사이러스보다 훨씬 더 인기 있다. ⑮ 이 모형 비행기는 예전 것보다 훨씬 더 비싸다. ⑯ 네 기분이 이제 훨씬 나아졌다니 다행이다. ⑰ 올해의 핼러윈 축제가 가장 훌륭하다. ⑱ 내가 여기에 머물면 머물수록, 이 주변의 길을 더 잘 알게 된다. ⑲ 하늘이 어두워지면 어두워질수록 나는 비가 올 것 같아 더 걱정하게 된다. ⑳ 환경의 중요성이 점점 커지고 있다. ㉑ 그녀는 사업을 시작한 지 겨우 6개월 만에 파산했다. 지금 그녀는 거지나 마찬가지다. ㉒ 울산 공장의 규모는 서울 공장의 규모보다 크다. ㉓ 아기에게는 어머니의 보살핌이 아버지의 보살핌보다 더 필요한 것 같다.

EXERCISES

howl 울부짖다
merry 유쾌한, 즐거운
charm 매력
destructive 파괴적인
previous 이전의

A ( ) 안에서 가장 알맞은 것을 고르시오.

1 Emily is (much / very) happier now than she was two years ago.

2 The (loud / louder / loudest) the noise got, the more the dogs howled.

3 Your chili sauce was (best / better) than any other sauce in the competition.

4 The older she gets, the (merry / merrier) she becomes. That's my grandma's charm.

5 This art piece looks old, but it's actually (modern / more modern / most modern) than the one next to it.

6 The storm was as (destructive / more destructive / most destructive) as the previous one that hit the area last year.

precious 소중한
patient 참을성이 있는
scary 무서운
be over 끝나다
camper
캠핑카; 캠프하는 사람
noisy 시끄러운
breathe 숨 쉬다
trap 가두다

B 주어진 단어를 원급, 비교급, 최상급의 형태로 바꿔 문장을 완성하시오.

1 His family is the _____ (precious) thing to Mr. Kent.

2 He is not as _____ (patient) as his younger sister is.

3 This is the _____ (scary) roller coaster that I've ever ridden.

4 Once the midterm is over, we'll be _____ (happy) than now.

5 This camper is _____ (cheap) than all the others in this shop.

6 This is the _____ (cheap) hotel in town that I've ever stayed at.

7 Nothing is as _____ (important) as working as a team in sports.

8 This alarm clock is the _____ (noisy) of the two. Let's get this one.

9 The _____ (high) we climbed the mountain, the harder it got to breathe.

10 Today is the _____ (cold) day so far this year. I can't feel my fingers and toes.

11 This plant has grown much _____ (tall) than the other one. It must be because of the sunlight.

12 The _____ (fresh) the air became, the _____ (well) those trapped in the building were able to breathe.

C 문장을 읽고, 밑줄 친 부분을 바르게 고치시오.

1 Do you know which is <u>longest</u> river in the world?

2 This is shorter than any other <u>routes</u> to the hospital.

3 The proposal had been suggested prior <u>than</u> this meeting.

4 Jonathan is much smarter than all the other <u>student</u> in his school.

5 No <u>another</u> girl in her school is taller than Nancy. She is 183cm tall.

6 Nothing is as <u>better</u> as taking a sip of cool lemonade on a hot summer day.

7 People were <u>more far</u> interested in the gossip about the singer than in his performance.

8 We went to Hawaii last summer. It was one of the most exciting <u>vacation</u> we've ever had.

route 길
suggest ~을 제안하다
prior 앞서
take a sip 한 모금 마시다
gossip 소문

D 주어진 문장과 의미가 통하도록 문장을 완성하시오.

exotic 이국적인
talkative 수다스러운

1 Today is the warmest day of the year.

→ Today is _____ _____ any other _____ of the year.

→ Today is _____ _____ all the other _____ of the year.

2 Tina's garden is the loveliest in town. It's full of exotic flowers.

→ Tina's garden is _____ _____ any other _____ in town. It's full of exotic flowers.

→ Tina's garden is _____ _____ all the other _____ in town. It's full of exotic flowers.

3 Heather was the most talkative person in the room.

→ _____ other person in the room was _____ _____ _____ Heather.

→ _____ other person in the room was _____ _____ _____ Heather.

4 The seats in the VIP box are the most comfortable seats in the theater.

→ _____ other seats in the theater are _____ _____ _____ the seats in the VIP box.

→ _____ other seats in the theater are _____ _____ _____ the seats in the VIP box.

전치사 및 기타 표현

FOCUS ···

1 전치사 뒤에는 명사나 명사 상당어구가 온다.

The children went to bed **without** <u>complaining</u>.①

I have been looking **for** <u>my red sweater</u> all day.②

Can you hand in your assignment **before** <u>the end of today's class</u>?③

2 전치사구는 형용사나 부사의 역할을 한다.

The man **with the brown suitcase** fell off his chair.④ (형용사 역할)

Kelly seemed amazed **by Sam's praise**.⑤ (부사 역할)

3 전치사가 다른 어구와 결합하여 하나의 전치사로 사용되기도 한다.

according to ~에 의하면	**for the sake of** ~을 위하여
in case of ~인 경우에는	**in front of** ~의 앞에
in addition to ~에 덧붙여서	**in regard to, with regard to, in relation to** ~에 관해서는
by means of ~에 의하여, ~을 이용해서	**instead of** ~의 대신에
in spite of ~에도 불구하고	**due to, on account of, owing to, because of** ~ 때문에
thanks to ~의 덕택에	**contrary to** ~와 반대로
regardless of ~에 상관없이	**prior to** ~에 앞서, ~보다 먼저

According to this cookbook, you have to roast the chicken for 45 minutes.⑥

In spite of her living in the city, she knew the names of many wild flowers.⑦

The company is open for employment **regardless of** age and sex.⑧

Due to the blizzard, the whole city is quiet and white.⑨

A 「within+기간」 ~이내에

You have to finish the test **within** fifteen minutes.⑩

The product you ordered today will arrive **within** a couple of days.⑪

118

B　　「by+시점」~까지　　vs.　　「until+시점」~까지

Will my pictures be ready **by** 1:30?[12] (그 시점까지 혹은 그 전에 상황이 완료, 일회성 동작의 완료)
Let's wait and see how the patient does **until** Wednesday.[13] (그 시점까지 상황이 계속 됨, 지속적인 동작의 완료)

C　　「during+특정 기간」~동안　　vs.　　「for+숫자 표현」~동안　　vs.　　「since+특정 시점」~이래로, ~부터

Are you going to use your laptop computer **during** your visit to the library today?[14]
We have been going out **for** a year.[15]
This store has been in our town **since** 1942.[16]

D　　in ~지나면, ~후에　　vs.　　after ~가 지나, ~뒤에

I'll get back to you **in** a minute.[17]
She came back **after** a few hours and apologized.[18]

E　　but/except ~을 제외하고, ~외에는　　vs.　　concerning/regarding/about ~에 관하여, ~에 대하여

vs.　　like ~와 같이, ~처럼

I want nothing **but** iced water at this moment.[19]
We have nothing to say **regarding** the false fire alarm.[20]
My sister is sleeping **like** a baby.[21]

F　　on time 예정대로, 정시에　　vs.　　in time 충분히 시간 맞춰, 늦지 않게

You should take the next bus. The twelve o'clock bus left **on time**.[22]
I sent him my birthday invitation. I hope it arrives **in time**.[23]

G　　at the end ~의 말에　　vs.　　in the end 마침내, 결국에는

My husband's going on a business trip **at the end** of this month.[24]
Nobody doubts that she will pass the exam **in the end**.[25]

---

① 아이들은 불평 없이 잠자러 갔다.　② 나는 하루 종일 내 빨간 스웨터를 찾고 있었다.　③ 오늘 수업이 끝나기 전에 과제를 제출할 수 있니?　④ 갈색 여행 가방을 든 남자가 의자에서 넘어졌다.　⑤ 켈리는 샘의 칭찬에 놀란 것 같았다.　⑥ 이 요리책에 따르면 닭을 45분간 구워야 한다.　⑦ 그녀는 도시에서 살았음에도 들꽃의 이름을 많이 알고 있었다.　⑧ 이 회사는 나이와 성별에 상관없이 일자리를 개방하고 있다.　⑨ 눈보라 때문에 도시 전체가 고요하고 하얗다.　⑩ 여러분은 15분 안에 시험을 끝내야 합니다.　⑪ 당신이 오늘 주문한 상품이 며칠 안에 도착할 것입니다.　⑫ 제 사진이 한 시 삼십 분까지 준비될까요?　⑬ 수요일까지 환자 상태를 지켜봅시다.　⑭ 너 오늘 도서관에 있는 동안 네 노트북 컴퓨터를 쓸 거야?　⑮ 우리는 일 년 정도 만나고 있다.　⑯ 이 가게는 우리 마을에 1942년부터 있었다.　⑰ 잠시 후에 당신에게 돌아올게요.　⑱ 그녀는 몇 시간 후에 돌아와서 사과했다.　⑲ 나는 지금은 얼음물 이외에는 아무것도 원하지 않는다.　⑳ 우리는 화재 경보가 잘못 울린 데 대해서 할 말이 없다.　㉑ 내 여동생은 아기처럼 자고 있다.　㉒ 다음 버스를 타셔야 돼요. 12시 버스가 정각에 떠났거든요.　㉓ 나는 그에게 생일 초대장을 보냈다. 늦지 않게 초대장이 도착했으면 좋겠다.　㉔ 남편은 이번 달 말에 출장을 갈 예정이다.　㉕ 그녀가 결국에는 그 시험에 합격할 것임을 의심하는 사람은 아무도 없다.

EXERCISES

receive ~을 받다
cost (비용이) 들다
usual 평소의
newly opened
새로 개점한

 A ( ) 안에서 가장 알맞은 것을 고르시오.

1 Naengmyeon is eaten more (during / for) summer than winter.

2 You'll be able to eat a hot pizza (in / until) a couple of minutes.

3 The whole town has changed (since / for) the day we moved here.

4 You'll be receiving free coupons from our store (by / within) a week.

5 Popcorn will cost only $7 today, (instead / instead of) the usual $9.50.

6 We went to the newly opened multiplex early this morning and stayed there (by / until) sunset.

tornado 토네이도
sharply 급격하게
decline 감소하다
demonstrate
~을 설명하다
safety procedure
안전수칙
overcome ~을 극복하다
prior knowledge
사전 지식

B 〈보기〉에서 알맞은 표현을 골라 문장을 완성하시오.

보기	according to	in case of	thanks to
	for the sake of	instead of	prior to
	in addition to	in relation to	in front of

1 This basement is for use _____ a tornado.

2 _____ his support, we could make our business a success.

3 _____ the graph, auto sales have sharply declined since last year.

4 They changed their mind and went to the movies _____ staying home.

5 The flight attendants demonstrate safety procedures _____ departure.

6 Mr. Park managed to overcome his fear of speaking _____ a large audience.

7 He had his parents move to the countryside _____ their health.

8 _____ modern buildings, South Korea has a lot of historical sites and culture.

9 If you want to understand it, you need prior knowledge _____ its historical background.

C 빈칸에 공통으로 들어갈 알맞은 전치사를 써넣으시오.

variety 다양성
spread out 펼치다
content 만족한
wreck ~을 망가뜨리다
windmill 풍차
apply 적용되다
resident 주민, 거주민
closure 폐쇄
consequence 결과
eat out 외식하다
gain weight
몸무게가 늘다
show up 나타나다
notice 공지
get married 결혼하다
fill out
(양식 등)을 작성하다
customs
declaration form
세관 신고서
block capitals 대문자

1 ① Sarah and Brad sent photos of themselves _____ email.

② All of your papers must be received _____ the end of this week.

③ We were amazed _____ the variety of food spread out before us.

2 ① I could say that I'm pretty content _____ my life.

② Kelly had to work twice as hard to keep up _____ her classmates.

③ The village people got fed up _____ the insects wrecking their crops.

3 ① I'm deeply sorry _____ your loss. Your father was a great man.

② The librarian asked me to pay _____ the book I spilled coffee on.

③ The Netherlands, where I come from, is famous _____ tulips and windmills.

4 ① The discount applies _____ all of the sneakers in this section.

② We, the local residents, object _____ the closure of the local hospital.

③ I must find a dish that is similar _____ the one I broke before Mom finds out.

5 ① Amy was so worried _____ her presentation that she couldn't eat.

② We complained to the manager _____ the hair that we found in the soup.

③ Parents should be very careful because babies are curious _____ everything.

6 ① My father has taken very good care _____ his 20-year-old car.

② They are tired _____ having oatmeal for breakfast.

③ He wasn't aware _____ the consequences when he jumped into the pond.

7 ① My family used to eat out _____ Fridays when I was little.

② My husband's gained a lot of weight. He needs to go _____ a diet.

③ He didn't show up. He must not have seen the notice _____ the bulletin board.

8 ① Because of the thick fog, nothing can be seen _____ front of me.

② I'm so excited! My sister's getting married _____ three weeks.

③ Would you fill out this customs declaration form _____ block capitals?

REVIEW

정답 및 해설 P. 23

absolutely 절대
festive 축제의
admit ~을 받아들이다
application 지원서
win an award
상을 받다

A 다음 빈칸에 들어갈 가장 적절한 것을 고르시오.

1 A: Don't you think we have invited too many people for the party?

B: Absolutely not. The more people come, _____ it will look.

① more festive　　　　　② more festive than

③ the more festive　　　④ the most festive

2 A: Did Sally get admitted to college?

B: No, but she hasn't sent out all of her applications _____.

① still　　　　　② yet

③ already　　　④ so

3 A: Oh! What is that? Where is its fur?

B: I think that it is _____ in the world, but it actually won an award.

① the ugliest cat　　　② ugliest cat

③ ugly cat　　　　　　④ uglier cat

a bit 조금, 약간
complexion 안색
turn out ~임이 드러나다
allergic to
~에 알레르기가 있는
clam 대합조개
take a pill 약을 먹다
apply ~을 바르다
ointment 연고
merry-go-round
회전목마
oval-shaped 타원형의
gorgeous 아주 멋진

B 다음 대화를 읽고, 어법상 <u>어색한</u> 것을 고르시오.

1 ① A: What's wrong? Your complexion is a bit green, and you have red spots all over.

② B: I know. It turns out I'm allergic to clams.

③ A: Really? Did you go to see a doctor?

④ B: Yes. I have to take these pills and apply this ointment during a week.

2 ① A: This fun park is super! It's full of scary rides and delicious food carts.

② B: Did you try the hot dogs behind the merry-go-round?

③ A: Yes. They're juicier than all the other hot dog in the world!

④ B: I couldn't agree with you more.

3 ① A: Hello. May I help you?

② B: Oh, yes. I'm trying to find the perfect coffee table for my living room.

③ A: How about this oval-shaped white lovely coffee table?

④ B: It's gorgeous. But I want a smaller one. Could you show me the black one over there?

다음을 읽고, 바르지 <u>않은</u> 문장을 고르시오.

1

Nowadays, there are a countless number of blogs on the Internet. Blogs are different from websites. ① First of all, they are updated more regular. ② While a lot of blogs are updated every day, some are even updated a couple of times a day. ③ Moreover, most blogs are easy to make with free software. ④ Anyone, even those who don't know much about computers, can start a blog and learn more about computers at the same time.

countless 셀 수 없는
update
가장 최근의 정보를 알려주다
moreover 게다가
at the same time
동시에

2

You can increase both your fluent reading speed and vocabulary by reading extensively. ① Each day, try to read a wide variety of interesting materials as much as you can. ② But do not try to read texts that are beyond your ability or level. ③ Instead, find material that is at your level, or even slightly below your level at first. ④ Also, try not to rely too much to word lists; it is usually easier to remember new words when you learn them in context. As an added bonus, you will learn how the words can be used as well as what they mean.

fluent 유창한, 유연한
extensively 광범위하게
a wide variety of
매우 다양한
material 자료
in context 문맥상에서

3

A long time ago, ice cream was sold in a dish. ① But an incident in 1904 changed forever ice cream. ② It was a hot day at the 1904 Louisiana Purchase Exposition in St. Louis, Missouri. Ice cream was selling fast. ③ One ice cream seller ran out of ice cream bowls and couldn't sell any more. ④ Seeing this, the waffle maker quickly rolled his waffles up into a cone shape and gave it to the ice cream seller. Soon everyone was asking for the coned ice cream.

incident 사건
exposition 박람회
run out of
~을 다 써버리다 ·

REVIEW PLUS

정답 및 해설 P. 24

equate 동일시하다
aspect 측면
trademark 상표
analyze ~을 분석하다
underlying
근원적인, 밑에 놓인
mythic 신화상의
represent ~을 표현하다
demonstrate
~을 보여주다
fictional 허구의
mono-myth
전형적인 영웅 이야기에서 주
인공이 거치는 여정
prevalent 일반적인
emerge from
~에서 나오다
decisive 결정적인
credible 믿을 수 있는
effective 효과적인

 A 다음 (A), (B), (C)에 들어갈 말이 바르게 짝지어진 것을 고르시오. [기출 응용]

While we (A) (general / generally) equate myths with the ancient Greeks or Romans, modern myths are realized in many aspects of popular culture, including trademarks, movies, comic books, holidays, and even commercials. Commercials and advertisements can be analyzed in terms (B) (from / of) the underlying mythic themes they represent. Often fashion ads, especially perfume ads, use fantasy and mythical themes. Comic book superheroes also demonstrate how myths can be communicated to consumers of all ages. Indeed, some of these fictional characters represent a mono-myth, a myth that is common to many cultures. The most prevalent mono-myth involves a hero who emerges from the everyday world with supernatural powers and wins a decisive victory over evil forces. Comic book heroes, familiar to most consumers, may even be more credible and effective (C) (to / than) real-life celebrities.

	(A)		(B)		(C)
①	general	⋯	from	⋯	to
②	generally	⋯	of	⋯	than
③	general	⋯	of	⋯	than
④	generally	⋯	of	⋯	to
⑤	general	⋯	from	⋯	than

constantly 끊임없이
drop out 떨어져 나가다
accuracy 정확하게
isolate 분리하다
notice ~을 알아차리다
previously 과거에
undifferentiated
구별되지 않는
in a sense 어느 정도로는
strike ~라고 느끼게 하다

 B 다음 글의 밑줄 친 부분 중, 바르지 <u>않은</u> 것을 고르시오. [기출 응용]

In general, one's memories of any period ① <u>necessarily</u> weaken as one moves away from it. One is constantly learning new facts, and old ones have to drop out to ② <u>make</u> way for them. At twenty, I could have written the history of my school days with an accuracy which would be quite impossible now. But it can also happen that one's memories grow ③ <u>very</u> sharper even after a long passage of time. This is because one is looking at the past with fresh eyes and can isolate and, as it were, notice facts which previously existed ④ <u>undifferentiated</u> among a mass of others. There are things which in a sense I remembered, but which did not strike me ⑤ <u>as</u> strange or interesting until quite recently.

PART 7

접속사와 분사

등위 접속사와 상관 접속사

···

1 등위 접속사(coordinating conjunctions)에는 단어, 구, 절을 대등하게 연결하는 and, but, or와 주로 절을 연결하는 so, for, nor, yet 등이 있다. for는 이유를 나타내며 문장 맨 앞에 나올 수 없고, 주로 문어체에서 많이 사용된다.

Martha is smart **and** athletic.①

We could take the subway **or** the bus.②

We could go on a picnic tomorrow, **but** it might rain.③

All the shops were closed today, **so** I couldn't buy any food to eat.④

I have to save up some money, **for** I have a huge family to buy Christmas gifts for.⑤

It didn't rain, **nor** was it even cloudy.⑥

It's only the beginning of September, **yet** it's quite chilly at night.⑦

2 두 개의 어구가 접속사 역할을 하는 상관 접속사(correlative conjunctions)는 부가적인 의미를 나타내는 「both A and B」, 「not only A but also B=B as well as A」와 둘 중 하나를 선택하는 「either A or B」, 그리고 어느 것도 아님을 나타내는 「neither A nor B」 등이 있다.

The price covers **both** the blouse **and** the vest.⑧

Not only hope **but also** opportunities were given to Carol that day.⑨

Either Kelly's hamster **or** her rabbit ate the cabbages.⑩

Neither you **nor** anyone else can understand this situation.⑪

KEY EXAM POINTS

A 등위 접속사 nor 뒤에 오는 절은 주어와 동사의 순서가 바뀌어 「동사+주어」의 어순이 된다.

I wasn't happy about the news, **nor was Michelle**.⑫

I don't want to take violin lessons, **nor do I** want to take flute lessons.⑬

B 등위 접속사나 상관 접속사는 문법적으로 같은 역할을 하는 것을 연결해 주는 병렬 구조(parallel structure)를 가지며, 단어나 구, 절뿐만 아니라, 동명사, to부정사, 형용사, 시제 등의 문장 성분도 일치시켜 주는 것이 원칙이다.

I want **fame and fortune**.⑭ (명사+명사)

We can **ride a roller coaster** and **have cotton candy** at the amusement park.⑮ (구+구)

The invitation says **when the party is** and **where the party will be held**.⑯ (절+절)

They hope **to travel** and **(to) play** during the vacation.⑰ (to부정사+to부정사)

This padded jacket looks **huge and warm**.⑱ (형용사+형용사)

C 상관 접속사에 따라 주어와 동사의 수 일치에 주의해야 한다.

It's **not your parents but** <u>your sister</u> who <u>is</u> looking for you.[19] (not A but B A가 아니라 B다)

It's **either** Kevin **or** <u>you</u> who <u>are</u> on the list for promotion.[20] (either A or B A 또는 B)

Neither you **nor** <u>Jimmy</u> <u>is</u> going to play the piano at tomorrow's event.[21] (neither A nor B A도 B도 아니다)

Not only my slippers **but also** <u>the cushion</u> <u>was</u> torn by the cat.[22] (not only A but also B A뿐만 아니라 B 또한 역시)

→ <u>The cushion</u> **as well as** my slippers <u>was</u> torn by the cat. (B as well as A A뿐만 아니라 B 또한 역시)

Both <u>my cell phone</u> **and** <u>jacket</u> <u>are</u> missing.[23] (both A and B+복수동사 A, B 둘 다)

D 접속부사(conjunctive adverbs)는 앞뒤의 내용을 의미적으로 연결해 주는 접속사 역할을 한다. 접속부사는 주로 문어체에서 사용되며, 다음과 같은 것들이 있다.

〈원인과 결과〉 therefore 따라서, 그러므로 / as a result 그 결과

She had already left for school; **therefore**, I texted her.[24]

It snowed a lot; **as a result**, the school was closed.[25]

〈대조〉 however 그러나 / on the other hand 반면에 / on the contrary 그와 반대로

Kyle is good at all sports; **however**, his brother is not good at any sports.[26]

The apple pie came out golden brown, but **on the other hand**, the cookies came out burned.[27]

You might think of Mary as weak; **on the contrary**, she has never been to the hospital.[28]

〈예〉 for example 예를 들면 / for instance 예를 들면

White bread and pasta, **for example**, are full of carbohydrates.[29]

This red sofa, **for instance**, is one of the most popular items in our shop.[30]

〈조건〉 otherwise 만약 그렇지 않으면

Get better grades; **otherwise** I will get rid of all your game CDs.[31]

---

① 마사는 영리하고 운동을 잘한다. ② 우리는 지하철이나 버스를 탈 수 있다. ③ 우리는 내일 소풍을 갈 수도 있지만, 비가 올지도 모른다. ④ 오늘 상점이 모두 문을 닫아서 나는 먹을 음식을 하나도 살 수 없었다. ⑤ 나는 크리스마스 선물을 사 주어야 할 식구가 많아서 돈을 모아야 한다. ⑥ 비도 내리지 않았고 심지어 구름도 끼지 않았다. ⑦ 아직 9월 초밖에 안 되었지만, 밤에는 꽤 쌀쌀하다. ⑧ 이 가격에 블라우스와 조끼의 가격이 포함됩니다. ⑨ 그날 캐롤에게 희망뿐 아니라 기회도 주어졌다. ⑩ 켈리의 햄스터나 토끼 중 하나가 양배추를 먹었다. ⑪ 너나 다른 누구도 이 상황을 이해할 수 없다. ⑫ 나는 그 소식에 기분이 좋지 않았고, 미셸 또한 그랬다. ⑬ 나는 바이올린 강습을 받고 싶지 않고 플루트 강습 또한 받고 싶지 않다. ⑭ 나는 명예와 부를 원한다. ⑮ 우리는 놀이 공원에서 롤러코스터를 타고 솜사탕을 먹을 수 있다. ⑯ 초대장에는 파티가 언제인지 어디에서 열리는지에 대해 쓰여 있다. ⑰ 그들은 방학 동안에 여행도 가고 놀기를 바란다. ⑱ 이 패딩 재킷은 크고 따뜻해 보인다. ⑲ 너를 찾는 사람은 부모님이 아니라 네 누나이다. ⑳ 승진 명단에 올라간 사람은 케빈 아니면 너다. ㉑ 내일 행사에서 너와 지미 둘 다 피아노를 치지 않을 것이다. ㉒ 내 슬리퍼뿐만 아니라 쿠션도 고양이가 물어뜯어 놓았다. ㉓ 내 휴대 전화와 재킷이 둘 다 사라졌다. ㉔ 그녀가 이미 학교로 떠나고 없어서 나는 그녀에게 문자를 보냈다. ㉕ 눈이 많이 와서 학교가 휴교했다. ㉖ 카일은 모든 운동을 다 잘하지만 그의 형은 잘하는 운동이 없다. ㉗ 사과 파이는 금빛이 도는 갈색으로 (오븐에서) 나왔지만, 쿠키는 타 버렸다. ㉘ 너는 메리를 약한 아이로 생각할지도 모르지만, 그와 반대로, 그녀는 병원에 입원한 적이 한 번도 없다. ㉙ 예를 들어, 흰 빵과 파스타는 탄수화물이 풍부하다. ㉚ 예를 들자면, 이 붉은색 소파는 우리 가게에서 가장 인기 있는 상품 중 하나입니다. ㉛ 성적을 더 잘 받도록 해. 그렇지 않으면 내가 네 게임 CD를 모두 없애버릴 거야.

EXERCISES

have the flu
독감에 걸리다

camembert
까망베르 (치즈)

public
transportation
대중교통

have an effect on
~에 영향을 미치다

environment 환경

A ( ) 안에서 가장 알맞은 것을 고르시오.

1 Not only you but also Robin (has / have) the flu.

2 Neither cookies nor tea (are / is) going to be served at the meeting.

3 She could not talk to her son, (or / nor) could she watch his game.

4 The doorbell made the dog bark, (for / so) the baby woke up crying.

5 I was neither sleeping nor (to take / taking) a shower when you called.

6 I love all kinds of French cheese, (for instance / therefore) camembert.

7 I want to know whether you will go out or (stay / staying) home tonight.

8 Either my parents or my brother (are / is) going to pick me up after school.

9 Using public transportation as well as recycling (has / have) a good effect on the environment.

10 My father looked clearly unhappy with my grade. When he spoke, his voice sounded angry but (calm / calmly).

tux 턱시도

announcement
안내방송

turn off 끄다

barn 외양간; 헛간

pregnant 임신한

B 〈보기〉에서 알맞은 것을 골라 문장을 완성하시오. [중복 사용 가능]

> 보기   and   but   or   nor   but also

1 Should I wear a tux _____ just a shirt and black jeans tonight?

2 Both the living room _____ the children's room need new carpets.

3 Harry is not only a famous actor _____ a successful movie director.

4 I wanted to watch the soccer game, _____ there was no TV around.

5 Meeting her favorite singer _____ going to Disney World are Amy's dream.

6 The kids not only ate six bags of chips _____ drank nine bottles of soda.

7 Neither Cindy _____ I heard the announcement about the water getting turned off.

8 Either Jack _____ you should go to the barn and see how the pregnant horse is doing.

128

C 주어진 단어를 어법에 알맞게 바꿔 대화를 완성하시오.

1 A: Either you or Michael _____ (need) to bring a tent.

　　B: I'll bring the tent. Tell Michael to bring bug spray.

2 A: Not only peaches but also dog's hair _____ (make) me sneeze.

　　B: Oh, really? You must be allergic to them.

3 A: Neither these matches nor this firewood _____ (be) enough to make a bonfire.

　　B: Danny is collecting firewood now. And I can run to the store to get more matches.

4 A: Not only planting seedlings but also _____ (water) them regularly _____ (require) hard work.

　　B: Don't worry. I'm an expert gardener.

5 A: Have you decided what to study in college?

　　B: My parents as well as my sister _____ (want) me to major in medicine. But I want to study genetic engineering.

D 〈보기〉에서 빈칸에 공통으로 들어갈 말을 골라 문장을 완성하시오.

| 보기 | for example | however | otherwise | therefore |

1 ① Our ceiling had leaks; _____, the carpets have damp spots.

　　② My grandmother has weak joints; _____, I recommended that she should swim.

2 ① Michael wanted to go to the art center; _____, it was under renovation.

　　② Amy was going to buy the picture; _____, she changed her mind to save money.

3 ① Hurry up and get dressed, _____ you'll miss the school bus.

　　② We have to tell Mom we broke the ancient vase, _____ we will get into big trouble.

4 ① Light bulbs, _____, are one of the world's greatest inventions.

　　② What would you do, _____, if both your boyfriend and your best friend were drowning?

명사절을 이끄는 종속 접속사

1 문장에서 주어, 목적어, 보어 역할을 하는 명사절을 이끄는 종속 접속사에는 that, if, whether가 있다.

I know **that** the market closes at nine.[①]

Whether there will be an outdoor event depends on the weather that day.[②]

I wonder **if** we will all get assigned to the same class next year.[③]

2 종속 접속사 that은 문장에서 주어, 목적어, 보어 역할을 하는 절을 이끈다. 또한 종속 접속사 that은 동격절을 이끌기도 하고 동격절 앞에는 주로 the fact, the idea, the hope, the opinion, the news, the information 등이 온다.

That Brenda is a lucky girl is well-known.[④] (주어)

→ **It is well-known that Brenda is a lucky girl.** (가주어, 진주어)

Timmy learned **(that) he was not a good singer after the audition.**[⑤] (목적어)

What made me forgive you is **that you didn't do it on purpose.**[⑥] (보어)

The fact (that) he was adopted made Jake wonder about his birth parents.[⑦] (동격)

3 '~인지 아닌지'의 뜻을 가지는 whether는 문장에서 주어, 목적어, 보어 역할을 하는 절을 이끌고, if는 주어절을 이끌지 못한다.

I doubt **whether[if]** the rumor about the ghost in the hallway is true (or not).[⑧]

Whether he will go to jail is up to the jury.[⑨] (~~If he will go to jail is up to the jury.~~)

|주의| 1. if는 to부정사를 수반할 수 없다.
I couldn't decide whether to stay or leave.[⑩] (~~if to stay~~)

2. if 바로 뒤에는 or not을 쓸 수 없다.
I doubt **whether or not** the rumor about the ghost in the hallway is true. (~~if or not~~)

A 의문문이 종속절처럼 주절에 포함된 것을 간접의문문이라고 한다. 간접의문문은 「의문사+주어+동사」어순으로 쓴다.

Let me know. + When will you come to visit us?

→ Let me know when you will come to visit us.⑪

I wondered. + When was the lunch time?

→ I wondered when the lunch time was.⑫

B 명사절을 이끄는 if vs. 부사절을 이끄는 if

명사절에는 미래 시제를 사용할 수 있지만, 조건 부사절에는 미래 시제를 사용할 수 없다.

Please tell me if you'll take the job.⑬ (명사절)

If he calls me tonight, I will forgive his mistakes.⑭ (부사절)

C 접속사 that vs. 관계대명사 that

that 뒤에 불완전한 절이 오면서 that 앞에 선행사가 있으면 관계대명사이고, that 뒤에 완전한 절이 오면 접속사이다.

It's good that Ms. Clark is running for mayor.⑮ (진주어절을 이끄는 접속사)

I hope that the due date for our report will be extended.⑯ (목적어 역할을 하는 절을 이끄는 접속사)

The trouble is that the car is very low on gas.⑰ (보어 역할을 하는 절을 이끄는 접속사)

I heard the news that she was leaving soon.⑱ (the news의 동격절을 이끄는 접속사)

What is the name of the book that you told me to read?⑲ (선행사가 the book인 목적격 관계대명사)

We went to a restaurant that was really expensive.⑳ (선행사가 a restaurant인 주격 관계대명사)

---

① 나는 시장이 아홉 시에 문을 닫는다는 것을 안다. ② 야외 행사가 있을지 없을지는 그날 날씨에 달렸다. ③ 나는 우리 모두가 내년에 같은 반에 배정될지 궁금하다. ④ 브렌다가 운이 좋다는 것은 잘 알려져 있다. ⑤ 티미는 그 오디션 이후에 자신이 노래를 잘 못한다는 사실을 알게 되었다. ⑥ 내가 너를 용서하게 된 이유는 네가 의도적으로 그런 게 아니라는 사실 때문이다. ⑦ 제이크는 자신이 입양되었다는 사실에 낳아준 부모님이 누구인지 궁금해졌다. ⑧ 나는 복도에 유령이 출현한다는 소문이 사실인지 아닌지 의심스럽다. ⑨ 그가 교도소에 갈지 안 갈지는 배심원단에 달렸다. ⑩ 나는 머무를지 떠날지 결정할 수 없었다. ⑪ 언제 당신이 우리를 방문할 건지 알려 주세요. ⑫ 나는 점심시간이 언제였는지 궁금했다. ⑬ 그 일자리를 수락할 것인지 아닌지 내게 말해 주세요. ⑭ 만약 그가 오늘 밤에 내게 전화하면, 나는 그의 실수를 용서해 줄 것이다. ⑮ 클라크 씨가 시장에 출마한다는 사실은 좋은 일이다. ⑯ 나는 우리 보고서의 마감 시한이 연장되기를 바란다. ⑰ 문제는 이 차에 기름이 거의 없다는 사실이다. ⑱ 나는 그녀가 곧 떠날 거라는 소식을 들었다. ⑲ 제게 읽으라고 하셨던 책의 제목이 뭐예요? ⑳ 우리는 매우 비싼 식당에 갔다.

EXERCISES

정답 및 해설 P. 25

familiar 익숙한
depend on ~에 달렸다
pity 유감
wig 가발
fly off 날아가 버리다

A 빈칸에 that, if, whether 중 알맞은 것을 넣어 문장을 완성하시오. [복수 정답 가능]

1 I'm not sure _____ I can do the job well or not.

2 We all felt _____ the melody sounded familiar.

3 Ms. Kennedy asked us _____ we had enough snacks.

4 _____ we can go on vacation or not depends on Dad.

5 Kevin suddenly realized _____ he had made a great mistake.

6 I'm shocked _____ Carrie moved to New Zealand without telling me.

7 _____ no one called Amy on her birthday left her very disappointed.

8 I didn't know _____ to laugh or feel pity when the gentleman's wig flew off.

own ~을 소유하다
superstition 미신
erase ~을 지우다
orphanage 고아원
help out 도와주다
figure out ~을 알아내다
incident 사건
prank 장난, 농담
timely 시기에 알맞은
flash 번쩍이다
rescue ~을 구조하다

B 밑줄 친 that이 접속사이면 C, 관계대명사이면 R을 써넣으시오.

1 This is the piano <u>that</u> has been owned by my family since 1890. _____

2 It is a superstition <u>that</u> shaking your legs will bring bad luck. _____

3 I believe <u>that</u> you will be a successful CEO in fifteen years. _____

4 It was an experience <u>that</u> we all wanted to erase from our memory. _____

5 As a student, I wasn't the kind of boy <u>that</u> was popular with girls. _____

6 I didn't know <u>that</u> James regularly visits the orphanage to help out. _____

7 This is the math problem <u>that</u> only 10% of the students have solved. _____

8 We have figured out <u>that</u> the ghost incident was just one of Jake's pranks. _____

9 We became regular customers at the store <u>that</u> has timely discount events. _____

10 They knew that the flashing lights were signs <u>that</u> people were coming to rescue them. _____

C 주어진 문장을 「It(가주어) ～ that(진주어)」구문을 이용하여 다시 쓰시오.

fate 운명
coma 혼수상태
have an argument
논쟁하다
uncomfortable 불편한
suffer from
～로 고통받다
insomnia 불면증

1 That Kendra told me a lie is clear.

→ _____

2 That we met again in another city was fate.

→ _____

3 That Kevin didn't go to school that day is true.

→ _____

4 That Jessica woke up from her coma was a miracle.

→ _____

5 That he never mentioned the wedding was strange.

→ _____

6 That you are suffering from insomnia is a big problem.

→ _____

D 주어진 문장을 간접의문문을 이용하여 다시 쓰시오.

wonder 궁금하다
goldfish 금붕어
get out of ～에서 나가다

1 I wonder. + When does the next train arrive?

→ _____

2 Tell me. + What did you do at the festival?

→ _____

3 I want to know. + How did the goldfish get out of the bowl?

→ _____

4 Do you know? + What was Norman doing when you called?

→ _____

5 Could you tell me? + Why has Karen suddenly left her country?

→ _____

6 Do you know? + When will she leave for the airport?

→ _____

Unit 29

부사절을 이끄는 종속 접속사

FOCUS

1 문장에서 부사의 역할을 하며 독립적으로 쓸 수 없는 부사절은 시간, 이유, 목적, 조건, 양보, 원인 및 결과를 나타내는 종속 접속사와 함께 쓴다.

〈시간〉 when, while, before, after, until, since, as, as soon as

When I first came here, there were only fields.①

Please keep an eye on our bags **while** I go and get our tickets.②

〈이유〉 because, as, since, now (that)

I am going to invite my friends for a sleepover **because** my parents went on vacation.③

As the movie ended, I got up quickly to get out of the theater.④

〈목적〉 so (that) ~ can[could], in order that ~ can[could]

Let's plant seeds **so (that)** we **can** enjoy flowers in spring.⑤

Let's go to the bakery early **in order that** we **can** get freshly baked warm pastries.⑥

〈조건〉 if, unless, as long as, in case

If you need someone to talk to, the counselors will help you 24/7.⑦

Unless you stop wasting money, you'll have a hard time paying your rent.⑧

→ If you do **not** stop wasting money, you'll have a hard time paying your rent.

As long as our family is together, there is nothing to be afraid of.⑨

〈양보〉 even though, although, though, even if, while, whereas

Even though we were tired, we had to stay up to finish our project.⑩

Although Amy was late for class, she stopped and got herself a coffee.⑪

〈원인 및 결과〉 「such(+a/an)+형용사+명사+that」, 「so+형용사/부사+that」

It was **such a humid day (that)** I had to take several showers to wash off the sweat.⑫

I was **so nervous (that)** I didn't hear the show host call my name.⑬

2

부사절을 이끄는 접속사를 의미가 비슷한 전치사와 혼동하지 않아야 한다. 종속 접속사 뒤에는 '절(주어+동사)'이, 전치사 뒤에는 '명사 상당어구'가 온다.

I couldn't go out of my house **because** the snow blocked the door.⁴

I couldn't go out of my house **because of[owing to]** the snow blocking the door.

While I was reading the book, I found some bills stuck between the pages.⁵

During the lunch break, I went home to get my homework.⁶

Though we were full, we each ate a huge bowl of ice cream.⁷

Despite[In spite of] his poor grades, Jason managed to get into college with a football scholarship.⁸

🔑 KEY EXAM POINTS

A

시간, 조건을 나타내는 부사절에서는 미래 시제의 일이라도 현재 시제를 사용한다.

We'll go to the movies **when** Mom **comes** back home.⁹ (come)

If it **rains** in the afternoon, I will bring you an umbrella.²⁰

B

until, since, before, after 등은 접속사로 쓰기도 하고, 전치사로 쓰기도 한다.

I kept talking **until** Jane asked me to be quiet.²¹ (접속사)

I kept talking on the phone **until** 2 a.m.²² (전치사)

We got to the store **before** it closed.²³ (접속사)

He arrived home **before** midnight.²⁴ (전치사)

---

① 내가 처음 이곳에 왔을 때는 온통 들판이었다.　② 내가 가서 표를 사오는 동안 우리 가방을 좀 지켜 줘.　③ 부모님께서 휴가를 가셔서 나는 친구들을 우리 집에서 자고 가라고 초대할 예정이다.　④ 영화가 끝나자 나는 영화관을 빠져나가려고 급히 일어섰다.　⑤ 봄에 우리가 꽃들을 즐길 수 있게 씨앗을 심도록 하자.　⑥ 우리 갓 구운 따뜻한 패스트리를 살 수 있게 일찍 제과점에 가자.　⑦ 이야기를 할 사람이 필요하시면, 상담원이 항상 대기하고 있습니다.　⑧ 네가 돈을 낭비하는 것을 그만두지 않으면 너는 월세를 내는 것도 힘들 거야.　⑨ 우리 가족이 함께 있는 한 두려워할 것이 없다.　⑩ 우리는 비록 피곤했지만, 프로젝트를 완성하려고 밤을 새야 했다.　⑪ 에이미는 수업에 늦었지만, 가던 길을 멈추고 커피를 샀다.　⑫ 땀을 씻어내기 위해서 여러 번 샤워해야 했을 만큼 정말 습한 날이었다.　⑬ 나는 너무 긴장되어서 쇼 진행자가 내 이름을 부르는 것을 듣지 못했다.　⑭ 눈이 문을 막아서 나는 집 밖으로 나갈 수가 없었다.　⑮ 나는 책을 읽다가 책 속에 지폐 몇 장이 끼어 있는 것을 발견했다.　⑯ 나는 점심때 숙제를 가지러 집에 다녀왔다.　⑰ 우리는 배가 불렀지만, 각각 아이스크림을 큰 그릇으로 하나씩 먹었다.　⑱ 낮은 성적에도 제이슨은 축구 장학금으로 대학교에 진학했다.　⑲ 우리는 어머니께서 집에 돌아오시면 영화를 보러 갈 것이다.　⑳ 오후에 비가 내리면 내가 너에게 우산을 가져다줄게.　㉑ 나는 제인이 조용히 하라고 부탁할 때까지 이야기를 계속했다.　㉒ 나는 새벽 두 시까지 전화로 이야기를 계속했다.　㉓ 우리는 문을 닫기 전에 가게에 도착했다.　㉔ 그는 자정 전에 집에 도착했다.

EXERCISES

정답 및 해설 P. 26

hospitalize
~을 입원시키다

petite 몸집이 작은

outgoing 외향적인

stand in line 줄을 서다

regular price 정가

A ( ) 안에서 가장 알맞은 것을 고르시오.

1 Fred went out for a walk (because / while) he needed a break.

2 Call me (as soon as / whereas) you get to the hotel in Washington.

3 Jake was hospitalized (as / until) he recovered from his head injury.

4 Global warming is going to get worse (if / unless) we plant more trees.

5 We couldn't arrive at the show on time, (even though / while) we took a cab.

6 Martha is petite and quiet, (if / whereas) her sister Maggie is tall and outgoing.

7 (Because / Even if) Kevin was only six, he couldn't go to school like his brother.

8 All of my family stood in line at the market (as soon as / in order that) we could get beef at half the regular price.

9 (If / Unless) you can't find the right job, come to Dreamjobs.com! Our site has all kinds of jobs that are waiting for you. Visit us and find your future.

along with ~와 함께

be about to
막 ~하려는 참이다

financial 재정적인

influenza 독감

currently 현재의

spread 퍼지다

B ( ) 안에서 가장 알맞은 것을 고르시오.

1 (Despite / Though) we saw the bus, we didn't run to catch it.

2 (Even though / In spite of) the rough seas, the sailors came home safely.

3 (During / While) we were sleeping in the tent, the bear ate all of our food.

4 Many people died and were injured (because / because of) the hurricane.

5 (Although / Despite) she needed her car for work, Sally had to sell it to help her family.

6 My father, along with his coworkers, is about to lose his job (because / because of) the factory's financial difficulties.

7 Many of my classmates were absent from school (because / owing to) the influenza which is currently fast spreading.

C 〈보기〉에서 알맞은 것을 골라 문장을 완성하시오.

> **보기**   although   because   before   in order that   unless   whereas

1 All travelers should be immunized _____ they won't get sick in foreign countries.

2 No one can pass this yellow line _____ you are an officer or a biologist.

3 _____ Julie knew that people were watching her, she couldn't stop hiccupping.

4 _____ the microphone was dead, the speaker had to raise his voice to be heard.

5 Don't come in here _____ you are ready to apologize to the guest about your behavior.

6 _____ some people don't like to go out in the cold, skiers wait for the temperatures to drop.

D 〈보기〉에서 알맞은 것을 골라 문장을 완성하시오.

> **보기**   because   despite   during   in case   owing to   although

1 Here is my phone number, _____ you get lost.

2 _____ the cave was dark, we had to enter to stay out of the rain.

3 My grandparents met _____ the war, and their story became a movie.

4 The bus came late _____ the pigs that escaped from the farm near the road.

5 We didn't want our cousin Lucy to come over _____ she would eat all of our sweets.

6 _____ the efforts of the students, the funds collected for the school's new roof weren't enough. But the students quickly regrouped and began planning another fund-raising event.

Unit

분사와 분사구문

1 분사(participles)에는 능동이나 진행을 나타내는 현재분사와 수동이나 완료를 나타내는 과거분사가 있다.

The **singing** bird made people look at the tree.① (→ The bird was singing.)

The **stolen** car was found near the valley.② (→ Someone stole the car.)

2 감정을 나타내는 분사는 함께 쓴 명사가 어떤 감정을 느끼게 하면 현재분사를, 함께 쓴 명사가 어떤 감정을 느끼면 과거분사를 쓴다.

The school party was **exciting**.③ vs. We soon got **excited**.④

The news about Sam moving to England was **shocking**.⑤ vs. Everyone in the room was **shocked**.⑥

3 분사는 명사를 수식하는 형용사 역할을 하거나 목적격보어 역할을 한다. 현재분사는 진행 시제에, 과거 분사는 완료 시제나 수동태에 쓴다.

The **steaming** tea helped people get warm.⑦

The woman **speaking** to Amy is her younger sister's teacher.⑧

Carrie saw her friend **crying**.⑨

The building **is blocking** out sunlight.⑩

Has anybody **seen** Mike today?⑪

This wedding dress **was designed** by Vera Wang.⑫

4 부사절은 분사구문으로 바꿔 쓸 수 있다. 분사구문은 접속사와 주어를 없애고, 남은 동사를 '-ing'형으로 바꿔 만든다. 단, 부사절의 주어와 주절의 주어가 같아야 생략할 수 있으며, 의미를 명확히 하기 위해 접속사를 남겨 두기도 한다.

When I **walked up** to the counter, I found the store manager sleeping.⑬

→ **(When) Walking up** to the counter, I found the store manager sleeping.

As I **have** just **transferred** to the new school, I don't know anyone there.⑭

→ **Having** just **transferred** to the new school, I don't know anyone there.

If you **go** down the hall, you will find the restroom on your right.⑮

→ **(If) Going** down the hall, you will find the restroom on your right.

Though she knows that I know about her party, Liz hasn't invited me.[16]

→ (Though) Knowing that I know about her party, Liz hasn't invited me.

|참고| 1. 분사구문의 의미상 주어가 주절의 주어와 일치하지 않는 것을 독립분사구문이라고 한다. 이때 분사구문의 주어를 반드시 써야 한다.

It being late, I want to go to bed.[17]

There being nothing suspicious, everyone at the crime scene was sent home.[18]

2. 분사구문의 맨 앞에 나오는 Being이나 Having been은 생략할 수 있다.

(Being) Surprised by the noise, I went out to see what happened.[19]

(Having been) Repainted yesterday, the garage looks new.[20]

🔑 KEY EXAM POINTS

A 지각동사(see, hear, feel, watch 등)의 경우, 목적어와 목적격보어가 능동의 관계일 때 목적격보어로 동사원형이나 현재분사가 모두 올 수 있으나 그 의미에 차이가 있다.

I saw *him* **play** the piano and **sing** a song to Jenny.[21] (동작을 처음부터 끝까지 다 보았다는 의미)

I saw *him* **playing** the piano and **singing** a song to Jenny.[22] (동작의 일부를 보았다는 의미로 진행되고 있음을 강조)

B 사역동사(make, have, let)는 목적어와 목적격보어가 수동의 관계일 때, 목적격보어로 과거분사를 쓴다.

I went to the hair salon to have *my hair* done.[23]

Billy can make *himself* understood in English.[24]

C 현재분사와 동명사의 쓰임을 구분해 보자.

The explosion was **terrifying**.[25] (The explosion의 상태=terrifying: 현재분사)

Meeting J.K. Rowling was a great honor.[26] (Meeting J.K. Rowling=a great honor: 동명사)

Seeing is believing.[27] (Seeing=believing: 동명사)

D 부사절이 주절보다 먼저 일어난 일이면 「Having+p.p.」를 사용한다.

After I **had failed** to get a job, I **went** back to my dad's orchard.[28]

→ **Having failed** to get a job, I **went** back to my dad's orchard.

As we **had seen** the exciting movie trailer, we really **wanted** to see the movie.[29]

→ **Having seen** the exciting movie trailer, we really **wanted** to see the movie.

---

① 노래하는 새 때문에 사람들이 그 나무를 쳐다보았다. ② 도난 차량이 계곡 근처에서 발견되었다. ③ 그 학교의 파티는 재미있었다. ④ 우리는 곧 신이 났다. ⑤ 샘이 영국으로 이사한다는 소식은 충격적이었다. ⑥ 방에 있던 모든 사람이 충격을 받았다. ⑦ 김이 나는 차는 몸을 따뜻하게 해줬다. ⑧ 에이미에게 이야기하는 여성은 그녀 여동생의 선생님이다. ⑨ 케리는 친구가 울고 있는 것을 봤다. ⑩ 그 건물이 햇빛을 막고 있다. ⑪ 오늘 마이크를 본 사람이 있니? ⑫ 이 웨딩드레스는 베라 왕이 디자인한 것이다. ⑬ 계산대로 다가갔을 때 나는 매장 책임자가 자고 있는 것을 발견했다. ⑭ 나는 얼마 전에 새로운 학교로 전학을 와서 거기에 아는 사람이 아무도 없다. ⑮ 복도를 따라가면 오른쪽에 화장실이 보일 겁니다. ⑯ 리즈는 내가 그녀가 주최하는 파티에 대해 알고 있다는 사실을 알면서도 나를 초대하지 않았다. ⑰ 시간이 늦어서 나는 자러 가야겠어. ⑱ 의심스러운 것이 없어서 범죄 현장에 있던 모든 사람은 귀가 조치되었다. ⑲ 나는 시끄러운 소리에 놀라서 무슨 일인지 확인하려고 밖으로 나갔다. ⑳ 어제 칠을 새로 해서 차고는 새것 같다. ㉑ 나는 그가 피아노를 치면서 제니에게 노래를 불러 주는 것을 보았다. ㉒ 나는 그가 피아노를 치면서 제니에게 노래를 불러 주는 것을 보았다. ㉓ 나는 머리를 하러 미용실에 갔다. ㉔ 빌리는 영어로 의사소통을 할 수 있다. ㉕ 그 폭발은 끔찍했다. ㉖ J.K. 롤링을 만나는 것은 큰 영광이었다. ㉗ 보는 것이 믿는 것이다. ㉘ 구직에 실패하고 나서 나는 아버지의 과수원으로 돌아왔다. ㉙ 흥미진진한 영화 예고편을 봤기 때문에 우리는 그 영화가 정말 보고 싶어졌다.

EXERCISES

not ~ at all
조금도 ~ 아닌
promote 승진시키다
confidently 자신 있게
recipe 요리법
audience 관객

 A ( ) 안에서 가장 알맞은 것을 고르시오.

1 He didn't feel (satisfying / satisfied) at all at the French restaurant.

2 It's not (surprising / surprised) that Jim got promoted as manager.

3 Emily smiled confidently, (answering / answered) all the questions.

4 There is an (interesting / interested) exhibition of Picasso's work in the museum.

5 My dog, Ginger, is (depressing / depressed) after her puppies were sent away.

6 It is (amazing / amazed) that Greg can eat thirty donuts in a minute.

7 When (asking / asked), you should tell people that I have gone out.

8 The singer's performance made the audience quite (disappointing / disappointed) tonight.

9 Trevor was so (exciting / excited) at his birthday party that he became tired before his guests.

annoy 짜증나게 하다
outfit 옷
tick
(시계 등이) 똑딱 소리 내다
attract ~을 끌다
convince ~을 설득하다

B 주어진 단어를 '-ing'형이나 'p.p.'형으로 바꿔 문장을 완성하시오.

1 (disappoint) ① His presentation was _____.

② She was _____ with the test results.

2 (annoy) ① I was _____ to wait for him to change his outfit.

② The ticking clock on the wall was really _____.

3 (excite) ① The _____ roller coaster attracted many tourists.

② I was _____ to find a huge box under the Christmas tree.

4 (convince) ① Frank's UFO pictures looked quite _____.

② I was _____ that the tooth fairy was real when I was a kid.

5 (satisfy) ① It would be impossible to make everyone _____ with the decision.

② A _____ job is not something that you can easily find.

C 〈보기〉에서 알맞은 것을 골라 '-ing'형이나 'p.p.'형으로 바꿔 문장을 완성하시오.

hive 벌집
thunder 천둥이 치다
introvert 내성적인 사람

[1-4]　　**보기**　　worry　　inspire　　surprise　　depress

1　It is _____ to see small bees making big hives.

2　My dad was _____ when he got a call from the hospital.

3　I had studied hard, but I got a very low score. It was so _____.

4　I was so _____ by Gustav Klimt's paintings that I wrote this book.

[5-8]　　**보기**　　delight　　embarrass　　exhaust　　frighten

5　It was _____ to stay home alone when it thundered through the night.

6　Making a silly mistake in front of people is _____ for an introvert.

7　Amy was _____ to see how wisely her son solved the puzzle.

8　James was _____ because he had to spend hours cleaning after the guests had left.

D 부사절을 분사구문으로 바꿔 문장을 완성하시오.

drool 군침을 질질 흘리다
receive ~을 받다
attention 관심, 주목

1　After she had written all the cards, Amy sent them to her friends.
　→ _____, Amy sent them to her friends.

2　If we make it correctly, we can serve thirty people with this recipe.
　→ If _____, we can serve thirty people with this recipe.

3　As he jogged down the street, he listened to music.
　→ _____, he listened to music.

4　While he was eating his hot dog, Ellen saw his dog drooling.
　→ _____, Ellen saw his dog drooling.

5　After we had slept until noon, we went to a restaurant for lunch.
　→ _____, we went to a restaurant for lunch.

6　Although I knew how stupid it was, I asked Tim to go to the dance with me.
　→ _____, I asked Tim to go to the dance with me.

7　Because I am the youngest child, I always receive lots of the attention.
　→ _____, I always receive lots of the attention.

REVIEW

정답 및 해설 P. 27

announce 알리다
shut down
(기계가) 멈추다, 정지하다
electricity 전기
USB (Universal
Serial Bus) 유에스비
(개인용 컴퓨터의 인터페이스
규격)
matter 중요하다

A 다음 빈칸에 들어갈 가장 알맞은 것을 고르시오.

1 A: They just announced that the apartment complex is going to shut down the electricity for a couple of hours at 2 p.m.

B: Really? I'd better finish my report and save it on a USB _____ the computer suddenly shuts down.

① as ② in case

③ while ④ though

2 A: What would you like for lunch, pasta or rice?

B: _____ we eat, it doesn't really matter. Let's choose as we walk.

① Although ② As long as

③ In order that ④ Since

3 A: Excuse me. Could you tell me the way to a flower shop around here?

B: _____ down this block, you will find one on the left.

① If go ② Gone

③ Having gone ④ Going

 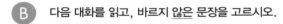

pick oneself up
일어서다
pee 오줌을 싸다
yellow dust 황사

B 다음 대화를 읽고, 바르지 <u>않은</u> 문장을 고르시오.

1 ① A: Jim! What are you doing? I thought you were sleeping.

② B: I'm so tiring. I could just sleep here on this floor.

③ A: Pick yourself up. Fido peed on that rug this morning. I was going to wash it.

④ B: Oh no, I'd better take a shower.

2 ① A: Look at the sky. It looks like it's going to rain.

② B: Those are not rain clouds. They are yellow dust clouds.

③ A: Really? We'd better close all the windows and doors after the dust gets into house.

④ B: I already closed all the windows. Why don't you just come in and close the door?

3 ① A: Andrea, you are home early. Shouldn't you be at the party?

② B: Well, actually, there was no party!

③ A: What? How could that be?

④ B: Confusing with the dates, I just realized the party is tomorrow.

142

C 다음을 읽고, 바르지 <u>않은</u> 문장을 고르시오.

1

School uniforms have some advantages. ① For example, they make all the students feel equal. ② People's standards of living differ greatly, and some people are well-off during others are not. ③ School uniforms make all the students look the same whether they are rich or not. ④ They promote pride and raise the self-respect of students who cannot afford to wear stylish clothing. [기출 응용]

> equal 동등한
> standard of living 생활수준
> differ 다르다
> well-off 유복한
> promote ~을 증진하다
> self-respect 자긍심
> afford 형편이 되다

2

① Whether weaving or printing, a fine tie is a work of art from beginning to end. ② Though less common today, woven ties were at one time the essential accessory of a true gentleman. ③ Due to their high manufacturing cost, woven silk ties are very expensive. ④ This in part accounts for the fact that they now occupy only five percent of tie production. Printed silk ties are much cheaper and simpler than their woven counterparts. [기출 응용]

> weave (옷감 등을) 짜다
> fine 좋은
> manufacturing cost 제조비
> account for ~을 설명하다
> occupy ~을 차지하다
> counterpart 상대

3

There are many cultural differences between America and Korea. And one of them is eye contact. ① In Korea, a student should look down when a teacher is giving a warning. ② It is considered rude and disrespectful to look the teacher in the eye; however, looking down would be disrespectful in America. ③ The teacher would not be able to know that his message had gotten through to the student or not. ④ Also, the teacher will get the impression that the student isn't listening to him or her.

> eye contact 시선 맞추기
> disrespectful 무례한
> get through 도달하다

REVIEW PLUS

정답 및 해설 P. 28

cozy 포근한, 안락한
must 필수
inspection 조사
hatless 모자를 안 쓴
reveal ~을 드러내다
flawed 결함이 있는
interpretation 해석
Arctic 북극의
expose ~에 노출시키다
bitterly 몹시
uncovered 가리지 않은
effect 효과
perform ~을 수행하다

A 다음 (A), (B), (C)에서 문맥에 맞는 표현으로 가장 적절한 것을 고르시오. [기출 응용]

It is said that a cozy hat is a must on a cold winter's day. We are often led to believe that most of our body heat is lost through our heads. Closer inspection of heat loss in the hatless, (A) (however / therefore), reveals that is nonsense. The myth has arisen through a flawed interpretation of an experiment in the 1950s. In the study, volunteers were dressed in Arctic survival suits and exposed to bitterly cold conditions. (B) (Because / Whereas) the head was the only part of their bodies left uncovered, most of their heat was lost through their heads. (C) (For example / In fact), covering one part of the body has as much effect as covering any other. If the experiment had been performed with people wearing only swimming trunks, they would have lost no more than 10% of their body heat through their heads.

(A)		(B)		(C)
① therefore	…	Because	…	In fact
② therefore	…	Whereas	…	For example
③ however	…	Whereas	…	In fact
④ however	…	Whereas	…	For example
⑤ however	…	Because	…	In fact

depend on ~에 달려있다
necessity 필수품
physically 신체적으로
develop (병·문제가) 생기
다, ~을 발달시키다

B 다음 글의 밑줄 친 부분 중, 어법상 바르지 <u>않은</u> 것을 고르시오. [기출 응용]

At what age should a child learn to use a computer? The answer seems to depend ① <u>on whom</u> you ask. Some early childhood educators believe ② <u>that</u> in modern society computer skills are a basic necessity for every child. But other educators say that children do not use their imagination enough ③ <u>because of</u> the computer screen shows them everything. Physically, children who type for a long time or use a computer mouse too much ④ <u>are</u> able to develop problems to their bodies. Perhaps the best way for young children to use computers ⑤ <u>is</u> to use them only for a short time each day.

144

PART 8

관계대명사

FOCUS ···

1 관계대명사는 관계대명사절 내에서 주어, 목적어의 역할을 대신한다.

> 주격 관계대명사 who, which, that

The woman **who[that]** <u>lives</u> next door to me is very kind.①
→ *The woman* is very kind. + <u>She</u> lives next door.

Do you work for *the company* **which[that]** <u>makes</u> copy machines? ②
→ Do you work for *the company*? + <u>It</u> makes copy machines.

> 목적격 관계대명사 who(m), which, that

The writer **who(m)[that]** I had been looking forward to <u>seeing</u> didn't show up for the meeting.③
→ *The writer* didn't show up for the meeting. + I had been looking forward to seeing <u>the writer</u>.

I couldn't find *the sample* **which[that]** you asked me <u>for</u> two weeks ago.④
→ I couldn't find *the sample*. + You asked me for <u>it</u> two weeks ago.

2 소유격 관계대명사는 소유격을 대신한다. 선행사(사람과 사물, 동물 등)에 상관없이 whose를 사용한다.

> 소유격 관계대명사 whose

I met *my friend* **whose** <u>mother</u> was appointed a government minister.⑤ (whose mother=my friend's mother)

I'd like to live in *a house* **whose** <u>garden</u> is as beautiful as a garden in a magazine.⑥
(whose garden=the garden of a house)

3 목적격 관계대명사는 생략할 수 있다.

The singer **(who(m)[that])** I wanted to see wasn't on the stage.⑦

This is the list of presents **(which[that])** I want to get for my birthday.⑧

4 「전치사+관계대명사」에서 관계대명사는 전치사의 목적어이며, 이때 전치사를 관계사절 뒤로 보내면 관계대명사를 생략할 수 있다. 관계대명사 that은 전치사 바로 뒤에 목적어로 쓸 수 없다.

The man **with whom** she fell in love proposed to her with a diamond ring.⑨ (~~with that~~)

What is the youngest age **at which** a person can be employed? ⑩ (~~at that~~)

The key **(which[that])** my mom was looking **for** was found in the glove compartment of her car.⑪

5 관계대명사절은 한정적(restrictive) 용법과 계속적(non-restrictive) 용법으로 나뉘고, that은 계속적 용법에는 쓸 수 없다.

This is the phone number <u>that I recently got</u> after I moved in here.[12] (restrictive)

Mike told me his cell phone number, <u>which I wrote down on a piece of paper.</u>[13] (non-restrictive)

| 참고 | 1. 계속적 용법은 선행사에 대해 부가적인 설명을 제공하는 것으로 관계사(who, which) 앞에 콤마(,)가 오고, 관계사를 「접속사+대명사」로 바꿔 쓸 수 있다. 계속적 용법과 제한적 용법의 의미 차이에 주의한다.

He has one daughter, **who** is a doctor.[14] (He has only one daughter.) (who=and she)

He has one daughter **who** is a doctor.[15] (He may have other children. One of his children is a doctor.)

2. which는 앞 문장의 일부나 전체를 선행사로 받기도 한다.

I've been reading stories to my kids every night, **which** is my favorite part of the day.[16] (which=and this)

🔑 KEY EXAM POINTS

A 주격 관계대명사절의 동사와 선행사의 수 일치에 유의한다.

The head chef called out to **Sue**, who **was** stirring her chicken broth.[17]

At least 45% of **newspaper readers** who **use** the Internet answered that they prefer information in print to online.[18]

B 주절의 주어가 관계대명사절의 수식을 받아 길어진 경우, 주어와 동사의 수 일치에 유의한다.

Lots of kids <u>who tend to be very quiet</u> **feel** really nervous when they have to speak in public.[19]

The student <u>who fell asleep during my lecture two days ago</u> **is** dozing again.[20]

C 관계대명사절에서 「주격 관계대명사+be동사」는 생략할 수 있다.

Olympic Park, **(which was)** built to host the 1988 Summer Olympics, is also called "Olpark" for short.[21]

Every single person **(who is)** going into this store knows that nothing will cost more than 1,000 won.[22]

D 「전치사+관계대명사」 형태를 취하는 경우에 유의한다. none of, neither of, any of, either of, all of, most of, some of, many of, much of, both of, half of, each of, one of 등 뒤에는 whom이나 which와 같은 목적격 관계 대명사가 따라온다.

Jane has two brothers. <u>Both of them</u> are on the school's football team.

→ Jane has two brothers, **both of whom** are on the school's football team.[23]

Max tried on more than ten sunglasses. <u>None of them</u> suit him.

→ Max tried on more than ten sunglasses, **none of which** suit him.[24]

---

① 우리 옆집에 사는 여자는 매우 친절하다. ② 너는 복사기를 만드는 회사에서 일하니? ③ 내가 만나기를 학수고대했던 그 작가는 모임에 나타나지 않았다. ④ 이 주 전에 제게 요청하셨던 견본을 찾지 못했어요. ⑤ 나는 어머니가 정부의 장관으로 임명된 친구를 만났다. ⑥ 나는 잡지에 나오는 정원처럼 아름다운 정원이 있는 집에 살고 싶다. ⑦ 내가 보고 싶어 했던 가수는 무대에 서지 않았다. ⑧ 이것이 내 생일에 받고 싶은 선물 목록이다. ⑨ 그녀와 사랑에 빠진 남자가 다이아몬드 반지로 그녀에게 청혼했다. ⑩ 직장에 고용될 수 있는 나이는 몇 살부터 입니까? ⑪ 우리 엄마가 찾고 있던 열쇠가 자동차의 도구함 안에서 발견되었다. ⑫ 이것이 내가 이곳으로 이사하고 최근에 받은 우리 집 전화번호이다. ⑬ 마이크가 내게 자신의 휴대 전화번호를 말해 줬고, 나는 그것을 종이에 적었다. ⑭ 그는 딸이 하나 있는데, 그녀는 의사이다. ⑮ 그는 의사인 딸이 하나 있다. ⑯ 나는 매일 밤 아이들에게 이야기를 읽어주는데 그것이 내가 하루 중에 가장 좋아하는 시간이다. ⑰ 총 주방장이 수를 불렀는데 그녀는 닭고기 육수를 젓고 있었다. ⑱ 인터넷을 이용하는 신문 독자 중 적어도 45퍼센트가 온라인보다 인쇄된 정보를 더 선호한다고 대답했다. ⑲ 대다수의 아주 조용한 성향의 아이들은 공개적으로 말을 해야 할 때 매우 긴장한다. ⑳ 이틀 전에 내 강의 중에 잠들었던 그 학생이 또 졸고 있다. ㉑ 올림픽 공원은 1988년 하계 올림픽을 개최하려고 건립되었고 줄여서 '올파'라고도 불린다. ㉒ 이 가게에 오는 손님들은 모두 어떤 물건도 천 원 이상 하는 것이 없을 거라는 사실을 알고 있다. ㉓ 제인은 두 명의 오빠가 있는데 두 명 모두 학교 축구팀에 소속되어 있다. ㉔ 맥스는 열 개 이상의 선글라스를 써 보았지만 그에게 어울리는 것은 아무것도 없었다.

EXERCISES

keep one's promise
약속을 지키다

electronic product
전자 기기

injure 부상을 입히다

declare ~을 공표하다

world heritage site
세계 유산

 A 밑줄 친 단어를 선행사로 하여 관계대명사(who, which)를 이용한 문장으로 바꿔 쓰시오.

1 Where is the apple? It was on the table this morning.

→ _____

2 I saw a boy. He was swimming too far from the beach.

→ _____

3 I don't like people. They never keep their promises.

→ _____

4 James works for the company. It makes electronic products.

→ _____

5 The man is now in the hospital. He was injured in the car accident.

→ _____

6 The woman was a figure skater. She is studying to be a sports trainer.

→ _____

7 I have a book. It contains a lot of useful tips on how to take better photos.

→ _____

8 The building has been declared a world heritage site. It was destroyed by fire.

→ _____

purse 지갑
destroy ~을 파괴하다

B 밑줄 친 단어를 선행사로 하여 관계대명사(whose)를 이용한 문장으로 바꿔 쓰시오.

1 We saw a boy. His sister went to elementary school with us.

→ _____

2 A girl is trying to get some help from a police officer. Her purse was stolen.

→ _____

3 There was a picture of the man. His house was destroyed by the storm.

→ _____

4 Our teacher came into the classroom with a boy. His parents had sent him to this school to learn Spanish.

→ _____

_____

148

C 밑줄 친 단어를 선행사로 하여 관계대명사(whom, which)를 이용한 문장으로 바꿔 쓰시오.
[전치사는 관계사절 뒤에 위치시킬 것]

be on a business trip 출장 중이다
be born 태어나다
raise 키우다. 기르다
pay attention to ~에 주의를 기울이다

1 Did you finish the work? You had to do it today.

→ _____

2 The man was on a business trip. I wanted to talk to him.

→ _____

3 The room had a wonderful view of the Vatican. I slept in the room.

→ _____

4 I recently moved back to the city. I was born and raised in the city.

→ _____

5 The man is my brother. You were dancing with him last night.

→ _____

6 You'll get very important information. You must pay attention to it.

→ _____

D ( ) 안에서 가장 알맞은 것을 고르시오.

porch 현관
a sense of humor 유머 감각
wisdom tooth 사랑니
examine ~을 검사하다
swollen 부푼. 부은
psychology 심리학
represent ~을 보여주다

1 The house in which I've lived for two years (need / needs) repairing.

2 The PC games my brother gave me (haven't / hasn't) been played yet.

3 The women who were standing on the porch (were / was) my mother's friends.

4 The person that (own / owns) the bookstore across from the high school is my uncle.

5 People who have a sense of humor (live / lives) longer and (are / is) generally happier.

6 Let's talk about the award-winning author whose books (are / is) particularly popular among Koreans.

7 My bottom left side wisdom tooth, which two different dentists have examined, (seem / seems) to be swollen.

8 As a final project in psychology class, we are to bring a photo of ourselves which (represent / represents) a truly happy time in our childhood.

관계대명사: that & what

1
관계대명사 that은 관계대명사 who, whom, which 대신 쓸 수 있다.

I can't tell you the name of the person **who[that]** is coming today. It's a surprise.①

This morning I found a picture **which[that]** refreshed my memory.②

The man and woman **whom[that]** I work with got married last Sunday.③

|참고| 최상급, 서수, the only, the very, the same, all, every, any, no, little 등의 한정어구가 선행사를 수식하면 주로 관계대명사 that을 쓴다.
I think this is **the most beautiful** <u>photo</u> that I've ever seen.④

2
관계대명사 that은 계속적 용법으로 쓸 수 없고, 전치사 바로 뒤에 전치사의 목적어로도 쓸 수 없다.

I was so happy to receive your reply, **which** made me smile all day yesterday.⑤ (, that)

This may be different from the music **to which** you enjoy listening.⑥ (to that)

→ This may be different from the music **which[that]** you enjoy listening **to**.

3
관계대명사 that은 불완전한 절을 이끌고, 접속사 that은 완전한 절을 이끈다.

This is *the book* **that** <u>was released yesterday.</u>⑦ (주어가 없음, 주격 관계대명사)

This is *the book* **that** <u>I've been recently reading.</u>⑧ (reading의 목적어가 없음, 목적격 관계대명사)

You won the lottery! It is no wonder **that** <u>you have been smiling all day.</u>⑨ (접속사)

They don't have any proof **that** <u>he was at the scene of the crime.</u>⑩ (동격절을 이끄는 접속사)

|참고| 완전한 절은 문장을 구성하는 기본 요소가 빠진 것 없이 의미가 통하는 절을 말한다. 문장을 구성하는 기본 요소는 동사마다 다르다.
I'm sorry **that** <u>I missed the meeting.</u>⑪ (주어, 동사, 목적어가 있는 완전한 절)

4
what은 선행사를 포함하는 관계대명사로 명사절을 이끌며 the thing(s) that[which] 또는 anything that으로 바꿔 쓸 수 있다.

What you need to do is discover what you like.⑫

People need to know **what they are supposed to do**.⑬

All I want to know is **what you have been doing for two years**.⑭

A   관계대명사 that과 what은 불완전한 절을 이끌고, 접속사 that은 완전한 절을 이끈다.

The plan **that** <u>we would do some shopping later</u> was canceled.⑮ (The plan의 동격절을 이끄는 접속사)

The plan **that** <u>we presented</u> has five strategic goals.⑯ (The plan은 선행사, presented의 목적어가 되는 관계대명사)

She told us that **what our children need** is our love and care.⑰

(선행사를 포함한 needed의 목적어가 되는 관계대명사)

B   선행사를 포함하지 않는 관계대명사 that[which]와 선행사를 포함하는 관계대명사 what을 구분한다.

This is <u>the brochure</u> **that[which]** contains the application form.⑱

She didn't know **what** she had to do for him.⑲

---

① 나는 오늘 오는 사람의 이름을 너에게 말해 줄 수 없어. 깜짝 놀라게 해 줄 거야.   ② 오늘 아침에 나는 기억을 되살려준 한 장의 사진을 발견했다.   ③ 나와 함께 일을 하는 남녀가 지난주 일요일에 결혼했다.   ④ 내 생각에 이것이 내가 본 가장 아름다운 사진인 것 같다.   ⑤ 나는 너에게 답장을 받은 것이 정말 기뻐서 어제 하루 종일 웃었다.   ⑥ 이것은 네가 즐겨 듣는 음악과는 다를지도 모른다. ⑦ 이것이 어제 출판된 책이다.   ⑧ 이것이 내가 최근에 읽고 있는 책이다.   ⑨ 너 복권에 당첨됐구나! 네가 온종일 웃는 게 당연해.   ⑩ 그들은 그가 범행 현장에 있었다는 어떤 증거도 가지고 있지 않다. ⑪ 나는 회의에 참석하지 못해서 유감이다.   ⑫ 네가 해야 할 일은 네가 좋아하는 것을 찾는 것이다.   ⑬ 사람들은 자기에게 어떤 의무가 있는지 알 필요가 있다.   ⑭ 내가 알고 싶은 것은 2년 동안 네가 뭘 하고 있었느냐는 것이다.   ⑮ 나중에 쇼핑하려던 우리의 계획은 취소되었다.   ⑯ 우리가 제안한 계획은 다섯 가지 전략적 목표가 있다.   ⑰ 그녀는 우리에게 우리 아이들에게 필요한 것은 사랑과 관심이라고 말했다.   ⑱ 이것은 지원서가 들어 있는 책자이다.   ⑲ 그녀는 그를 위해 뭘 해야 할지 몰랐다.

EXERCISES

정답 및 해설 P. 29

hurtful
마음을 아프게 하는

have in common
공통점이 있다

military service
군 복무

nervous 초조해 하는

well-to-do 부유한

contribution 공헌

keep in touch with
~와 연락을 유지하다

 A ( ) 안에서 가장 알맞은 것을 고르시오.

1 Did you hear (that / what) Dave just said?

2 This is the worst movie (that / what) I've ever seen.

3 My sister blamed me for everything (that / what) went wrong.

4 I lent him all the money (that / what) my mom gave me earlier.

5 Everything (that / what) you did yesterday was so hurtful to her.

6 Are you sure (that / what) you are eating is good for your health?

7 (That / What) he and I have in common is our educational background.

8 Anna sent some presents to her clients (that / what) come to her shop every day.

9 (That / What) I must start my military service next month makes me nervous.

10 I agree with the idea (that / what) the big and well-to-do company should make a large contribution to society.

cut down on
~을 삭감하다, 줄이다

expense 비용

not ~ by any means
결코 ~이 아니다

lay off 해고하다

attach ~을 붙이다

demolish 파괴하다

keep in touch with
~와 연락을 유지하다

B 빈칸에 which 또는 what을 넣어 문장을 완성하시오.

1 _____ you need to do is cut down on expenses.

2 Tell me _____ you would like to get for your birthday.

3 I don't agree with _____ you have done by any means.

4 The workplace in _____ I'm working now is not in very good condition.

5 The company for _____ I work has laid off many workers over the past twelve months.

6 The old building, _____ was attached to the tower, was demolished after the First World War.

7 I invited all my classmates to my blog, _____ helped me to keep in touch with them.

8 It's hard to make a decision about _____ I should buy for my parents' wedding anniversary.

C 〈보기〉에서 알맞은 것을 골라 that이나 what을 넣어 문장을 완성하시오.

> 보기
> ⓐ _____ I've had contact with
> ⓑ _____ you saw in the store
> ⓒ _____ you did for me
> ⓓ _____ you checked out at the library
> ⓔ _____ I plugged into the notebook computer

1 Tell the police officer exactly _____.

2 _____ is worthy of praise. Thank you so much.

3 Where's the USB memory stick _____?

4 Have you returned the books _____?

5 Mr. Williams is the only teacher _____

since I graduated from high school.

D ( ) 안에서 알맞은 것을 <u>모두</u> 고르시오.

1 Do you know the lady (that / whom) I sat next to on the bench in the park?

2 Ms. Brown, (that / who) is our school's counselor, is dealing with a student.

3 Edison was both a scientist and inventor (that / who) invented the light bulb.

4 The first movie in (that / which) Audrey Hepburn starred was *Roman Holiday*.

5 Joe, (that / who) is the most handsome boy in my class, always tries to get attention.

6 Our math teacher gave us a pop quiz, (that / which) startled all of us because it was very difficult.

7 There are endless cell phone models for teenagers, many of (which / whom) disappear from the market soon.

8 When you are with someone (for whom / whom) you have great affection and respect, you have to feel grateful for that.

관계부사와 복합관계사

OCUS ···

1   선행사는 시간, 장소, 이유, 방법을 나타내고, 이 선행사에 따라 관계부사가 결정된다.

Now it's <u>the holiday season</u> **when** people go gift shopping.① (time)

I found <u>some place</u> **where** I can chat with others or do my homework.② (place)

Could you explain <u>the reason</u> **why** you quit your last job?③ (reason)

I don't really understand **how** you plan to conduct the experiment.④ (way)

→ I don't really understand **the way (in which)** you plan to conduct the experiment.

|주의| the way와 how는 함께 쓸 수 없다.

How journalists report a conflict affects public opinion.⑤

→ **The way** journalists report a conflict affects public opinion.

→ **The way (in which)** journalists report a conflict affects public opinion.

(~~The way how~~ journalists report a conflict affects public opinion.)

2   관계부사는 「전치사+which」의 형태로 바꿔 쓸 수 있다.

Puberty is a time **when[during which]** teenagers go through a lot of physical and mental changes.⑥

Join a sports club **where[at which]** you can hang out with friends and get in shape.⑦

I need to find out the reasons **why[for which]** he acted that way.⑧

I understand **how[the way in which]** you feel. I've had the same experience before.⑨

3   who(m)ever, whichever, whatever, wherever, whenever, however의 복합관계사는 부정(不定: 정해지지 않은 사람[것])이나 양보(~임에도 불구하고)를 의미한다.

We'll invite **whoever[anyone who]** wants to know about other cultures.⑩

Parents should know that children reflect deeply on **whatever[anything that]** their parents say.⑪

We must not forget this moment **whatever[no matter what]** happens.⑫

The students didn't have much money, so they had to buy **whichever[anything that]** was cheaper.⑬

However[No matter how] delicious it is, I know it is not good for my health.⑭

You can sit **wherever[any place where]** you want.⑮

I smell this scent **whenever[every time when]** she passes by.⑯

A 관계부사절이 있는 문장에서 선행사나 관계부사 둘 중 하나는 생략할 수 있다.

Nineteen eighty-eight was **the year (when)** the Olympics were held in Seoul, Korea.⁽¹⁷⁾

Daniel knows **(the date) when** they open the new department store.⁽¹⁸⁾

Please take me to **(the place) where** you were born.⁽¹⁹⁾

He is very kind. This is **(the reason) why** I like him.⁽²⁰⁾

The reason (why) Korean movies are so popular in China lies in solid story lines.⁽²¹⁾

|주의| 1. where는 잘 생략하지 않는다.
2. when은 생략되기도 하지만 선행사와 떨어져 있는 경우는 생략할 수 없다.
   The time will come soon when you will find your real friends.⁽²²⁾

B that은 관계부사를 대신하여 사용될 수 있으며 생략 가능하다.

The reason **(that [why])** he left the party early is so obvious.⁽²³⁾

That's the season **(that [when])** strawberries taste most delicious.⁽²⁴⁾

Here's the place **(that [where])** Mozart composed many pieces of music.⁽²⁵⁾

This is not the way **(that)** I usually come home from school.⁽²⁶⁾

---

① 지금은 사람들이 선물을 사러 다니는 휴가 시즌이다. ② 나는 다른 사람들과 잡담을 하거나 숙제를 할 만한 장소를 발견했다. ③ 당신이 이전 직장을 그만둔 이유를 설명해 주시겠습니까? ④ 나는 네가 그 실험을 하려고 계획한 방법이 정말 이해가 안 된다. ⑤ 기자들이 분쟁을 보도하는 방식이 여론에 영향을 줄 수 있다. ⑥ 사춘기는 청소년들이 신체적, 정신적으로 수많은 변화를 겪는 시기이다. ⑦ 친구들과 어울리고 몸매를 유지할 수 있는 스포츠클럽에 가입해라. ⑧ 나는 그가 그렇게 행동한 이유를 알아내야 한다. ⑨ 나는 네가 어떻게 느낄지 이해해. 나도 전에 같은 경험을 한 적이 있거든. ⑩ 우리는 다른 문화에 대해서 알기를 원하는 사람은 누구든지 초대할 것이다. ⑪ 부모들은 자녀들이 부모가 말하는 것은 무엇이든지 깊이 생각한다는 것을 알아야 한다. ⑫ 우리는 어떤 일이 있더라도 이 순간을 잊으면 안 된다. ⑬ 그 학생들은 돈이 많지 않아서 뭐든지 더 저렴한 것을 사야만 했다. ⑭ 이것이 아무리 맛있다고 해도, 나는 이것이 내 건강이 좋지 않다는 것을 안다. ⑮ 네가 앉고 싶은 자리는 어디든지 않을 수 있다. ⑯ 그녀가 내 옆을 지날 때면 언제나 이 향기가 난다. ⑰ 1988년은 한국의 서울에서 올림픽이 개최된 해이다. ⑱ 다니엘은 새 백화점이 개장하는 날을 안다. ⑲ 당신이 태어난 곳으로 나를 데려가 주세요. ⑳ 그는 매우 친절하다. 이것이 바로 내가 그를 좋아하는 이유이다. ㉑ 중국에서 한국 영화가 그렇게 인기 있는 이유는 줄거리가 탄탄하기 때문이다. ㉒ 진정한 친구를 찾게 될 때가 곧 올 거야. ㉓ 그가 파티를 일찍 떠난 이유는 아주 명백하다. ㉔ 그맘때가 딸기가 가장 맛있는 계절이다. ㉕ 이 장소는 모차르트가 많은 음악을 작곡한 곳이다. ㉖ 이건 내가 평상시에 학교에서 집에 오는 방법이 아니다.

EXERCISES

정답 및 해설 P. 30

omelet 오믈렛
affect ~에 영향을 미치다
treat ~을 대하다

A 밑줄 친 부분을 적절한 관계부사로 바꿔 쓰시오.

1 This is the way in which I cook my omelets.

2 I will never forget the day on which I first met her.

3 The house in which we used to live has been sold.

4 The reason for which I don't buy a car is that I don't need one.

5 How does Korean culture affect the way in which you treat others?

6 The reason for which I'm calling you is to invite you to my birthday party.

7 The hotel at which my family and I stayed on our vacation was very clean.

8 The space data will be corrected at the time at which it is updated each year.

9 Many investors are interested in the land on which a large shopping mall might be built.

renovate ~을 수리하다
exotic 이국적인
overly 과도하게, 너무
concerned 관심이 있는
stationary bike
자전거 모양의 실내 운동 기구
treadmill 러닝머신
weight (운동) 웨이트, 역기
a variety of 다양한
equipment 기구, 장비

B (   ) 안에서 가장 알맞은 것을 고르시오.

1 You can buy (how / whichever) you like, but not both.

2 (How / However) hard life is, we should never give up hope.

3 Do you know the reason (which / why) he didn't come home last night?

4 Please give me a call (however / whenever) you can.

5 The hospital (where / which) I was born has been completely renovated.

6 Ask them to choose a restaurant (where / which) we can get healthy food.

7 He loves exotic birds. He goes (wherever / whichever) he can take pictures of them.

8 Teenagers are often overly concerned about clothes and (how / what) they look.

9 (Whatever / Whenever) happened in this place should never be known to others.

10 We went to a fitness club (at which / which) people can exercise using stationary bikes, treadmills, weights, and a variety of other equipment.

C 〈보기〉에서 알맞은 것을 골라 문장을 완성하시오.

> **보기**   whomever   whatever   wherever   whenever   however

1 You will receive _____ you ask for.

2 _____ there is water on Earth, scientists have found life.

3 _____ hard you try, you will not be able to change my mind.

4 You may give the invitation cards to _____ you would like to invite to the party.

5 _____ you feel depressed, just think happy thoughts or at least think about your happy moments.

D 〈보기〉에서 알맞은 것을 골라 문장을 완성하시오.

> **보기**   where   when   how   why

1 He explained to me _____ the machine works.

2 This is the garage _____ my father had his car repaired.

3 I will never forget the time _____ I got stuck in the elevator.

4 The reason _____ I didn't call you was that I didn't know your number.

E 밑줄 친 부분이 어법상 바르지 <u>않다면</u> 바르게 고치시오.

1 <u>However</u> I see you smiling, I feel very happy.

2 <u>Which</u> team has the highest score will get a free dinner.

3 Two thousand six was the year <u>where</u> I began to try new things.

4 The customer is always right. That's <u>the way how</u> I learned to treat customers.

5 Please keep your personal belongings in the room <u>which</u> you are staying.

6 <u>The day</u> my daughter was born was the happiest moment of my life.

7 I came a little early to the ticket office <u>what</u> you promised to meet me.

8 <u>Whatever</u> you'd like to have in the restaurant will be served at a discounted price.

REVIEW

정답 및 해설 P. 31

braided 끈; (머리를) 땋은
puberty 사춘기
adolescent 청소년
governor 주지사

 A 다음 빈칸에 가장 알맞은 것을 고르시오.

1 A: Have you seen my purse _____ has the leather braided handles?

B: No, I haven't. Don't you remember where you put it?

① who　　　　　　　　② whose
③ which　　　　　　　 ④ what

2 A: Sometimes parents are confused with _____ they should treat their children at puberty.

B: You're right. It's really hard for adults to understand adolescents.

① which　　　　　　　 ② the way
③ whom　　　　　　　 ④ what

3 A: Have you met the governor _____ career started as a Hollywood actor?

B: Do you mean Arnold Smith?

① of which　　　　　　② of whom
③ that　　　　　　　　④ whose

awesome 아주 좋은
plenty 많은 양, 충분한 양
refuse ~을 거부하다
support 지지

 B 다음 대화를 읽고, 바르지 <u>않은</u> 문장을 고르시오.

1 ① A: Have you been to Hong Kong?

② B: No. But I know what many Koreans go there for shopping.

③ A: You're right. And it's where I went to elementary school.

④ B: Wow, it's like a second hometown to you.

2 ① A: Your chicken salad tastes awesome.

② B: Would you like to have some more? There's plenty.

③ A: Yes, I'd love to. How did you learn to cook?

④ B: Let me show you the site has recipes and helpful advice.

3 ① A: Have you heard of "No Socks Day"?

② B: No. What's that? Does it have something to do with socks?

③ A: Yes. It's the day which people refuse to wear socks to show their support for the environment.

④ B: So by doing less laundry we can save the environment? That's a cool idea.

C 다음을 읽고, 바르지 않은 문장을 고르시오.

1

① Exercise does more than burn calories; it makes you feel good. ② That's because physical activity forces the body to produce and release endorphins. ③ These compounds make people feel relaxed. ④ Experts say that people whose exercise regularly feel more positive about themselves.

burn 소모하다; 태우다
force ~하게 만든다
release endorphins
엔도르핀을 방출하다
compound 화합물

2

① Try to find meaningful quotes what make you feel good. ② You can look for quotes online or offline—for example, in magazines or books. You can even find them in fortune cookies. ③ Keep the quotes you find someplace private where you'll notice those every day—on your desk, door, or mirror. ④ You can also keep them in a diary or a school notebook.

quote 인용구
notice ~을 알아차리다,
(보아서) 인지하다

3

① The latest studies indicate that what people really want is a mate that has similar qualities as their parents. ② Women are after a man who is like their father, and men want to be able to see their own mother in the woman of their dreams. ③ Cognitive psychologist David Perrett studies that makes faces attractive. ④ Perrett suggests that we find our own faces charming because they remind us of the faces we looked at constantly in our early childhood years—Mom and Dad.

indicate ~을 나타내다
mate 배우자
quality (사람의) 자질
cognitive 인지의
psychologist 심리학자
attractive 매력적인
constantly 계속

4

① Get someplace private and try to imagine a quality in yourself you want to develop or strengthen. ② Maybe you want to be more popular, confident, or sophisticated. ③ Now draw a picture in your mind or imagine a scene which you realize that quality. ④ Perhaps you could visualize yourself confidently singing a song on the stage, teaching math to your little brother, or helping the elderly.

strengthen 강화하다
sophisticated
세련된, 교양 있는
realize
~을 실현하다, 현실화하다
visualize 상상하다

REVIEW PLUS

정답 및 해설 P. 32

range from A to B
A에서 B로
not to mention
말할 것도 없이
base ~에 기초를 두다
preference 선호하는 것
intuitively 직관적으로
convinced 확신하는
better off 유복한, 더 좋은
ultimately 궁극적으로
imprison 감금하다
paradox 역설
stressed out
스트레스가 쌓인

A 다음 (A), (B), (C)에서 어법에 맞는 표현으로 가장 적절한 것을 고르시오. [기출 응용]

We're constantly making decisions, ranging from what to eat for dinner each night to (A) (whom / who) we should marry, not to mention all those flavors of ice cream. We base many of our decisions on whether we think a particular preference will increase our well-being. Intuitively, we seem convinced that the (B) (more / many) choices we have, the better off we'll ultimately be. But our world of unlimited opportunity imprisons us more than it makes us happy. In what one psychologist calls "the paradox of choice," facing many possibilities leaves us stressed out, and less satisfied with (C) (whenever / whatever) we do decide. Having too many choices keeps us wondering about all the opportunities missed.

	(A)		(B)		(C)
①	whom	...	more	...	whenever
②	whom	...	many	...	whenever
③	whom	...	more	...	whatever
④	who	...	many	...	whatever
⑤	who	...	more	...	whenever

dominant 지배적인
vertically 수직으로
line up 일렬로 세우다

B 다음 글의 밑줄 친 부분 중, 바르지 <u>않은</u> 것을 고르시오. [기출 응용]

Just as you are either right–handed or left–handed, so ① <u>are you</u> either right-eyed or left-eyed, ② <u>that</u> means one of your eyes is stronger, or more dominant, than the other. Here's an experiment you can do to find it out. Hold a pencil ③ <u>vertically</u> at arm's length in front of you and at eye level. With both your eyes ④ <u>open</u>, line up the pencil with a shelf, picture, book, or something else on the wall. First close one eye, then the other. Did the pencil stay in the same place with one eye open or seem to move to the side of the other eye? ⑤ <u>Whichever</u> eye was open when the pencil lined up with your object on the wall is your stronger, or dominant eye.

160

PART 9

가정법과 특수 구문

가정법

Unit 34

FOCUS

1 가정법 과거는 현재 사실과 반대되는 상황이나 실현 가능성이 낮은 일을 나타낼 때 쓴다.

If I **were** rich, I **would travel** around the world.① (As I am not rich, I don't travel around the world.)

|주의| 단순 조건문은 일어날 가능성이 있을 때 사용한다.

If you leave now, you'll be home in an hour. ② (조건: 집에 도착할 가능성이 있음)

2 가정법 과거완료는 과거 사실과 반대되는 내용을 가정할 때 쓴다.

If I **had known** it would be cold, I **would have carried** a coat.③ (As I didn't know it would be cold, I didn't carry a coat.)

3 혼합가정법은 과거의 일이 현재까지 영향을 줄 때 쓴다.

If I **hadn't eaten** breakfast, I **would be hungry** now.④ (As I ate breakfast, I'm not hungry now.)

4 「I wish+가정법 과거」는 현재 사실에 대한 유감이나 이루기 힘든 소망을, 「I wish+가정법 과거완료」는 과거 사실에 대한 유감이나 이루기 힘든 소망을 나타낼 때 쓴다.

I wish I **knew** her phone number.⑤ (I'm sorry I don't know her phone number.)

I wish I **had had** enough time to read that book.⑥ (I'm sorry I didn't have enough time to read that book.)

5 「as if [as though]+가정법 과거」는 현재 사실에 반대되는 내용을, 「as if [as though]+가정법 과거완료」는 과거 사실에 반대되는 내용을 가정할 때 쓴다.

Brian **acts** as if he **were** the boss.⑦ (In fact, Brian isn't the boss.)

Brian **acted** as if he **were** the boss.⑧ (In fact, Brian wasn't the boss.)

Jason **talks** as if he **had been** a lawyer.⑨ (In fact, Jason wasn't a lawyer.)

Jason **talked** as if he **had been** a lawyer.⑩ (In fact, Jason hadn't been a lawyer.)

|참고| 1. 주절의 시제와 일치하는 시점의 일을 가정하면 가정법 과거를 그 전의 일을 가정하면 가정법 과거완료를 쓴다.

2. as if [as though]는 부사절을 이끄는 접속사로서 직설법에도 사용된다.

He acts as if he is the strongest boy in school, but I don't know whether he is the strongest boy in school or not. ⑪

6 가정법에서 if를 생략할 경우에는 주어와 동사가 도치된다. 주로 동사가 were, had, should인 경우 도치된다.

Were Minji my girlfriend, I would be really happy.⑫ (If Minji were ~)

Had I known he was busy, I would never have bothered him.⑬ (If I had known ~)

Should you need help, feel free to call me.⑭ (If you should need help, ~)

7

「if it were not for/were it not for ~가 없다면 …할 텐데」 = but for = without

「if it had not been for/had it not been for ~가 없었다면 …했을 텐데」 = but for = without

If it were not for[Were it not for/But for/Without] the project's deadline, we could relax now.⑮

If it had not been for[Had it not been for/But for/Without] your guidance, I would have made the wrong choice.⑯

|참고| 1. 「It's time+가정법 과거」는 '이제 ~해야 할 시간이다'라는 의미로 진작 그렇게 했어야 하는데 하지 않았다는 것을 나타낼 때 쓴다.

It's time we finished what we started. We have to submit our report to her.⑰

2. 조건절에 were to가 오면 실현 가능성이 희박한 일을 나타낸다.

If the Earth were to collide with the Sun, all life would end.⑱

KEY EXAM POINTS

A 충고, 요구, 제안 등을 나타내는 동사 뒤에 나온 that절에 should를 쓰거나 should를 생략하고 동사원형을 쓴다.

advise, ask, command, demand, insist, order, propose, recommend, require, suggest …

I suggested (that) we (should) have a break and then finish our work.⑲

The owner insisted (that) the house (should) be painted by the weekend.⑳

|주의| 충고, 요구, 제안을 나타내는 동사라도 사실을 있는 그대로 전달하는 경우 that절에 should를 쓰지 않고 동사를 시제와 인칭, 수에 일치시킨다.

His attitude suggested that he wasn't happy with the situation.㉑

B 당연, 요구, 필요 등의 감정을 나타내는 형용사 뒤에 오는 that절에 should를 쓰거나 should를 생략하고 동사원형을 쓴다.

desirable, essential, imperative, important, natural, necessary, vital, urgent …

It's imperative that they (should) not fail to complete the assignment.㉒

It's necessary that we (should) understand the consequences of our actions.㉓

---

① 내가 부자라면, 세계를 여행할 텐데. ② 네가 지금 떠나면, 한 시간 안에 집에 도착할 것이다. ③ 날씨가 추울 것이라는 사실을 알았다면 나는 코트를 가지고 왔을 텐데. ④ 내가 아침을 먹지 않았다면 지금쯤 배가 고플 것이다. ⑤ 그녀의 전화번호를 알면 좋을 텐데. ⑥ 내가 그 책을 읽을 충분한 시간이 있었다면 좋았을 텐데. ⑦ 브라이언은 마치 자신이 상관인 것처럼 행동한다. ⑧ 브라이언은 마치 자신이 상관인 것처럼 행동했다. ⑨ 제이슨은 자신이 변호사였던 것처럼 말한다. ⑩ 제이슨은 자신이 변호사였던 것처럼 말했다. ⑪ 그는 학교에서 가장 힘이 센 소년처럼 행동하지만 나는 그가 학교에서 가장 힘이 센 소년인지 아닌지 모른다. ⑫ 민지가 내 여자 친구라면 나는 정말로 행복할 텐데. ⑬ 그가 바쁘다는 사실을 알았다면, 나는 그를 절대 귀찮게 하지 않았을 텐데. ⑭ 도움이 필요하면 언제든지 제게 전화하세요. ⑮ 그 과제에 마감 기한만 아니었으면, 우리는 지금 쉴 수 있을 텐데. ⑯ 당신의 지도(至道)가 없었다면, 나는 잘못된 선택을 했을 수도 있었을 것이다. ⑰ 우리가 시작한 것을 끝낼 시간이다. 보고서를 그녀에게 제출해야 한다. ⑱ 지구가 태양과 충돌한다면 모든 생물체가 멸망할 것이다. ⑲ 나는 우리가 좀 쉬고 난 후, 작업을 끝마치자고 제안했다. ⑳ 집주인은 주말까지 그 집에 페인트를 칠해야 한다고 고집했다. ㉑ 그의 태도는 그가 그 상황에 만족하지 않았다는 것을 암시했다. ㉒ 그들은 과제 완수하는 것을 실패하지 말아야 한다. ㉓ 우리는 자신의 행동에 따른 결과를 알아야 할 필요가 있다.

EXERCISES

정답 및 해설 P. 32

set the alarm
알람을 맞추다
slow down 느긋해지다
perform 공연하다
allow ~을 허락하다
wildlife 야생 동물
species 종
extinct 멸종한, 사라진

 A ( ) 안에서 가장 알맞은 것을 고르시오.

1 If I (set / had set) the alarm, I wouldn't have been late for class.

2 If Jason (has / had) enough money, he could buy a new camera.

3 If I (am / were) you, I would slow down a little and relax.

4 If the weather (is / were) beautiful tomorrow, we will go to the mountains.

5 If you didn't have to do anything tonight, we (will make / would make) cookies.

6 If you (have been / had been) there earlier, you could have seen my sister performing.

7 If you (are / were) allowed to go there, I would buy you the ticket for the next game.

8 If Korea hadn't developed so quickly, it wouldn't (have / have had) the wealth it does today.

9 If countries (don't start / didn't start) protecting wildlife, many species of animals will become extinct.

10 Tom Cruise wouldn't (be / have been) popular today if he hadn't made so many successful movies.

treat ~을 대하다
importance 중요성
immediately 즉시

B 주어진 문장을 가정법 문장으로 바꿔 쓰시오.

1 As I didn't know that he had lied, I treated him well.
→ _____

2 As Miranda traveled around Korea, she learned Korean culture.
→ _____

3 As you weren't home when I called, I didn't ask you out to the movie.
→ _____

4 As it was so cold, Isaac and Jessie didn't go outside to play.
→ _____

5 As they didn't realize the importance of the work, they didn't do it immediately.
→ _____

164

C 밑줄 친 부분이 맞지 <u>않다면</u> 바르게 고치시오.

1 It is required that all homework <u>be</u> turned in on time.

2 If they had offered me the job, I <u>would have taken</u> it.

3 If the climate in Korea <u>is</u> tropical, coconuts could be grown there.

4 If Sujin <u>studied</u> very hard, she will become a great mathematician.

5 If you hadn't drunk a cup of coffee so late, you could <u>sleep</u> well last night.

6 The schoolyard was such a mess. It looked as though a tornado <u>blew</u> through it.

7 If you <u>knew</u> about plumbing, you could fix the leak in the sink yourself.

8 If Glen <u>hadn't finished</u> cleaning his room, he wouldn't have received his allowance.

9 If the British Empire hadn't expanded worldwide, English <u>wouldn't have been</u> the world language it is today.

tropical 열대성의
mathematician 수학자
plumbing 배관 수도 설비
leak 누수
allowance 용돈
expand 확장하다

D 주어진 문장을 if를 생략한 가정법 문장으로 바꿔 쓰시오.

1 If I were you, I would cut back on sweets.

→ _____

2 If I were a famous singer, I wouldn't forget about my fans.

→ _____

3 If anyone should call me, please take a message.

→ _____

4 If he had caught the bus, he wouldn't have been late for the meeting.

→ _____

5 If the price had not been so high, I would have bought the computer.

→ _____

6 If Sean had not scored high on his finals, he wouldn't have been accepted to the university.

→ _____

cut back on ~을 줄이다
take a message 메시지를 적다
score high 좋은 성적을 받다
accept ~에 입학시키다, 받아들이다

Unit

35

주어와 동사의 수 일치

FOCUS ···

1   any-, every-, no-와 -one, -body 등이 들어가는 대명사는 단수 취급한다.

Everything Junpyo said <u>was</u> true.①

Nobody <u>has</u> prepared for his or her exams.②

2   동명사나 to부정사, 명사절이 주어일 때 단수 취급한다.

Building a children's center for the underprivileged <u>is</u> his long-cherished desire.③

That plants need water in order to grow <u>is</u> true.④

3   「A of B」에서 'of B'가 A를 수식하는 경우, A에 동사의 수를 일치시킨다.

The results of Dr. Gomez's student evaluation <u>were</u> forwarded to the administrator.⑤

4   다음과 같이 수량을 나타내는 표현은 of 뒤에 나오는 명사에 동사의 수를 일치시킨다.

    some of / half of / a part of / most of / all of / any of / a lot of / 분수표현 of+명사

Some of the **teachers** <u>are</u> concerned about use of cell phones in the classroom.⑥

Most of the **store's inventory** <u>is</u> on sale.⑦

5   「a number of+복수명사」 뒤에는 복수동사가, 「the number of+복수명사」 뒤에는 단수동사가 온다.

A number of planes <u>were</u> delayed owing to the hurricane in New Orleans.⑧

The number of visa applicants in this country <u>is</u> increasing.⑨

6   「There+be동사」는 be동사 뒤에 오는 명사에 동사의 수를 일치시킨다. 이때 there는 '거기에'라고 해석하지 않는다.

There <u>was</u> **a heavy rain** in Seattle, Washington last night.⑩

There <u>are</u> over **ten million people** living in Seoul.⑪

|참고| 도치구문은 동사 뒤에 오는 주어에 수를 일치시킨다.

     Never <u>have</u> you been as beautiful as now.⑫

7   상관접속사의 주어, 동사 수 일치에 유의한다.

Both America and Australia <u>are</u> allied to England.⑬ (both A and B+복수동사)

Either you or **Jenny** <u>has</u> to file a report with the police.⑭ (either A or B: B에 수 일치)

Neither Phillip nor **I** <u>have</u> completed the project with satisfaction.⑮ (neither A nor B: B에 수 일치)

Not only my parents but also **my son** <u>is</u> bilingual.⑯ (not only A but also B: B에 수 일치)

My son as well as my parents <u>is</u> bilingual. (B as well as A: B에 수 일치)

A 삽입구(절)로 인해 주어가 길어진 경우, 주어와 동사의 수 일치에 주의해야 한다.

The ocean <u>around southern Africa</u> gets very calm during the summer.[17]

The puppies <u>playing in the yard</u> were really cute.[18]

The people <u>who joined this club yesterday</u> are waving to me.[19]

B 학문명, 병명, 국가 이름, 간행물명, 놀이명 등이 주어로 올 때 -s로 끝나더라도 단수 취급한다.

Mathematics <u>is</u> a science that we use to perform routine tasks.[20]

Rabies <u>is</u> a disease that is usually contracted through an animal's bite.[21]

The United States <u>consists</u> of fifty states and two trust territories.[22]

Recently the **news** <u>has</u> been concerned with the exchange rate fluctuations.[23]

Billiards <u>was</u> very popular among students when I was a teenager.[24]

|참고|　1. bread and butter (버터 바른 빵) 혹은 fish and chips (피시 앤 칩스)는 하나의 아이템으로 단수 취급
　　　　　 Fish and chips <u>is</u> what you should try in London.[25]
　　　　2. 시간, 무게, 거리, 금액 등 단위를 나타내는 복수 명사를 한 덩어리로 단수 취급
　　　　　 One hundred dollars <u>is</u> a big amount for teenagers.[26]
　　　　　 cf.) 단위를 한 덩어리로 생각하지 않는 경우에는 복수 취급
　　　　　 The first **two weeks** <u>have</u> gone quickly since I started secondary school.[27]

C 「the+형용사」는 '~한 사람들'이라는 의미로 복수동사를 쓴다.

The injured in the car accident <u>were</u> all children.[28]

The elderly <u>have</u> a vast wealth of knowledge from their experiences.[29]

|참고|　「the+형용사(국적)」가 국민 전체를 나타내는 경우도 있다.
　　　　The Swiss <u>make</u> not only some of the best chocolate but also the finest clocks in the world.[30]

---

① 준표가 말한 것은 모두 사실이었다. ② 시험 준비를 한 사람이 없다. ③ 혜택을 받지 못하는 사람들을 위한 어린이 센터를 짓는 것은 오랫동안 간직해 온 그의 소망이다. ④ 식물들이 자라려면 물이 필요하다는 것은 사실이다. ⑤ 고메즈 박사의 학생 평가 결과는 관리자에게 전달되었다. ⑥ 일부 선생님들은 교실에서 휴대 전화를 사용하는 것에 대해 염려한다. ⑦ 가게 재고품의 대부분은 할인 판매 중이다. ⑧ 많은 비행기가 뉴올리언스의 허리케인으로 인해 연착되었다. ⑨ 이 나라에서는 비자를 신청하는 사람들의 수가 증가하고 있다. ⑩ 지난밤에 워싱턴 주의 시애틀에 호우가 내렸다. ⑪ 서울에는 천만 명 이상의 주민이 거주하고 있다. ⑫ 네가 지금처럼 예뻤던 적은 없다. ⑬ 미국과 호주는 둘 다 영국의 동맹국이다. ⑭ 너 혹은 제니 중 한 사람은 경찰에 신고해야 한다. ⑮ 필립도 나도 그 과제를 만족스럽게 완수하지 못했다. ⑯ 나의 부모님뿐만 아니라 내 아들도 2개 국어를 한다. ⑰ 남아프리카 주변의 바다는 여름에 매우 잔잔하다. ⑱ 마당에서 놀고 있는 강아지들은 매우 귀여웠다. ⑲ 어제 우리 클럽에 가입한 사람들이 내게 손을 흔들고 있다. ⑳ 수학은 일상적인 일을 수행하기 위해 우리가 사용하는 과학이다. ㉑ 광견병은 일반적으로 동물에게 물려서 걸리는 병이다. ㉒ 미국은 50개의 주와 2개의 신탁 통치 지역으로 구성되어 있다. ㉓ 최근에 뉴스는 들쭉날쭉한 환율 변동에 대한 내용이다. ㉔ 당구는 내가 십대 때 학생들 사이에서 매우 인기가 많았다. ㉕ 피시 앤 칩스는 네가 런던에서 꼭 먹어봐야 하는 것이다. ㉖ 100달러는 10대에게 큰 액수이다. ㉗ 내가 중학교 입학한 후로 첫 두 주가 빨리 지나갔다. ㉘ 자동차 사고로 부상을 당한 사람들은 모두 어린아이였다. ㉙ 노령자들은 자신의 경험으로부터 나오는 풍부한 지식을 가지고 있다. ㉚ 스위스 사람들은 세계에서 최고의 초콜릿을 만들 뿐만 아니라 최고의 시계도 제작한다.

EXERCISES

pharmacy 약국
contestant 경쟁자
entirely 완전히
drop out of school
중퇴하다
loss 감소, 손실
income 수입
immigrant 이민자
rudimentary 기초의
sign language 수화

A ( ) 안에서 가장 알맞은 것을 고르시오.

1 One fourth of one hundred (is / are) twenty-five.

2 No one (has / have) his or her own parking spot.

3 The girls on the volleyball team (is / are) all very tall.

4 To be at the top of her class (is / are) her goal this year.

5 You as well as I (am / are) not to blame for the mistake.

6 Why (isn't / aren't) there any pharmacies near the hospital?

7 Half of the contestants (has / have) to sing a song of their choice.

8 Whether you join this in-line skate club (depend / depends) entirely on you.

9 A number of first-year graduate students (has / have) dropped out of school.

10 Oil spills at sea (has / have) been responsible for loss of income to local fishermen.

11 There (has / have) been a huge increase in the number of immigrants entering the country.

12 A scientific study of chimpanzees (show / shows) that they are able to learn rudimentary sign language.

transport ~로 수송하다
neighboring
가까이에 있는, 이웃의
eyebrow 눈썹
mustache 콧수염
suffer from
~로 고통받다
enteritis 장염
measles 홍역
fatal 치명적인

B 문장을 읽고, 밑줄 친 부분을 바르게 고치시오.

1 The wounded <u>was</u> transported to a neighboring hospital.

2 Neither she nor I <u>does</u> have any plans for the weekend.

3 My uncle's eyebrows as well as his mustache <u>is</u> turning grey.

4 The best performance in the event for families <u>were</u> the magic show.

5 The number of customers who visit the cafe a day <u>are</u> around thirty.

6 One fifth of the students in the class <u>has</u> been suffering from enteritis.

7 According to the article, measles <u>are</u> a fatal illness for the elderly.

8 Building relationships between teachers and students <u>are</u> one of the most important things.

C 주어진 동사를 알맞게 바꿔 문장을 완성하시오.

1 The books on that shelf _____ (belong to) my brother. (현재)

2 Economics _____ (be) a difficult and boring subject for me. (현재)

3 The horse that has won several races _____ (be) beautiful. (현재)

4 The boys who are playing soccer _____ (be) my classmates. (현재)

5 Some of the people I met at the party _____ (be) interesting. (과거)

6 The people who own the house _____ (be) kind and generous. (현재)

7 The Philippines _____ (be) one of the world's largest importers of rice. (현재)

8 A lot of the movies these days _____ (contain) too many violent scenes. (현재)

9 The number of tourists _____ (be) four times as many as originally projected. (과거)

10 The young _____ (be) less afraid to take risks in times of difficulty than the old. (현재)

11 Listening to very loud music _____ (cause) hearing loss. (현재완료)

12 Each election year, the majority of voters that turn out _____ (be) over the age of 30. (현재)

belong to ~의 것이다
generous 관대한
importer 수입국
originally 처음에
project 예측하다
majority
다수의, 대부분의
turn out ~으로 되다,
모습을 드러내다, 나타나다

D 문장을 읽고, 밑줄 친 부분이 어색하다면 바르게 고치시오.

1 That they will leave their country soon <u>are</u> not surprising.

2 The fact that I don't have any friends here <u>make</u> me sad.

3 The bad reviews of his new film <u>were</u> very hurtful to him.

4 Having to clean up after her brother always <u>make</u> her upset.

5 I think the British <u>is</u> very proud of their sense of humor.

6 He couldn't fall asleep because there <u>were</u> a lot of noise outside.

7 They say both you and I <u>are</u> qualified to be student representatives.

8 A number of people <u>have</u> tried to find the answer, but they have all failed.

review 비평, 서평
clean up after
~의 뒤를 깨끗이 청소하다
qualified 자격이 있는
representative 대표

Unit 36 도치와 강조

FOCUS ···

1 부정어(구)나 부사(구)가 강조되어 문장의 앞에 오면 주어와 동사가 도치된다.

<u>Hardly</u> **could I** believe my eyes when I saw the Eiffel Tower.①

← I could hardly believe my eyes when I saw the Eiffel Tower.

<u>No sooner</u> **had we** gone to bed than the phone started ringing.②

← We had no sooner gone to bed than the phone started ringing.

<u>Under no circumstances</u> **would I** allow you to travel alone.③

<u>At no time</u> **was I** as scared as I was today when I saw that huge tarantula.④

<u>There</u> **goes the best driver** in the race.⑤

|주의| 1. only after[only when/only if]와 not until로 시작하는 문장은 주절에서 주어, 동사가 도치가 된다.
　　　　Not until my mom phoned me did I <u>remember</u> to buy the eggs.⑥
　　　　Not until much later did he <u>learn</u> who his real mother was.⑦

　　　 2. here, there 뒤에 대명사가 오는 경우에는 도치되지 않는다.
　　　　Here you go. ⑧
　　　　(Here go you.)

2 도치될 때 주어 앞에 올 수 있는 동사의 형태는 be동사, do동사, 조동사 등이 있다.

Only after getting home **did I** realize that I hadn't brought my English textbooks.⑨ (realized I)

Not only **can Ben** scuba dive, but (also) he can sail a yacht.⑩ (scuba dive Ben)

Rarely **do I** have this much peace and quiet.⑪ (have I)

|주의| 일반동사의 경우 주로 do동사가 주어 앞에 위치하나, 자동사의 경우 자동사 자체가 주어 앞에 오기도 한다.
　　　There **came the time** when I needed to make a choice.⑫

3 so, neither, nor 구문에서 주어와 동사가 도치된다.

A: I love roller coasters.

B: **So do I.**⑬

A: I don't like riding the subway.

B: **Neither do I.** It's always crowded.⑭

A: Did you finish your assignment?

B: No. I haven't finished it yet, **nor has Phillip.**⑮

170

4 「It is/was ~ that …」구문은 주어, 목적어, 부사구(절) 등을 강조하기 위해 쓴다. It과 that 사이에 강조하는 어구를 쓰고, 강조하는 내용에 따라 who, whom, which, where, when으로 바꿔 쓸 수 있다.

Jack received an A⁺ on the physics exam last week.[16]

→ It was <u>Jack</u> that[who] received an A⁺ on the physics exam last week.[17] (주어 강조)

→ It was <u>an A⁺</u> that[which] Jack received on the physics exam last week.[18] (목적어 강조)

→ It was <u>on the physics exam</u> that[where] Jack received an A⁺ last week.[19] (부사구 강조)

→ It was <u>last week</u> that[when] Jack received an A⁺ on the physics exam.[20] (시간 부사구 강조)

5 일반동사를 강조할 때는 「do/does/did+동사원형」을 쓴다.

A: Our puppy doesn't snore when he sleeps.

B: I don't think so. He **does snore** when he's sleeping.[21]

|참고| 1. 명사를 강조할 때는 명사 앞에 the very, the only 등을 쓸 수 있다.
 They drove all the way to **the very** <u>edge</u> of the cliff.[22]
 Aaron is **the only** <u>person</u> who can read this ancient text.[23]
 2. 의문사를 강조할 때는 ever, in the world, on earth 등을 의문사 뒤에 붙인다.
 What **on earth** are you doing here?[24]
 3. 부정의 의미를 강조할 때는 not at all, not in the least 등을 사용한다.
 I didn't study **at all**. What should I do?[25]

KEY EXAM POINTS

A 가정문이나 조건문에서 if를 생략하면 주어, 동사가 도치된다.

If that technology were to become available, we would use it in our business.[26]

→ **Were** that technology to become available, we would use it in our business.

If I had been able to afford it, I'd have bought the new car.[27]

→ **Had I** been able to afford it, I'd have bought the new car.

If you should need anything else, don't hesitate to ask.[28]

→ **Should you** need anything else, don't hesitate to ask.

---

① 나는 에펠 탑을 봤을 때 내 눈을 믿을 수가 없었다. ② 우리가 잠자리에 들자마자 전화가 울리기 시작했다. ③ 어떤 일이 있더라도 나는 네가 혼자 여행하는 것을 허락할 수가 없다. ④ 나는 오늘 큰 타란툴라를 봤는데 오늘처럼 놀란 적은 한 번도 없었다. ⑤ 저기 이 자동차 경주의 최고 선수가 온다. ⑥ 우리 엄마가 나에게 전화를 하고 나서야 나는 계란을 사야 한다는 것을 기억했다. ⑦ 그는 훨씬 후에야 비로소 자신의 진짜 엄마가 누군지 알았다. ⑧ 여기 있어요. ⑨ 집에 가서야 나는 영어책을 가지고 오지 않은 것을 알았다. ⑩ 벤은 스쿠버 다이빙뿐만 아니라 요트로 항해도 할 수 있다. ⑪ 나는 좀처럼 이렇게 평화롭고 조용한 시간을 가지지 못한다. ⑫ 내가 결정을 내려야 할 시간이 왔다. ⑬ A: 나는 롤러코스터가 좋아. B: 나도 그래. ⑭ A: 나는 지하철을 타는 게 싫어. B: 나도 그래. 항상 사람들로 가득 차 있거든. ⑮ A: 너는 과제를 다 했니? B: 아니, 나는 과제를 마치지 못했어. 필립도 마찬가지야. ⑯ 잭은 지난주 물리 시험에서 A⁺를 받았다. ⑰ 지난주 물리시험에서 A⁺를 받은 것은 바로 잭이다. ⑱ 지난주 물리 시험에서 잭이 받은 점수는 A⁺이다. ⑲ 지난주 잭이 A⁺를 받은 것은 바로 물리 시험이다. ⑳ 물리 시험에서 잭이 A⁺를 받은 것은 지난주다. ㉑ A: 우리 강아지는 잘 때 코를 골지 않아. B: 그렇지 않아. 우리 강아지는 잘 때 정말로 코를 골아. ㉒ 우리는 절벽의 바로 끝까지 줄곧 차를 몰았다. ㉓ 아론은 이 고대 문자를 읽을 수 있는 유일한 사람이다. ㉔ 도대체 여기서 뭐 하는 거야? ㉕ 나 공부 하나도 안 했어. 어떻게 하지? ㉖ 그 기술을 이용할 수 있게 되면 우리의 사업에 쓸 수 있을 텐데. ㉗ 내가 여유가 있었다면 그 차를 새로 샀을 텐데. ㉘ 뭔가 다른 게 필요하다면, 망설이지 말고 요청하세요.

EXERCISES

scenery 경치
scarcely 겨우, 가까스로
under no circumstances 어떤 경우에도 ~ 않다
barely 겨우, 간신히
take off 이륙하다

A 밑줄 친 단어로 시작하는 강조 문장으로 바꿔 쓰시오.

1 I <u>little</u> dreamed he would become famous.

→ Little _____.

2 I have <u>never</u> seen such beautiful scenery.

→ Never _____.

3 I have <u>seldom</u> seen anything as beautiful as this.

→ Seldom _____.

4 I had <u>scarcely</u> fallen asleep when the phone rang.

→ Scarcely _____.

5 You should be late for school <u>under no circumstances</u>.

→ Under no circumstances _____.

6 She <u>not only</u> lost her way in the woods, but she was nearly killed.

→ Not only _____.

7 I had <u>hardly</u> finished the meal when the dessert arrived.

→ Hardly _____.

8 The helicopter had <u>barely</u> taken off when it began to experience engine trouble.

→ Barely _____.

fault 결점
promote ~을 홍보하다

B 밑줄 친 동사를 강조하는 문장으로 바꿔 쓰시오.

1 She <u>loves</u> me in spite of my faults.

→ _____

2 Most parents <u>want</u> their children to win first prize.

→ _____

3 Michael <u>made</u> chicken salad and vegetable soup for me this morning.

→ _____

4 Last week, Jason <u>took</u> care of his daughter when he didn't go to work.

→ _____

5 I <u>saw</u> Hugh Jackman. He was promoting his latest film in the downtown area.

→ _____

C 밑줄 친 부분을 「It ~ that」 강조 구문을 이용하여 바꿔 쓰시오.

savings 저금
witness ~을 목격하다
car crash 교통사고
shattered 산산이 부서진

1 <u>James</u> won first prize in the dancing contest.

→ _____

2 I saw <u>*The Mystery House*</u> last night with my friends.

→ _____

3 I spent most of my savings <u>on my new computer</u>.

→ _____

4 Danny received a camera as a gift <u>yesterday</u>.

→ _____

5 Jane witnessed the car crash <u>on Main Street</u> this morning.

→ _____

6 I had to clean up <u>the shattered glass</u> left everywhere on the floor.

→ _____

D 밑줄 친 부분을 바르게 고쳐 문장을 다시 쓰시오.

sunset 석양
hardly A than B
A하자마자 B하다
speeding ticket
속도위반 딱지
inquire ~을 문의하다
legal 법률적인
matter 문제
refer A to B
(도움·조언을 받을 수 있도록)
A를 B에게 보내다

1 There <u>the next bus comes</u>.

→ _____

2 At the bus station <u>did my boyfriend stand</u>.

→ _____

3 Never <u>I have seen</u> such a beautiful sunset.

→ _____

4 My brother wanted to go to the ball park, and <u>so I did</u>.

→ _____

5 <u>If had</u> I had enough time, I would have visited the Louvre.

→ _____

6 Hardly <u>had gotten he</u> his license than he got a speeding ticket.

→ _____

7 There <u>the huge National Museum of Natural History is</u> in Washington, D.C.

→ _____

8 If <u>should people inquire</u> about legal matters, please refer them to the lawyer's office.

→ _____

freezer 냉동실
chore (정기적으로 하는) 일
fair 공평한

A 다음 빈칸에 들어갈 가장 알맞은 것을 고르시오.

1 A: What do you think we should do?

B: I don't know. If he _____, he would know what to do.

① will here   ② here

③ weren't here   ④ were here

2 A: What do you want for dinner tonight, honey?

B: I want to have steak and potatoes, but the steaks are frozen. I wish I _____ them out of the freezer earlier.

① take   ② took

③ have taken   ④ had taken

3 A: Not once _____ to do the dishes or help with the house cleaning.

B: Do you mean you did the chores all the time? That's not fair.

① did Susan offer   ② Susan offering

③ offered Susan   ④ it was Susan offered

run out of
~을 다 써버리다
allowance 용돈
free 무료의
participate in
~에 참가하다
rally 집회
villager 주민
point of view 견해
arrange ~을 준비하다
fundraiser 모금 행사
assemble 조립하다
instructions
사용 설명서

B 다음 대화를 읽고, 바르지 <u>않은</u> 문장을 고르시오.

1 ① A: Do you want to do something today?

② B: Sure, but I don't have any money.

③ A: Neither I do. I've run out of my allowance.

④ B: We'll just have to find something that is free.

2 ① A: There is three hundred people participating in the rally.

② B: Really? Last time, the number of participants was just around a hundred.

③ A: A tenth of the villagers support our point of view.

④ B: I think that's a lot. Now, we need to arrange a fundraiser.

3 ① A: I can't understand why I'm having such a hard time assembling this computer.

② B: Did you read the instructions?

③ A: Yes, I do read them at least five times!

④ B: Perhaps you didn't connect those parts correctly.

C 다음을 읽고, 바르지 <u>않은</u> 문장을 고르시오.

1

① Some people say that women are from Venus, but we know this to be absurd. ② Venus is completely dry and unable to sustain life-forms. ③ If Venus had been further from the Sun, there would be rainfall and oceans. ④ Because Venus is so close to the Sun, the temperature is hot enough to melt metal, and any water would evaporate.

absurd 터무니없는
sustain 살아가게 하다
rainfall 강우량
temperature 온도
melt ~을 녹이다
evaporate 증발하다

2

① People from many different ethnic backgrounds live in the United Kingdom. ② However, many of them choose to live in communities of their own ethnic origin. ③ For example, the majority of Arabic descendants prefer to live in Arabic neighborhoods. ④ And those of African descent tends live together in close-knit communities of their own race, as well.

ethnic 민족의
majority 다수의
descendant 자손
descent 혈통, 가문
close-knit 굳게 맺어진
race 인종

3

Have you seen any of the *Indiana Jones* movies? ① Without the hat added to his ensemble, Dr. Jones would not have looked as adventurous. ② Not until the movies had been out the hat became popular. ③ This style of hat, which is known as a Fedora, went out of style in the late 1950s. ④ However, after the release of the *Indiana Jones* movies, the style became popular once again. This hat style has been one of the bestsellers since 1982.

ensemble 앙상블
(한 벌로 맞춰 입게 지은 옷)
adventurous
모험심이 강한
release 개봉, 발매

REVIEW PLUS

정답 및 해설 P. 36

disorder 장애
constitutional
헌법상의
right 권리
rational 합리적인
candidate 후보자
qualified 자격이 있는
adequately 적절하게
represent 대변하다
exclude 제외하다
isolate ~을 소외시키다
democracy 민주주의
caste system 계급제도

 A 다음 (A), (B), (C)에서 어법에 맞는 표현으로 가장 적절한 것을 고르시오. [기출 응용]

I was shocked by the news that people with mental disorders can be kept (A) (from voting / to vote). Our constitutional right to vote does not require that any one of us should make a rational choice. We can vote for a candidate because he or she seems most qualified, or simply because we like his or her appearance. In addition, the mentally ill (B) (is / are) faced with a unique set of challenges, and their interests will not be adequately represented if they cannot vote. To exclude those from voting who are already socially isolated (C) (destroy / destroys) our democracy, as it creates a caste system.

	(A)		(B)		(C)
①	from voting	⋯	is	⋯	destroy
②	from voting	⋯	are	⋯	destroys
③	from voting	⋯	are	⋯	destroy
④	to vote	⋯	are	⋯	destroy
⑤	to vote	⋯	is	⋯	destroys

quicksand 유사
loosen 헐거워지다
soupy 걸쭉한
pressure 압력
liquid 액체
sink 가라앉다
separate
~을 분리하다, 분리되다
suspend 부유하다
granular 알갱이로 된
particle 입자
friction 마찰
struggle 버둥거리다
float 떠오르다

 B 다음 글의 밑줄 친 부분 중, 바르지 <u>않은</u> 것을 고르시오. [기출 응용]

Is quicksand for real? Yes, but it's not as deadly as it is in the movies. Quicksand forms when sand gets mixed with too much water and ① <u>becomes</u> loosened and soupy. It may look like normal sand, but if you were to step on it, the pressure from your foot ② <u>causes</u> the sand to act more like a liquid, and you'd sink right in. Pressure from underground sources of water ③ <u>would separate</u> and suspend the granular particles, reducing the friction between them. In quicksand, the more you struggle, the deeper you'll sink. But if you ④ <u>remain</u> still, you'll start to float. So if you ever ⑤ <u>do</u> fall into quicksand, remember to stay calm, and don't move until you've stopped sinking.

THIS IS GRAMMAR

Workbook

넥서스영어교육연구소 지음

내신·토익·토플·텝스 등 각종 시험 완벽 대비, 이것이 현대 영문법의 결정판이다!

★ 원어민이 사용하는 생생한 문장들로 구성된 예문
★ 단계별, 유형별로 구성된 연습문제와 리뷰문제

1

고급

NEXUS Edu

Unit 01 동사의 종류:
자동사, 타동사, 상태동사, 동작동사

A 주어진 단어를 현재 또는 현재진행형으로 바꿔 문장을 완성하시오.

1 appear ① Jane _____ to be sleeping. Let's not make noise.

② My son is an actor. Look! My son _____ on TV.

2 look ① Who is that woman in the red dress? She _____ at us right now.

② Unlike identical twins, fraternal twins _____ quite different.

3 taste ① You should check out that restaurant. The steak there _____ so good.

② The head chef _____ the new dish at the kitchen now.

4 think ① I _____ we shouldn't buy a car since our bank balance is close to zero.

② I want to lose weight. I _____ about learning ballet to stay fit.

5 see ① Every morning, I _____ your dog leaping and wagging its tail excitedly.

② Don't call your father. He _____ patients at the hospital now.

6 have ① He _____ a wonderful vacation in Hawaii with his family at this moment.

② Gary _____ an allergy to pollen, which causes him to sneeze.

B 밑줄 친 부분을 어법에 맞게 고쳐 쓰시오.

1 The country is possessing more than 10 nuclear bombs.

→ _____

2 That child does not resemble with any of his family members.

→ _____

3 I can't find a better way to explain about this theory more effectively.

→ _____

4 They try to prevent adolescents going off the right track.

→ _____

5 I am fully understanding why you are trying to put things back on track.

→ _____

6 The neighbors suspected of the man having damaged the cars in the town.

→ _____

7 We are going to discuss about school violence and come up with some solutions to the problem.

→ _____

C 우리말과 같은 뜻이 되도록 주어진 단어를 이용하여 문장을 완성하시오.

1 제 방에 들어오기 전에 꼭 노크를 하세요. (before, enter, room)

→ Please knock on the door _____ _____ _____ _____ _____ .

2 장난감 총은 진짜 총과 비슷하기 때문에 판매가 제한된다. (since, resemble, real ones)

→ Sales of toy guns are restricted _____ _____ _____ _____ _____ .

3 지난 일요일 세미나에 얼마나 많은 사람들이 참석했는지 아니? (how many, attend, the seminar)

→ Do you know _____ _____ _____ _____ _____ _____ last
Sunday?

4 그는 이번 여름 방학에 자신의 여자 친구와 결혼할 계획을 세우고 있다. (marry, girlfriend)

→ He is planning to _____ _____ _____ this summer vacation.

5 국립대학 입시제도의 역사에 대해서 설명하는 것은 쉽지 않다. (easy, explain, the history)

→ It's not _____ _____ _____ _____ of the national university
entrance system.

6 시의회는 주택 문제를 논의하기 위해서 회의를 하고 있다. (have, a meeting, discuss, the housing problem)

→ The City Council _____ _____ _____ _____ to _____
_____ _____ _____ .

D 우리말과 같은 뜻이 되도록 주어진 단어를 배열하시오.

1 Farrell 씨는 회사로부터 뇌물을 받은 혐의로 그를 기소했다. (accused, taking bribes, from the company, him, of)

→ Ms. Farrell _____ .

2 그녀는 결혼기념일을 잊은 것에 대해 그를 용서할 것이다.

(for forgetting, forgive, their wedding anniversary, will, him, she)

→ _____

3 그것은 Jerry에게 왜 그 제안을 거절했는지 상기시켜 주었다. (Jerry, had rejected, reminded, of, he, why, the proposal)

→ It _____ .

4 우리 아버지의 자존심은 아버지로 하여금 자신이 파산한 사실을 말하지 못하게 했다.

(about his bankruptcy, telling the truth, kept, him, from)

→ My father's pride _____ .

5 그는 뼈까지 암이 전이되는 것을 막기 위해서 그 약을 복용했다.

(the medicine, to prevent cancer, took, from, spreading to the bone)

→ He _____ .

6 그녀는 자신의 블로그를 만드는 데 많은 시간을 할애하지 않기로 결심했다.

(decided, much time, not to spend, making her own blog)

→ She _____ .

구와 절

A 밑줄 친 부분이 구와 절 중 무엇인지 밝히고, 명사, 형용사, 부사 중 어떤 역할을 하는지 쓰시오.

1 I want to put on new winter boots. → _____

2 He ran away from me as soon as I approached him. → _____

3 Most mammals usually sweat to keep themselves cool. → _____

4 When the kangaroo is born, it is the size of a jelly bean. → _____

5 I can't believe that my daughter suggested such a great idea. → _____

6 The first thing that you have to do is rake the leaves in the garden. → _____

7 The woman who is looking at herself in the mirror is my grandmother. → _____

8 The twin girls sitting on the bench side by side are my younger sisters. → _____

B 주어진 단어를 이용하여 두 문장의 뜻이 통하도록 문장을 완성하시오.

1 My parents won't be happy. I don't complete the courses in one year. (if)

→ My parents won't be happy _____ .

2 The Romans made great use of arches. They invented the dome. (and)

→ The Romans made great use of arches, _____ .

3 The famous writer was illiterate at an early age. She learned how to read later. (but)

→ The famous writer was illiterate at an early age, _____ .

4 The coffee machine needs to be fixed. We bought it in Germany. (which)

→ The coffee machine _____ needs to be fixed.

5 The accommodations at the hotel were not fantastic. The hotel staff was polite. (although)

→ _____ , the hotel staff was polite.

6 Chimpanzees seem to understand simple sentences. They are made of symbols. (which)

→ Chimpanzees seem to understand simple sentences _____ .

7 He was one of the famous scientists. They put forward ideas of how living things can change through time. (who)

→ He was one of the famous scientists _____ .

C 우리말과 같은 뜻이 되도록 주어진 단어를 이용하여 문장을 완성하시오.

1 그는 아이스크림을 먹으면 배가 아프다. (eat, ice cream)

→ When ＿＿＿＿＿ ＿＿＿＿＿ ＿＿＿＿＿ ＿＿＿＿＿, he gets a stomach ache.

2 영어는 약 오십만 개의 단어를 만드는 데 겨우 26개의 글자를 사용한다. (form, about, 500,000 words)

→ English uses only 26 letters ＿＿＿＿＿ ＿＿＿＿＿ ＿＿＿＿＿ ＿＿＿＿＿ ＿＿＿＿＿.

3 초식 공룡은 육식 공룡으로부터 스스로를 보호해야 했다. (have to, protect, the meat-eaters)

→ Plant-eating dinosaurs ＿＿＿＿＿ ＿＿＿＿＿ ＿＿＿＿＿ ＿＿＿＿＿

＿＿＿＿＿ ＿＿＿＿＿.

4 Stefani는 의사가 되는 자신의 꿈이 실현될 거라고 믿는다. (dream, become, a doctor)

→ Stefani believes that ＿＿＿＿＿ ＿＿＿＿＿ ＿＿＿＿＿ ＿＿＿＿＿

＿＿＿＿＿ will come true.

5 어떤 천재들은 한 가지 일을 정말로 잘하지만, 다른 천재들은 많은 것에서 앞선다. (others, excel at, many things)

→ Some geniuses do one thing extremely well, ＿＿＿＿＿ ＿＿＿＿＿ ＿＿＿＿＿

＿＿＿＿＿ ＿＿＿＿＿.

6 그 화장실을 수리하는 데 드는 총비용은 이백만 원이 넘을 것이다. (the total cost, fix, the toilet)

→ ＿＿＿＿＿ ＿＿＿＿＿ ＿＿＿＿＿ ＿＿＿＿＿ ＿＿＿＿＿ ＿＿＿＿＿

will be more than two million won.

D 우리말과 같은 뜻이 되도록 주어진 단어를 배열하시오.

1 조향사는 코로 생계를 유지한다. (a living, by, their noses, earn)

→ Perfumers ＿＿＿＿＿＿＿＿＿＿＿＿＿＿＿＿＿＿＿＿＿＿＿＿.

2 차를 마실 때 스콘은 보통 잼과 함께 제공된다. (normally served with, are, jam, at teatime)

→ Scones ＿＿＿＿＿＿＿＿＿＿＿＿＿＿＿＿＿＿＿＿＿＿＿＿.

3 뇌는 신체의 총 에너지 중 17퍼센트를 소비한다. (17 percent, your body's total energy, of, consumes)

→ Your brain ＿＿＿＿＿＿＿＿＿＿＿＿＿＿＿＿＿＿＿＿＿＿＿＿.

4 우리 할아버지는 쉽게 의사소통을 하기 위해 보청기가 필요하다. (to, a hearing aid, communicate easily, needs)

→ My grandfather ＿＿＿＿＿＿＿＿＿＿＿＿＿＿＿＿＿＿＿＿＿＿＿＿.

5 가장 안 좋은 점은 그가 자신이 원하는 것이 무엇인지 모른다는 데 있다. (is, he, that, doesn't know, what, wants, he)

→ The worst thing ＿＿＿＿＿＿＿＿＿＿＿＿＿＿＿＿＿＿＿＿＿＿＿＿.

6 나는 지난주 차 사고에 대해서 나의 부모님께 말씀 드리기가 두렵다.

(last week, to tell, about the car accident, my parents, am afraid)

→ I ＿＿＿＿＿＿＿＿＿＿＿＿＿＿＿＿＿＿＿＿＿＿＿＿＿＿＿＿.

Unit 03 문형

A 보기 에서 알맞은 말을 골라 문장을 완성하시오.

| 보기 | vulnerable | alive | fantastic | sick | fertile | disappointed |

1 The passengers who remained _____ were rescued.

2 He felt really _____ as the ship rode the violent ocean waves.

3 People think he seems _____ at times because of his injury record.

4 The soil in this region is so _____ that farmers can easily grow anything.

5 If you add some balsamic sauce in the salad dressing, it will taste _____.

6 She appeared _____ when she heard the bad news from her best friend.

B 보기 와 같이 알맞은 전치사를 이용하여 문장을 완성하시오.

| 보기 | Her boss will give her a year-end bonus.
→ Her boss will _____ give a year-end bonus to her _____. |

1 He will write his parents a thank-you letter.

→ He will _____.

2 She finally showed her parents her report card this morning.

→ She finally _____ this morning.

3 My father used to make me cinnamon rolls when I was sad.

→ My father used to _____ when I was sad.

4 Aid agencies sent the tornado victims clothes and food last year.

→ Aid agencies _____ last year.

5 They offered the man this important position.

→ They _____.

6 Last year, my parents bought us Christmas gifts even though we were all grown-up.

→ Last year, my parents _____ even though we were all grown-up.

7 Mr. Simpson built local children a school to help educate them.

→ Mr. Simpson built _____ to help educate them.

C 우리말과 같은 뜻이 되도록 주어진 단어를 이용하여 문장을 완성하시오.

1 그들은 작년에 그녀를 위원회의 의장으로 선출했다. (elect, chairman of the committee)

→ They ＿＿＿＿＿＿ ＿＿＿＿＿＿ ＿＿＿＿＿＿ ＿＿＿＿＿＿ ＿＿＿＿＿＿ last

month.

2 과학자들은 운석을 연구함으로써 지구의 나이를 알 수 있다. (tell, the Earth's age)

→ Scientists ＿＿＿＿＿＿ ＿＿＿＿＿＿ ＿＿＿＿＿＿ ＿＿＿＿＿＿ ＿＿＿＿＿＿ by studying meteorites.

3 그 새로운 영화는 사람들을 배꼽을 잡고 웃게 만들었다. (make, laugh, their heads off)

→ The new movie ＿＿＿＿＿＿ ＿＿＿＿＿＿ ＿＿＿＿＿＿ ＿＿＿＿＿＿ ＿＿＿＿＿＿ ＿＿＿＿＿＿ .

4 당신은 뇌세포를 활기차게 만드는 방법을 배우게 될 것이다. (learn, make, your brain cells, energetic)

→ You ＿＿＿＿＿＿ ＿＿＿＿＿＿ ＿＿＿＿＿＿ ＿＿＿＿＿＿ ＿＿＿＿＿＿ ＿＿＿＿＿＿

＿＿＿＿＿＿ ＿＿＿＿＿＿ .

5 뉘른베르크의 크리스마스 마켓은 독일의 가장 오래된 크리스마스 장터 중 하나이다.

(be, the oldest German Christmas fairs)

→ Nurnberg's Christmas market ＿＿＿＿＿＿ ＿＿＿＿＿＿ ＿＿＿＿＿＿ ＿＿＿＿＿＿

＿＿＿＿＿＿ ＿＿＿＿＿＿ ＿＿＿＿＿＿ .

6 그의 상사는 그가 좋은 성과를 내기 전에는 하루 휴가를 내는 것도 허용하지 않을 것이다. (allow, take a day off)

→ His boss won't ＿＿＿＿＿＿ ＿＿＿＿＿＿ ＿＿＿＿＿＿ ＿＿＿＿＿＿ ＿＿＿＿＿＿

＿＿＿＿＿＿ until he obtains good results.

D 우리말과 같은 뜻이 되도록 주어진 단어를 배열하시오.

1 최소한 대학은 가라고 충고하고 싶어요. (me, let, you, advise, to go to college)

→ ＿＿＿＿＿＿＿＿＿＿＿＿＿＿＿＿＿＿＿＿＿＿＿＿＿＿＿＿＿＿＿＿ at least.

2 그가 해야 하는 일은 수화를 배우는 것이다. (he, sign language, has to, is, learn, do)

→ All ＿＿＿＿＿＿＿＿＿＿＿＿＿＿＿＿＿＿＿＿＿＿＿＿＿＿＿＿＿＿ .

3 고래는 머리 꼭대기에 있는 호흡 구멍을 통해 숨을 쉰다. (breathe, their heads, through a blowhole, on the top of)

→ Whales ＿＿＿＿＿＿＿＿＿＿＿＿＿＿＿＿＿＿＿＿＿＿＿＿＿＿ .

4 얼룩이 제거될 때까지 따뜻한 물에 더러운 셔츠를 담가 두세요. (in the warm water, soaked, leave, your dirty shirt)

→ ＿＿＿＿＿＿＿＿＿＿＿＿＿＿＿＿＿＿＿＿＿＿＿＿ until the stain is removed.

5 Jill은 아이들을 조용히 시키기 위해 만화 영화를 보여주었다. (her kids, quiet, showed, to keep, animated movies, them)

→ Jill ＿＿＿＿＿＿＿＿＿＿＿＿＿＿＿＿＿＿＿＿＿＿＿＿＿＿＿＿＿＿ .

6 그는 아들이 그런 어리석은 실수를 저질렀다는 것을 믿지 않았다. (made, his son, such a stupid mistake)

→ He didn't believe that ＿＿＿＿＿＿＿＿＿＿＿＿＿＿＿＿＿＿＿＿＿＿ .

7 어머니는 가족 모임에 불참하지 말라고 우리에게 주의를 주셨다. (us, not, warned, family gatherings, to be absent from)

→ My mother ＿＿＿＿＿＿＿＿＿＿＿＿＿＿＿＿＿＿＿＿＿＿＿＿＿＿＿＿ .

Unit 04 단순 시제

A 주어진 단어를 과거, 현재, 미래(will) 중 가장 알맞은 것으로 바꿔 문장을 완성하시오.

1 Mary Ann _____ (find) her first fossil when she was only eleven.

2 Thank you for lending me the book. I _____ (give) it back next week.

3 Do you have a stomach ache? Take this medicine. It _____ (help) you.

4 Her story _____ (seem) true, even though he insists that she made it up.

5 I hate to say this, but I _____ (feel) isolated at the donation party last night.

6 The cell phone wasn't very expensive. It _____ (not, cost) that much.

7 I guess she _____ (not, pass) the bar exam. She hasn't studied hard enough.

8 She has a convertible car, but she _____ (not, drive) it very often these days.

9 Ecology is the study of how living things _____ (interact) with each other.

10 Although Romans adopted many Greek architectural styles, they _____ (have) their own trademarks.

B 주어진 동사를 과거, 현재, 미래(will) 중 가장 알맞은 것으로 바꿔 글을 완성하시오.

1 Do you know what the earliest known bird _____ (be)? It _____ (be) Archaeopteryx. It _____ (live) 147 million years ago. It _____ (have) a long bony tail like a reptile. The interesting fact _____ (be) that Archaeopteryx _____ (be) able to fly unlike its feathered dinosaur ancestors.

2 When we _____ (be) very excited, frightened, or cold, the hairs on our skin _____ (stand up) because the skin _____ (be) covered with tiny bumps. We _____ (call) it goose bumps.

3 If you go to the section B, you _____ (see) the huge crystal on the shelf. If you _____ (look) through the crystal, you _____ (see) things in double. That's because light rays _____ (pass) through the crystal, and they are split in two.

4 If you have decided to keep a cat, what you _____ (need) to consider first is whether you _____ (adopt) a long-haired or short-haired cat. Long-haired cats _____ (look) more charming, but they _____ (require) additional care that short-haired ones don't need. Because of their long hair, you need to brush them every day in order to prevent their hair from tangling. Therefore, I _____ (advise) you to adopt a long-haired cat only if you _____ (have) time to do so.

C 우리말과 같은 뜻이 되도록 주어진 단어를 이용하여 문장을 완성하시오.

1 그는 관계 형성에 관심이 없어 보인다. (seem, interested)

→ He _____ _____ _____ _____ building relationships.

2 그 남자는 그 목걸이를 훔쳤다고 자백했다. (confess, steal, necklace)

→ The man _____ that _____ _____ _____ _____.

3 감자튀김을 곁들인 클럽 샌드위치를 먹을게요. (have, a club sandwich)

→ _____ _____ _____ _____ _____ with French fries on the side.

4 어떤 아이들은 일곱 살에 학교에 들어간다. (start, school, at the age of seven)

→ Some children _____ _____ _____ _____ _____ _____ _____ _____.

5 나는 뇌가 우리의 몸과 마음을 어떻게 통제하는지 알고 싶다. (our brain, control, body, mind)

→ I want to know how _____ _____ _____ _____ _____ _____ _____.

6 우리는 자선 행사를 위해서 오늘 약간의 쿠키를 만들기로 되어 있다. (be supposed to, make, some cookies)

→ We _____ _____ _____ _____ _____ _____ for a charity event today.

7 개구리가 물속에 알을 낳으면, 그 알은 올챙이로 부화한다. (lay, eggs, the water, hatch, into tadpoles)

→ When frogs _____ _____ _____ _____ _____, the eggs _____ _____ _____.

D 우리말과 같은 뜻이 되도록 주어진 단어를 알맞게 배열하시오.

1 지금 아무것도 먹지 않으면, 오늘 오후에 배고플 거야. (starving, don't, be, if, you, will, eat)

→ _____ now, you _____ this afternoon.

2 Amy는 고객에게 새 건물에 대한 자신의 계획을 설명했다. (her plan, explained, for the new building)

→ Amy _____ to the customer.

3 새들은 다양한 종류의 재료로 그들의 둥지를 만든다. (make, various kinds of stuff, out of, their nests)

→ Birds _____.

4 팔을 뻗으면, 균형을 잡는 데 도움이 될 거야. (your arms, your balance, stretch out, will, keep, you, help)

→ If you _____, it _____.

5 텔레비전 소리가 너무 커서 나는 공부에 집중을 할 수가 없다. (is, can't concentrate on, too loud, studying)

→ I _____ because the TV _____.

6 내 생각에 그 토마토들은 아직 따면 안 될 것 같았다. (weren't ready to, the tomatoes, be picked, thought)

→ I _____ yet.

진행 시제

A 주어진 동사를 진행 시제로 바꿔 문장을 완성하시오.

1 _____ anybody _____ TV, or can I turn it off? (watch)

2 When we went out of the museum, it _____ heavily. (rain)

3 When I saw her, she _____ the man leaning against the wall. (look at)

4 I can't go out because I _____ a surprise party for my brother. (organize)

5 I left the key in my car and locked myself out again. I _____ always _____ it in my car. (leave)

6 Some men _____ on the street when the car was damaged badly in the crash. (argue)

7 The exchange rate _____ these days. He's going to cancel his trip to Norway. (increase)

8 I _____ selling these coffee cups and saucers at the flea market next Saturday. (think of)

9 The boy _____ fun on the beach, but his parents didn't seem to be having fun at all. (have)

10 Mark actively participates in discussions. He _____ always _____ good ideas. (come up with)

B 주어진 동사의 시제를 알맞게 바꿔 문장을 완성하시오.

1 **A** What are you up to next week? Let's have brunch if you're available.

B My kids _____ _____ _____ at a theater this time next week. Other than that, any time _____ fine. (perform, be)

2 **A** Look at Joan. She _____ a bit nervous. What's up with her? (seem)

B She _____ _____ _____ with her boss in an hour. (meet)

3 **A** Why did you mark next Friday on the calendar? _____ you _____ a special plan? (have)

B I _____ my parents. It's my father's birthday. (visit)

4 **A** _____ this your cat? How cute! (be)

B Oh, he used to be a street cat. One night, I found him in front of my house. He _____ _____ loudly. I _____ him home and _____ him some food. We have lived together since then. (cry, take, give)

5 **A** What _____ you _____? It _____ good. (cook, smell)

B I _____ some pasta now. I've invited some friends to have dinner with me. (make)

C 우리말과 같은 뜻이 되도록 주어진 단어와 진행 시제를 이용하여 문장을 완성하시오.

1 지금 Hendrik을 방해하지 마. 그는 중요한 발표를 준비하고 있어. (prepare, important presentation)

→ Don't interrupt Hendrik now. He _____ _____ _____ _____ _____.

2 Mary는 다음 달에 자신의 학급 친구들과 연극을 공연할 예정이다. (perform, a play)

→ Mary _____ _____ _____ _____ _____ with her classmates next month.

3 그 트럭이 거리에 있는 행인을 쳤을 때 나는 매표소에 서 있었다. (stand, the truck, hit, a pedestrian)

→ I _____ _____ at the ticket booth when _____ _____ _____ _____ _____ on the street.

4 나는 오늘 너랑 영화 보러 갈 수 없어. 우리 가족은 그때 엄마 생일파티를 할 거야. (have, Mom's birthday party)

→ I can't join you for a movie. My family _____ _____ _____ _____ _____ _____ then.

5 Jennifer는 프랑크푸르트 자동차 박람회 기간 동안 친구 집에서 지낼 것이다. (stay, at her friend's house)

→ Jennifer _____ _____ _____ _____ _____ _____ during the Frankfurt Auto Show.

6 지구 온난화 때문에 북극 빙하의 해빙이 조금씩 가속화되고 있다. (slowly, accelerate)

→ Due to global warming, the melting of the Arctic ice _____ _____ _____.

7 그가 숲 속으로 모험을 떠났을 때, 숲 사이로 차가운 바람이 불고 있었다. (set off, for adventure, the chilly wind, blow)

→ When _____ _____ _____ _____ _____ into the forest, _____ _____ _____ _____ _____ through the trees.

D 우리말과 같은 뜻이 되도록 주어진 단어를 배열하시오.

1 나는 오늘 밤 할머니의 생일파티에 참석할 예정이다. (attending, I'll, my grandmother's birthday party, be)

→ _____ tonight.

2 Tiffany는 양파를 다지다가 손가락을 베었다. (she, cut, the onions, her finger, was chopping, while)

→ Tiffany _____.

3 그녀는 영화를 본 후 남자 친구와 저녁을 먹을 예정이다. (dinner, her boyfriend, she, having, is, with)

→ _____ after the movie.

4 Mark는 일주일 전에 직장을 그만 두고 지금은 일을 하고 있지 않다. (not, is, working, he, at the moment)

→ Mark left his job a week ago, and _____.

5 우리는 10시에서 12시 사이에 브런치를 먹고 있을 거야. (brunch, we'll, having, be)

→ _____ between 10 and 12.

6 우리 아버지는 내가 장난감을 가지고 노는 동안 내 사진을 찍었다. (playing, pictures of me, I, took, while, with toys, was)

→ My father _____.

10

완료 시제

A 주어진 동사를 완료 시제로 바꿔 문장을 완성하시오.

1 My son _____ _____ _____ to play the flute for five months now. (learn)

2 Anna is drawing pictures. She _____ _____ _____ since this morning. (draw)

3 She _____ _____ to Switzerland several times, but she wants to go there again. (be)

4 He _____ _____ with the Seoul Philharmonic Orchestra several times this winter. (play)

5 I didn't join the Drama Club as I _____ already _____ _____ for the Photography Club. (sign up)

6 I _____ _____ my purse at the convention center. I'm still looking for it, but I can't find it anywhere. (lose)

7 Marie is in the studio. She _____ _____ _____ for tomorrow's performance for almost three hours. (practice)

B 두 문장의 의미가 통하도록 문장을 완성하시오.

1 He was arrested and put in jail three years ago, and he is still in jail.

   → He _____ _____ in jail _____ his arrest three years ago.

2 She started to draw the picture this morning, and she is still doing it.

   → She _____ _____ _____ the picture _____ this morning.

3 I started to wait for the subway half an hour ago, and I'm still waiting.

   → I _____ _____ _____ for the subway _____ half an hour.

4 She started to work for the publishing company after she graduated, and she is still working there.

   → She _____ _____ for the publishing company _____ she graduated.

5 Jack was very exhausted. He ran a three-hour marathon race.

   → Jack was very exhausted because he _____ _____ _____ a marathon _____ about three hours.

6 They started to speak out against early marriage a year ago, and they are still doing that.

   → They _____ _____ _____ _____ against early marriage _____ a year.

7 My daughter made a phone call to someone one hour ago, and she is still talking on the phone.

   → My daughter _____ _____ _____ on the phone _____ one hour.

C 우리말과 같은 뜻이 되도록 주어진 단어와 완료 시제를 이용하여 문장을 완성하시오.

1 그 회사가 파산했을 때 그는 그곳에서 3년간 일한 상태였다. (go under, work)

→ At the time the company _____ _____, he _____ _____ _____

there _____ _____ _____.

2 우리 딸이 차를 닦아 놓아서 지금 차가 매우 깨끗하다. (wash, the car, be, very clean)

→ My daughter _____ _____ _____ _____ _____, so it _____ _____

_____ _____.

3 지난주에 박람회에 간 이후로 우리 가족은 함께 시간을 보내지 못했다. (spend, go, to the fair)

→ My family _____ _____ time together since we _____ _____ _____

_____ last week.

4 교통사고 이후로 나는 직업을 바꾸는 것에 대해 계속 생각하고 있는 중이다. (think about, the car accident)

→ I _____ _____ _____ _____ changing my job _____ _____ _____

_____ _____.

5 그들은 새로운 치료에 대한 환자들의 반응을 관찰해 오고 있는 중이다. (monitor, the patients' responses)

→ They _____ _____ _____ _____ _____ _____ to the new

treatment.

6 Susie는 예일 대학으로부터 합격 통보를 받았을 때, 조지타운 대학에 이미 합격한 상태였다.

(be notified of, already, be accepted)

→ When Susie _____ _____ _____ her admission into Yale University, she

_____ _____ _____ _____ at Georgetown University.

D 우리말과 같은 뜻이 되도록 주어진 단어를 배열하시오.

1 우리가 동물원에 갔을 때 원숭이들은 음식을 다 먹은 상태였다. (finished, by the time, had, got, we, to the zoo)

→ The monkeys _____ with their food _____.

2 그 정비공은 차를 일곱 시간째 수리하고 있다. (the car, seven hours, has, fixing, for, been)

→ The mechanic _____.

3 갑자기 나는 모든 사람들이 내 노래를 듣고 있다는 것을 깨달았다. (had, listening to, been, everybody, my song)

→ All of a sudden, I realized that _____.

4 비가 심하게 내리기 시작했을 때 그들은 몇 시간째 야구를 하고 있었다.

(baseball, it, had, started, to rain, for hours, playing, been)

→ They _____ when _____ heavily.

5 그가 늦은 이유를 설명하기도 전에 그녀는 이미 커피숍을 떠나버렸다.

(the reason, already, left, the coffee shop, explained, had, she)

→ _____ before he _____.

12

Unit 07

시제의 비교

A 밑줄 친 부분을 가장 적절한 시제로 고쳐 문장을 다시 쓰시오.

1 A long drought is ruining the crops since last month.

   → _____

2 When all brain activities are ceasing, we call it brain death.

   → _____

3 Don't bother your sister! She has studied for the finals now.

   → _____

4 As soon as my parents came back home, all of my friends have left.

   → _____

5 She has accused the doctor of medical negligence last month.

   → _____

6 Last week, a group of students has protested against the death penalty.

   → _____

7 Scientists discovered about 600 different kinds of dinosaurs so far.

   → _____

B 주어진 단어를 이용하여 대화를 완성하시오.

1 A How long _____ you _____ (be) in Malta?

   B It _____ _____ (be) three years since I _____ (come) here. Time _____ (fly)!

2 A I heard you _____ (sprain) your ankle yesterday. Are you all right?

   B Well, I _____ (think) it _____ _____ (get) better.

3 A I heard you live alone in Busan.

   B No. I _____ _____ (stay) at my friend's place until I _____ (find) the right one.

4 A Oh, I _____ _____ (starve)! I _____ _____ (not, have) anything since last night.

   B Well, let's see if there _____ (be) anything to eat in the pantry.

5 A I _____ (need) to talk to my English teacher, Ms. Adams, but I _____ _____ (not, see) her these days.

   B She _____ _____ (be) absent for a week now.

C 우리말과 같은 뜻이 되도록 주어진 단어를 이용하여 문장을 완성하시오.

1 Julia는 오늘 아침 이후로 머핀을 벌써 다섯 개나 먹었다. (already, have, muffins)

→ Julia _____ _____ _____ _____ _____ since this morning.

2 그 유명한 밴드는 어제 팬들에게 자신들의 은퇴를 발표했다. (announce, retirement)

→ The famous band _____ _____ _____ to their fans yesterday.

3 그가 회의에 참석하는 동안 나는 파리 구석구석을 여행하고 있을 것이다. (travel in, every part, attend)

→ I'll _____ _____ _____ _____ _____ of Paris while he _____ _____ the conference.

4 최근 고고학자들은 신석기 시대에 사용되었던 놀라운 유물들을 발견했다. (discover, amazing relics)

→ Recently, archaeologists _____ _____ _____ _____ used in the New Stone Age.

5 그들은 수년 동안 석유를 찾아 땅을 파왔지만 아무것도 찾을 수 없었다. (excavate, the ground, years)

→ They _____ _____ _____ _____ _____ for oil _____ _____, but they couldn't find anything.

6 캐나다 정부는 수년간 다양한 국가에서 온 이민자들을 기꺼이 받아들여 왔다. (welcome, immigrants, years)

→ The Canadian government _____ _____ _____ from various countries _____ _____.

D 우리말과 같은 뜻이 되도록 주어진 단어를 배열하시오.

1 진열대에 채소를 정리하고 있는 식료품상을 봐. (arranging, on the shelves, is, the vegetables)

→ Look at the grocer who _____.

2 일본정부는 1991년에 그 동물의 멸종을 발표했다. (announced, the animals, in 1991, extinction of)

→ The Japanese government _____.

3 최근에 그 문화센터가 회비를 소폭 인상했다. (increased, its membership fees, has slightly)

→ Recently, the Cultural Center _____.

4 나는 그 폐가에 유령들이 사는지 궁금하다. (there, ghosts, living in the abandoned house, if, are)

→ I'm wondering _____.

5 나는 네가 열심히 새로운 소설을 쓰고 있는 것이 자랑스럽다. (have, you, on your new novel, been, working hard)

→ I'm proud that _____.

6 그 재즈 앙상블은 지금까지 5장의 앨범을 발표했고, 이것이 제일 최근 앨범이다. (so far, released, five albums, has)

→ The jazz ensemble _____, and this is the latest one.

08 태

A 주어진 단어를 이용하여 문장을 완성하시오.

1 The toys can _____ between 5 and 7. (rent)

2 He _____ me an irrelevant question at the last seminar. (ask)

3 When you find out how long it takes, you will _____. (surprise)

4 Chopped vegetables must _____ with plastic wrap. (cover)

5 Some funny pictures _____ to us after lunch yesterday. (show)

6 The company makes many new gadgets, which _____ me a lot. (interest)

7 The kid has _____ in the countryside by his parents since 2010. (bring up)

8 I didn't drive to work because my car is _____ now. (repair)

B 주어진 문장을 수동태 문장으로 바꿔 쓰시오.

1 They allow the employees to take a day off each month.

→ The employees _____.

2 My grandmother made me a fancy summer dress.

→ A fancy summer dress _____.

3 The new sports center will give club members priority.

→ Club members _____.

→ Priority _____.

4 The senator has offered manufacturers tax benefits.

→ Manufacturers _____.

→ Tax benefits _____.

5 People expect that the country's economy will get better soon.

→ It _____.

→ The country's economy _____.

6 People said that the company had gone out of business.

→ It _____.

→ The company _____.

우리말과 같은 뜻이 되도록 주어진 단어를 이용하여 문장을 완성하시오.

1 이 동물은 쓰러지는 나무에 치였다. (hit, a falling tree)

→ This animal _____ _____ _____ _____ _____ _____ .

2 안토니오 비발디의 가장 유명한 작품인 '사계'는 1723년에 쓰여졌다. (write in, 1723)

→ Antonio Vivaldi's most famous work, *The Four Seasons* _____ _____ _____
_____ .

3 그 건물은 무장한 군인들에 의해 둘러싸여 있다. (surround, a group of armed men)

→ The building has _____ _____ _____ _____ _____ _____
_____ _____ .

4 국립역사박물관은 1870년대에 지어졌다. (the National History Museum, build)

→ _____ _____ _____ _____ _____ _____ in the 1870s.

5 문자는 로마인들에 의해서 처음으로 북유럽에 소개되었다. (introduce, northern Europe, the Romans)

→ The writing system _____ _____ _____ _____ _____ for the first
time _____ _____ _____ .

6 그 아이들은 롱아일랜드시티에서 태어났고 조부모님에 의해 양육되었다. (bear, in Long Island City, raise, their grandparents)

→ The kids _____ _____ _____ _____ _____ _____ and
_____ _____ _____ _____ _____ .

우리말과 같은 뜻이 되도록 주어진 단어를 배열하시오.

1 Simpson 씨는 109살까지 살았다고 한다. (is, lived, said, 109 years old, to be, that)

→ It _____ Mr. Simpson _____ .

2 그 영화배우는 한국 영화 잡지와 인터뷰를 했다. (by, interviewed, a Korean film magazine, was)

→ The movie star _____ .

3 우리 부모님은 나의 대학 합격 소식에 기뻐하셨다.

(delighted, my having been accepted at the college, the news of, were, of, by)

→ My parents _____ .

4 다음 장에서 몇 가지 재미있는 주제들이 논의된다. (in, discussed, are, the next chapter)

→ Several interesting topics _____ .

5 아직도 여성이 적절한 교육을 받는 것이 허락되지 않는 나라들이 있다. (a proper education, allowed, women, not, are, to get)

→ There are still some countries where _____ .

6 포유동물은 과도한 사냥과 기후 변화로 인해 위협당하고 있다. (climate change, are, over-hunting, threatened, and, by)

→ Mammals _____ .

명사

A 보기 에서 알맞은 명사를 골라 단수나 복수 형태로 바꿔 문장을 완성하시오.

| 보기 | offspring | series | goose | louse | phenomenon | species | hypothesis |

1   I can't believe that the terrific SF _____ will be over with this issue.

2   The snow monkeys in the Central Park Zoo were picking _____ out of each other's hair.

3   According to the scientists, there are many _____ on the extinction of the dinosaurs.

4   According to the scientists, a number of _____ migrate through the country in this season.

5   Conservationists have worked on protecting the endangered _____ from illegal hunting.

6   Rats are so prolific that a pair of rats can have more than a hundred _____ in one and half years.

7   When the wet season ends and temperatures hit 25 degrees Celsius at night, a tropical night _____ occurs.

B 주어진 동사와 시제를 이용하여 문장을 완성하시오.

1   Unfortunately, millions of birds _____ by bird flu since late 2003. (be killed, 현재완료)

2   In developed countries, the number of men taking paternity leave _____. (increase, 현재진행)

3   A number of experts _____ that investing in real estate is very risky these days. (warn, 현재완료)

4   When atopic dermatitis _____, it will cause an oozing, crusty rash on skin. (develop, 현재)

5   Wealthy women avoided the jobs of spinning and making clothes which _____ traditional tasks for wives. (be, 과거)

6   The fact that chimpanzees are our closest living relatives _____ totally shocking to the children visiting the museum. (be, 현재)

7   The selection of more than 30,000 works of art _____ that those two ancient countries had various and sophisticated cultures. (show, 현재)

8   Millions of people _____ across the country to get together with their families on holidays like New Year's day. (move, 현재)

우리말과 같은 뜻이 되도록 주어진 단어를 이용하여 문장을 완성하시오.

1 방학 동안 각각의 아이들은 매일 일기를 써야 한다. (child, have to, keep a diary)

→ During the winter vacation, ＿＿＿＿＿ ＿＿＿＿＿ ＿＿＿＿＿ ＿＿＿＿＿ ＿＿＿＿＿

＿＿＿＿＿ ＿＿＿＿＿ every day.

2 나는 발목에 리본이 달린 내가 가장 좋아하는 스타킹을 신었다. (stocking, have, ankle)

→ I wore ＿＿＿＿＿ ＿＿＿＿＿ ＿＿＿＿＿ which ＿＿＿＿＿ ribbons at the ＿＿＿＿＿.

3 어떤 동물들은 자신들의 주변 환경에 따라 자신들의 색을 바꾼다. (animal, change, according to, surrounding)

→ ＿＿＿＿＿ ＿＿＿＿＿ ＿＿＿＿＿ their colors ＿＿＿＿＿ ＿＿＿＿＿ ＿＿＿＿＿

＿＿＿＿＿.

4 학생들이 복지센터에서 자원봉사할 수 있는 방법은 여러 가지가 있다. (plenty of, way, for, student, volunteer)

→ There are ＿＿＿＿＿ ＿＿＿＿＿ ＿＿＿＿＿ ＿＿＿＿＿ ＿＿＿＿＿

＿＿＿＿＿ at the Welfare Center.

5 그는 자신이 가장 좋아하는 음료수에 다량의 설탕이 함유되어 있다는 사실에 충격을 받았다.

(beverage, contain, a large amount of, sugar)

→ He was shocked by the fact that ＿＿＿＿＿ ＿＿＿＿＿ ＿＿＿＿＿ ＿＿＿＿＿

＿＿＿＿＿ ＿＿＿＿＿ ＿＿＿＿＿ ＿＿＿＿＿.

6 그 도시에 거주하는 외국인들의 수가 2005년 이후로 13퍼센트 감소했다.

(the number of, foreigner, living in the city, have decreased)

→ ＿＿＿＿＿ ＿＿＿＿＿ ＿＿＿＿＿ ＿＿＿＿＿ ＿＿＿＿＿ ＿＿＿＿＿ ＿＿＿＿＿

＿＿＿＿＿ ＿＿＿＿＿ ＿＿＿＿＿ by 13 percent since 2005.

우리말과 같은 뜻이 되도록 주어진 단어를 배열하시오.

1 우리 언니는 매우 똑똑함에도 불구하고 잘난 척을 하지 않는다. (put on, doesn't, my sister, any airs)

→ In spite of being so smart, ＿＿＿＿＿＿＿＿＿＿＿＿＿＿＿＿＿＿＿＿＿＿＿.

2 그녀는 졸업논문을 쓰는 데 많은 노력을 기울였다. (put, a graduation thesis, a great deal of, into writing, effort)

→ She ＿＿＿＿＿＿＿＿＿＿＿＿＿＿＿＿＿＿＿＿＿＿＿.

3 모든 버스 정류장에 일일 운행 시간표가 게시될 것이다. (every, daily bus schedules, be posted in, bus stop, will)

→ ＿＿＿＿＿＿＿＿＿＿＿＿＿＿＿＿＿＿＿＿＿＿＿

4 그녀가 저축한 것은 모두 부동산에 투자하기 위해 사용되었다. (were used, in real estate, all her savings, to invest)

→ ＿＿＿＿＿＿＿＿＿＿＿＿＿＿＿＿＿＿＿＿＿＿＿

5 달궈진 팬에 감자를 넣고 기름 두 큰 술을 뿌려라. (the potatoes, put, a roasting pan, oil, into, two tablespoons of)

→ ＿＿＿＿＿＿＿＿＿＿＿＿＿＿＿ and drizzle them with ＿＿＿＿＿＿＿＿＿＿＿.

6 그녀의 가족 중 한 명이 그 성형외과 의사를 의료 과실로 고소했다. (the plastic surgeon, one of, sued, her family members)

→ ＿＿＿＿＿＿＿＿＿＿＿＿＿＿＿＿＿＿＿＿＿＿＿ for malpractice.

관사

A 빈칸에 a(n), the, × 중 가장 알맞은 것을 넣어 대화를 완성하시오. [×는 필요 없는 경우]

1 **A** Did you watch _____ movie with James last night?

    B No. I stayed home and watched _____ TV with my kittens.

2 **A** Have you ever been to _____ Netherlands?

    B Oh, yes. I went to _____ Alkmaar. It is famous for its traditional cheese market.

3 **A** Did you hear _____ news that _____ woman died after surgery? She had difficulties breathing while undergoing the operation. What will happen to _____ doctor?

    B If found guilty, he will go to _____ prison.

4 **A** Excuse me. How can I get to _____ subway station?

    B Oh, it's quite far from here. Go straight until you see _____ yellow sign. When you turn right, you will see it.

5 **A** Where are you going?

    B I'm going to _____ school to pick up my notebook in my cabinet. I forgot to bring it. I need _____ notebook for the biology exam tomorrow!

B 밑줄 친 부분을 바르게 고치시오.

1 I found it challenging to keep up with the algebra. _____

2 He didn't go to a church since he was an atheist. _____

3 Most useful tram routes for tourists are lines 1, 2, and 5. _____

4 He has been in charge of movie reviews for *New York Times*. _____

5 It's too far to get to the museum by the public transportation. _____

6 One of her dreams was to play a harp in a symphony orchestra. _____

7 The player was seriously injured and could no longer play the rugby. _____

8 Steven Spielberg is one of most famous people in the film industry. _____

9 The Han River is fourth longest river on the Korean Peninsula. _____

10 I saw some leopard cubs while traveling in Africa. Baby leopards seemed to be waiting for their mother. _____

C 우리말과 같은 뜻이 되도록 주어진 단어를 이용하여 문장을 완성하시오.

1 해변에 위치한 그의 여름 별장은 보트로만 갈 수 있다. (seashore, boat)

→ His summer house by _____ _____ is only reachable _____ _____.

2 그들은 저 벽에 있는 그림이 빈센트 반 고흐의 작품인지 궁금해 한다. (painting, Vincent van Gogh)

→ They are wondering if _____ _____ on that wall is _____ _____

_____ _____.

3 우리 가족은 재충전을 위해서 한 달에 한 번 바닷가에 가곤 했다. (go, beach, once, month)

→ My family used to _____ _____ _____ _____ _____

_____ to refresh ourselves.

4 결과적으로, 그 보석은 파리에서 70만 달러가 넘는 가격에 팔렸다. (result, jewelry, be sold, Paris)

→ _____ _____ _____ _____, _____ _____ _____ _____

_____ _____ for more than seven million dollars.

5 뇌의 가장 큰 부분이 우리의 의식적인 행동과 생각을 통제한다. (big, part, conscious, actions, thoughts)

→ _____ _____ _____ of the brain controls _____ _____

_____ _____ _____.

6 1855년에 미시시피강을 가로지르는 첫 번째 다리가 건설되었다. (first bridge, across, Mississippi River, be built)

→ _____ _____ _____ _____ _____ _____ _____

_____ _____ in 1855.

D 우리말과 같은 뜻이 되도록 주어진 단어를 배열하시오.

1 그들은 올 여름에 3주 동안 지중해 선상 여행을 할 계획이다. (three weeks, Mediterranean, spend, cruising, the)

→ They are planning to _____ this summer.

2 하키는 감정을 표출할 배출구가 필요한 사람들에게 좋은 운동이다. (an, a, outlet, need, people, good sport, for)

→ Hockey is _____ who _____ to express their feelings.

3 그 유명한 재즈 피아니스트가 서울에 온 것은 이번이 세 번째이다.

(the, the, famous jazz pianist, has visited, third time, Seoul, that)

→ This is _____.

4 피아노 연주에 비해서 바이올린 연주를 잘 하려면 더 많은 연습이 필요하다.

(the, the, playing, piano, to play, a lot more practice, violin)

→ Compared to _____, it takes _____ well.

5 그 잡지는 웹사이트에 실수로 엉뚱한 배우를 오스카 수상자로 목록에 올려놨다.

(a, the, mistake, wrong actor, listed, as an Oscar winner, magazine, by)

→ _____ on its website.

Unit 11 대명사

A 주어진 대명사를 알맞게 바꿔 문장을 완성하시오.

1 Please arrange your schedule to fit _____. (I)

2 We have enough food. Help _____ to more! (you)

3 The umbrella she broke was not _____, but mine. (she)

4 She won't allow _____ to fail the driving test this time. (she)

5 The girl who fell into the river grabbed a log to save _____. (she)

6 He was astonished by the news, but he forced _____ to cool off. (he)

7 Fish have fins, live in water, and take in oxygen through _____ gills. (they)

8 The participants freely expressed _____ in their interviews. (they)

9 Every morning, I make _____ a ham and egg sandwich before I go to work. (I)

B 빈칸에 알맞은 대명사를 써넣으시오.

1 The brain is the most amazing part of your body. _____ billions of cells control everything you think and do.

2 Part of _____ personality is inherited from your parents, so if _____ are both fun-loving people, there's a good chance _____ will be the same.

3 The human skeleton consists of more than 200 bones. _____ protects the organs in our body and gives _____ muscles a firm place to which _____ are fixed.

4 Over 1.3 billion people live in China. _____ population is about four times as large as _____ of America, which has about 300 million citizens.

5 Our university's scholarships are far more diverse than _____ of Oxford University.

6 The speed of light is much faster than _____ of sound. That's why we see the lightning first before we hear the thunder.

7 Many young people move to big cities because _____ can get a better education and find greater job opportunities there.

8 Although Mark transferred to a new school a month ago, _____ is on good terms with _____ classmates. In fact, Mark is very popular among _____.

9 I can't lend you this laptop computer because it's not _____. Go and ask Jennifer. It's _____.

C 우리말과 같은 뜻이 되도록 주어진 단어를 이용하여 문장을 완성하시오.

1 그녀는 너무 화가 나서 자신을 통제하기가 힘들었다. (can, hardly, control)

→ She was so mad that _____ _____ _____ _____.

2 나는 그 없어진 열쇠가 내 것이라는 명확한 증거를 가지고 있어. (missing key, be)

→ I have tangible proof that _____ _____ _____ _____.

3 지구의 환경과 비슷한 환경을 지닌 행성을 찾는 것은 어렵다. (find, a planet, the earth)

→ _____ is hard _____ _____ _____ _____ with an atmosphere

like _____ _____ _____ _____.

4 다른 사람이 얘기하고 있을 때 끼어드는 것은 예의 바르지 않다. (interrupt, someone else, speak)

→ It is not polite _____ _____ when _____ _____ _____

_____.

5 그는 자신의 책상을 진공청소기로 청소하는 것이 간편하다고 생각했다. (find, convenient, clean, desk)

→ He _____ _____ _____ _____ _____ _____

with a vacuum cleaner.

6 부모들은 자신의 자녀들이 인생에서 올바른 길을 갈 수 있도록 훈육해야 한다. (should, discipline, children)

→ _____ _____ _____ _____ _____ so that they can choose the

right path in life.

D 우리말과 같은 뜻이 되도록 주어진 단어를 배열하시오.

1 누가 하늘은 스스로 돕는 자를 돕는다고 했니? (help, helps, those who, heaven, themselves)

→ Who said _____?

2 우리는 정치적인 자유를 누리는 것을 당연하게 받아들인다. (take, for granted that, we, it, political freedom, enjoy)

→ We _____.

3 하루에 10번에서 20번 정도 방귀를 뀌는 것은 정상이다. (normal, a day, to pass gas, 10 to 20 times)

→ It is _____.

4 당신은 자신의 맥박을 느끼면서 심장 박동수를 측정할 수 있다. (your pulse, can, your heart rate, by, measure, feeling)

→ You _____.

5 유치원에서는 여자아이들의 평균 신장이 남자 아이들의 평균 신장보다 크다.

(is, the average height of, that of, greater than, boys, girls)

→ In kindergarten, _____.

Unit 12 부정대명사

A 주어진 동사를 알맞게 바꿔 문장을 완성하시오. [현재 시제를 사용할 것]

1 Some of the milk _____ spilled on the rug, which is worth over $500. (be)

2 None of the books in the school library _____ classified alphabetically. (be)

3 My car is totally stuck in the mud. Either of you _____ to give it a push. (have)

4 Both of them _____ to get vaccinated before leaving on their trip to Africa. (have)

5 All couples, whether married or not, _____ to be faithful to each other. (need)

6 Each of these systems _____ been developed to solve different problems. (have)

7 None of us _____ to stand in line for such a long time to be admitted to that restaurant. (want)

8 Neither of the jackets _____ me. Can I try another one? (fit)

9 I bought some pecan pie yesterday. So far none of it _____ been eaten. (have)

B 밑줄 친 부분을 어법에 맞게 고치시오.

1 Amanda made her son a birthday cake. She hoped he would like <u>one</u>. → _____

2 I don't need boyfriend. All I need <u>are</u> somebody who listens to me. → _____

3 Do you know why some people have dark hair and <u>the others</u> have light? → _____

4 Every <u>corners</u> of his apartment <u>were</u> full of plastic models of ships and robots. → _____

5 We should admit that each <u>students</u> <u>have</u> his or her own personal characteristics. → _____

6 Some of my relatives <u>has decided</u> to leave their home country and live in Canada. → _____

7 My sister has three smart children. One was on the dean's list at high school,
   another got a scholarship, and <u>other</u> went to Harvard University. → _____

8 Some of the students <u>wasn't</u> able to go on the school field trip due to sickness. → _____

9 I watched two movies last weekend, but I didn't like <u>neither</u> of them. → _____

10 I didn't like the backpack that the clerk recommended to me.
   In fact, <u>none</u> the backpacks in the store was to my taste. → _____

11 I went to the school exhibition to see the students' paintings. <u>All painting has</u>
   its own style and beauty. → _____

C 우리말과 같은 뜻이 되도록 주어진 단어를 이용하여 문장을 완성하시오.

1 내 옷이 모두 유행이 지나서 쇼핑을 하고 싶다. (all, clothes)

→ I want to go shopping because _____ _____ _____ _____ are out of fashion.

2 나의 아이들 중 누구도 얼음 낚시를 가 본적이 없다. (neither, children)

→ _____ _____ _____ _____ has gone ice-fishing.

3 어떤 악기들은 다른 악기들보다 배우기 쉽다. (some, musical instrument)

→ _____ _____ _____ are easier to learn than _____ .

4 사고 당시에 안전모를 쓰고 있던 인부는 없었다. (none, worker)

→ At the time of the accident, _____ _____ _____ _____ was wearing safety helmets.

5 그의 동료 중 몇몇은 그가 승진할 자격이 있다고 생각하지 않는다. (colleague, think)

→ _____ _____ _____ _____ _____ _____ that he deserves to get a promotion.

6 나는 일란성 쌍둥이를 둔 부모가 어떻게 한 명을 다른 한 명과 구분하는지 정말 궁금하다. (tell, from)

→ I'm very curious how parents of identical twins can _____ _____ _____ _____ _____ .

7 각각의 점심 도시락에는 두 개의 치킨 샌드위치와 탄산수 한 병이 들어 있습니다. (each, the lunch box, contain)

→ _____ _____ _____ _____ _____ _____ two chicken sandwiches and one bottle of sparkling water.

D 우리말과 같은 뜻이 되도록 주어진 단어를 배열하시오.

1 이 사과는 썩었어요. 다른 것으로 주시겠어요? (me, one, you, another, give)

→ This apple is rotten. Could _____ ?

2 그녀의 한마디 한마디가 청중을 감동시켰다. (the audience, every, of her speech, word, touched)

→ _____

3 그들의 직원 중 누구도 그 분야에 경력이 있는 사람이 없다. (of, experience, none, has, their employees)

→ _____ in the field.

4 그들 중 누구도 옷에 그렇게 많은 돈을 쓰고 싶어 하지는 않는다. (a lot of, neither, to spend, of, wants, them, money)

→ _____ on their clothes.

5 이 신문 각각은 자신의 주 독자층이 있다. (of, has, each, target readers, these newspapers, its own)

→ _____

6 그들 둘 다 기밀을 발설하지 않았다고 부인하고 있다. (of, the confidential information, them, revealing, both, deny)

→ _____

to부정사의 시제와 태

A 주어진 단어를 to부정사로 바꿔 문장을 완성하시오. [시제와 태에 주의할 것]

1 Jack is so lucky ＿＿＿＿＿ ＿＿＿＿＿ ＿＿＿＿＿ a serious injury. (escape)

2 The roof of your house appears ＿＿＿＿＿ ＿＿＿＿＿ ＿＿＿＿＿ ＿＿＿＿＿. (repaint)

3 I expect my husband ＿＿＿＿＿ ＿＿＿＿＿ ＿＿＿＿＿ as a professor next year. (hire)

4 The residents hope ＿＿＿＿＿ ＿＿＿＿＿ volunteer medical services. (provide)

5 My parents appear ＿＿＿＿＿ ＿＿＿＿＿ ＿＿＿＿＿ last night's dance party. (enjoy)

6 The company can't afford ＿＿＿＿＿ ＿＿＿＿＿ the staff's salary anymore. (raise)

B 두 문장의 의미가 통하도록 문장을 완성하시오.

1 It seems that he injured his leg in the accident.

→ He seems ＿＿＿＿＿＿＿＿＿＿＿＿＿＿＿＿＿＿＿ in the accident.

2 It seems that she lost a lot of weight during the summer vacation.

→ She seems ＿＿＿＿＿＿＿＿＿＿＿＿＿＿＿＿ during the summer vacation.

3 It seems that the daily schedule has been posted on the board since last week.

→ The daily schedule seems ＿＿＿＿＿＿＿＿＿＿＿＿＿＿ since last week.

4 It seemed that Judy and Maggie had argued with each other.

→ Judy and Maggie seemed ＿＿＿＿＿＿＿＿＿＿＿＿＿＿＿.

5 It seemed that Mr. Pitt was very satisfied with his job.

→ Mr. Pitt seemed ＿＿＿＿＿＿＿＿＿＿＿＿＿＿.

C 빈칸에 for와 of 중 알맞은 것을 써넣으시오.

1 It is very clever ＿＿＿＿＿ you to grasp the situation in a flash.

2 It was quite natural ＿＿＿＿＿ them to fall in love and get married.

3 It was not polite ＿＿＿＿＿ her to stick out her tongue at people.

4 It won't be comfortable ＿＿＿＿＿ her to wear the tight black jeans.

5 It's crucial ＿＿＿＿＿ translators to sense differences in nuance.

6 It was very nice ＿＿＿＿＿ the student to show me around the school.

7 It was unusual ＿＿＿＿＿ him to come up with such a bright idea during the class.

8 It is very kind ＿＿＿＿＿ you to have invited all of us to your housewarming party.

우리말과 같은 뜻이 되도록 주어진 단어를 이용하여 문장을 완성하시오.

1 그 대표자들은 규정을 준수하는 데 동의했다. (agree, keep, the regulations)

→ The delegates _____ _____ _____ _____ _____.

2 나의 직장 동료는 내게 주식에 투자하지 말라고 충고했다. (advise, not, invest)

→ My colleague _____ _____ _____ _____ in stock.

3 그들은 다가오는 경기에 대비해 훈련을 열심히 해 왔던 것처럼 보인다. (seem, be training, hard)

→ They _____ _____ _____ _____ _____ for the upcoming competition.

4 우리 엄마는 나를 설득해서 이 요리 교실을 신청하게 했다. (persuade, sign up for)

→ My mom _____ _____ _____ _____ _____ this cooking class.

5 내 여동생은 지금까지 계속해서 식단 조절을 해오고 있다. (continuously, manage, adjust, her diet)

→ So far my sister _____ _____ _____ _____ _____ _____.

6 청중은 아카데미 여우주연상이 발표되기를 기다렸다. (wait for, the Academy Award for Best Actress, announce)

→ The audience _____ _____ _____ _____ _____ _____ _____ _____ _____.

우리말과 같은 뜻이 되도록 주어진 단어를 배열하시오.

1 그들은 그 약속이 연기되기를 바란다. (postponed, the appointment, to, want, be)

→ They _____.

2 그 비밀 메시지는 아무 소용이 없는 것으로 밝혀졌다. (turned out, be, useless, to)

→ The secret messages _____.

3 그들 둘 다 서로를 모르는 척 했다. (to, not, pretended, each other, both of them, know)

→ _____.

4 Ben은 이미 그 보고서를 끝낸 것처럼 보인다. (seems, already finished, have, the report, to)

→ Ben _____.

5 나의 딸은 대학을 중도에 포기하지 않기로 약속했다. (college, to, promised, drop out of, not)

→ My daughter _____.

6 그는 대학에 장학금을 신청하려고 계획 중이다. (in university, apply for, is planning, the scholarship, to)

→ He _____.

7 Claire는 남자 친구가 자신을 근사한 저녁 식사에 데려 가리라 기대했다.

(to a nice dinner, expected, her boyfriend, take, her out, to)

→ Claire _____.

to부정사의 쓰임

Unit 14

A 보기 에서 알맞은 동사를 골라 to부정사로 바꿔 문장을 완성하시오.

[1-5] 보기 deliver   get off   protect   skip   cover with

1 Could you please tell me where _____?

2 It's very important not _____ meals if possible.

3 Those containers on the shelf need lids _____.

4 It was nice of you _____ a food basket to my hospital room.

5 People should apply sunscreen every two hours _____ their skin.

[6-10] 보기 deal with   be   leave   put on   visit

6 The prime minister is _____ Russia next week.

7 The dermatologist gave me some ointment _____.

8 The lawmaker has lots of pending issues _____.

9 The new department store is _____ located in New York.

10 You are not _____ the classroom until the test is over.

B 두 문장이 같은 의미가 되도록 to부정사를 이용하여 문장을 완성하시오.

1 Dogs cannot be left off the leash in the park.

   → Dogs _____ off the leash in the park.

2 She was destined to become the queen of the country.

   → She _____ the queen of the country.

3 You should handle those crystal cups with special care.

   → You _____ those crystal cups with special care.

4 Secrets of the magic are going to be revealed in a minute.

   → Secrets of the magic _____ in a minute.

5 If you intend to win a medal in the Olympics, you should practice very hard.

   → If you _____ a medal in the Olympics, you should practice very hard.

6 The newly renovated Chinese restaurant is scheduled to reopen next week.

   → The newly renovated Chinese restaurant _____ next week.

C 우리말과 같은 뜻이 되도록 주어진 단어를 이용하여 문장을 완성하시오.

1 사람들은 언제라도 기댈 수 있는 친구가 필요하다. (need, friends, rely on)

→ People _____ _____ _____ _____ _____ at any time.

2 Max는 몹시 화가 났지만 이성을 잃지 않으려고 노력했다. (try, not, lose, his temper)

→ Max was furious, but _____ _____ _____ _____ _____ _____.

3 우리 엄마는 벌써 나를 위해 알맞은 신랑감을 찾기 시작했다. (start, search for, eligible man)

→ My mom has already _____ _____ _____ _____

_____ _____ for me.

4 과일과 채소를 씻을 때 농약을 제거하기 위해 베이킹 소다를 사용해라. (use, baking soda, remove, pesticide)

→ When you wash fruit and vegetables, _____ _____ _____ _____

_____ _____.

5 나의 여동생은 옛 친구들과 지속적으로 연락하기 위해 많은 노력을 했다. (make, great efforts, keep in touch)

→ My sister _____ _____ _____ _____ _____

_____ with her old friends.

D 우리말과 같은 뜻이 되도록 주어진 단어를 배열하시오.

1 그 교수는 이 이론을 뒷받침할 결정적 증거들을 가지고 있다. (this theory, support, to, has, conclusive evidences)

→ The professor _____.

2 그는 너무 바빠서 나의 제안서를 검토할 기회가 없었다. (hadn't got, my proposal, a chance, to, so busy, review, that, he)

→ He was _____.

3 먹을 것을 고르는 것 좀 도와주세요. (choose, help, what, me, to eat)

→ Please _____.

4 결혼기념일에 로맨틱한 분위기를 연출하기 위해 향초를 사용해라.

(use, create, to, aromatic candles, a romantic atmosphere)

→ _____ on your wedding anniversary.

5 그의 여동생은 자신의 장난감과 다른 사람의 장난감을 구별하기 시작했다.

(her toys, from someone else's, started, distinguish, to)

→ His sister _____.

동명사의 쓰임

A 두 문장의 의미가 통하도록 문장을 완성하시오.

1 She insisted that she cook the meal her own way.

→ She insisted on _____.

2 Do you mind if we speak in English for a while?

→ Do you mind _____?

3 Pets hate that they are abandoned by their owners.

→ Pets hate _____.

4 She denies that she made false statements to the police intentionally.

→ She denies _____.

5 The company apologized because it had illegally disposed of toxic waste.

→ The company apologized for _____.

6 We really appreciate the fact that you shared your ideas with us at the conference.

→ We really appreciate your _____.

7 He admits that he has a different opinion on their children's education from his wife's.

→ He admits _____.

B 밑줄 친 부분을 어법에 맞게 고치시오.

1 They insist on <u>he</u> being present at the meeting.　　　　→ _____

2 She's happy about <u>failing not</u> the exam this time.　　　　→ _____

3 Making two films at the same time <u>require</u> a lot of energy.　　→ _____

4 Taking care of babies <u>are</u> not as easy as you think.　　　→ _____

5 <u>Drink</u> too much coffee can increase your risk of insomnia.　　→ _____

6 Who is in charge of <u>advertise</u> job openings in the magazine?　→ _____

7 My puppy dislikes <u>be</u> alone when there's thunder and lightning.　→ _____

8 During a recession, people tend to hesitate about <u>buy</u> things they want.　→ _____

9 People complain that they cannot walk around the city without <u>be</u> stopped by fundraisers.　→ _____

10 Mr. Choi thought Jessy was very familiar, and he remembered <u>meet</u> her at last year's Christmas party.　→ _____

C 우리말과 같은 뜻이 되도록 주어진 단어를 이용하여 문장을 완성하시오.

1 나의 정원에 있는 그 식물은 작년 이맘때 싹이 돋기 시작했다. (start, sprout, this time)

→ The plant in my garden _____ _____ _____ _____ last year.

2 과식은 소아비만의 가능성을 높일 수 있다. (overeat, increase, the chance)

→ _____ _____ _____ _____ _____ of childhood obesity.

3 나는 치매에 걸린 사람을 위한 후원 단체에 가입하려고 생각 중이다. (consider, join, a support group)

→ I'm _____ _____ _____ _____ for people with dementia.

4 제가 우리의 하루 일정에 대해 이야기해도 될까요? (mind, talk about)

→ _____ _____ _____ _____ _____ our daily schedule?

5 그 배우들은 안네 프랑크를 다룬 연극 연습에 집중하고 있다. (concentrate on, rehearse, a play)

→ The actors _____ _____ _____ _____ _____ about Anne Frank.

6 그들 둘 다 2014년에 3개월 동안 그곳에 있었던 것을 인정했다. (admit, be, there, three months)

→ Both of them _____ _____ _____ _____ _____ _____ _____ in 2014.

7 항상 놀기만 하고 아무것도 하지 않으면 낙오될 위험이 있다. (do, anything, risk, be left behind)

→ If you play all the time and _____ _____ _____, you _____ _____ _____ _____.

D 우리말과 같은 뜻이 되도록 주어진 단어를 배열하시오.

1 우리 엄마는 나에게 일기 쓰는 것을 미루지 말라고 말씀하셨다. (put off, a journal, not, writing, should)

→ My mom told me that I _____.

2 그는 우리와 함께 그 프로젝트를 하는 것을 꺼리는 것 같았다. (avoid, the project, seemed, with us, doing, to)

→ He _____.

3 너는 당장 모든 것에 대해 불평하는 것을 그만 두는 게 좋을 거야. (quit, everything, had better, complaining about)

→ You _____ right now.

4 나는 주말이면 아빠와 함께 배드민턴을 치는 것을 즐기곤 했다. (with my dad, playing badminton, used to, enjoy)

→ I _____ during the weekends.

5 우리는 우리의 현금 흐름을 극대화하기 위한 방법을 찾아야 한다. (our cash flow, need, a way of, to find, maximizing)

→ We _____.

6 너는 네가 매일 얼마나 많은 카페인을 섭취하는지 계속 주의를 기울여야 한다.

(you, keep, how much caffeine, paying attention to, take in)

→ You have to _____ every day.

Unit 16 동명사 *vs.* 부정사

A 주어진 동사를 to부정사 또는 동명사로 바꿔 문장을 완성하시오.

1 Don't forget _____ (brush) your teeth after you eat.

2 Before I went out, Jack reminded me _____ (buy) some light bulbs.

3 Please get real. You can't go on _____ (live) like a millionaire anymore.

4 Do you mind _____ (pick up) my coat at the dry cleaner's on your way home?

5 He still believes that he did the right thing. He doesn't regret _____ (do) that.

6 I remember _____ (lock) the door. You cannot enter the house without the key.

7 Try _____ (not, look at) your book, and answer each question on the sheet.

8 The cupboard in the kitchen needs _____ (fix) since it's tilted slightly to the right.

9 What is the name of that song? It reminds me of _____ (travel) to Canada when I was in my 20s.

10 In order to make ricotta cheese, you should remember _____ (allow) time for draining overnight.

11 The doctor said that I'm addicted to caffeine, and I'm trying to quit _____ (drink) caffeinated beverages including coffee.

B 보기 에서 동사를 골라 어법에 맞게 바꿔 문장을 완성하시오.

[1-4] 보기   understand   walk   play   help

1 Let me _____ you pack up your stuff.

2 He couldn't get her _____ what he was saying.

3 I've always wanted to learn _____ a musical instrument.

4 One of my neighbors saw the stranger _____ around our backyard.

[5-8] 보기   go   feel   get   step off

5 I watched my kids _____ the school bus.

6 My boss reminded me not _____ involved in anything like this.

7 The medicine always makes her _____ sick and unable to sleep.

8 I wanted to travel around Europe, but she suggested _____ to the USA.

C 우리말과 같은 뜻이 되도록 주어진 단어를 이용하여 문장을 완성하시오.

1 그 아이들은 너무 배가 고파서 피자를 게걸스럽게 먹기 시작했다. (begin, devour)

   → The kids were so hungry that they _____ _____ _____ _____.

2 그는 할 수 있는 한 공항으로 떠나는 것을 미뤘다. (delay, leave, for the airport)

   → He _____ _____ _____ _____ _____ as long as he could.

3 그 상사는 항상 직원에게 열심히 일하라고 충고한다. (advise, her staff, work, hard)

   → The boss always _____ _____ _____ _____ _____ _____.

4 우리는 날씨가 나빠서 소풍 가는 것을 연기했다. (postpone, go, on a picnic)

   → We _____ _____ _____ _____ because of terrible weather.

5 그는 너무 뚱뚱해져서 음료수를 마시지 않기로 결정했다. (decide, quit, drink, soft drinks)

   → He _____ _____ _____ _____ _____ as he got too fat.

6 가슴에 계속 통증이 느껴진다면 건강 검진을 받아야 한다. (continue, have, pain, in your chest)

   → If you _____ _____ _____ _____ _____ _____, you should get a checkup.

D 우리말과 같은 뜻이 되도록 주어진 단어를 배열하시오.

1 그녀는 겨우 그 과제를 마쳤다. (the assignment, managed, accomplish, to)

   → She _____.

2 우리 부모님은 대학에 진학하도록 나를 설득했다. (go, me, persuaded, to college, to)

   → My parents _____.

3 나는 아침에 베이컨과 계란을 먹는 것을 좋아한다. (love, for breakfast, bacon and eggs, to, eat)

   → I _____.

4 그녀의 엄격한 훈육 덕에 아이들은 파티에서 예의 바르게 행동했다. (behave, made, her kids, politely)

   → Her firm discipline _____ at the party.

5 유감스럽지만 네가 그 생각을 실행에 옮기는 것은 쉽지 않다. (for, to, to, the idea, regret, put, say, you)

   → I _____ that it's not easy _____ into action.

6 사람들은 계속 안으로 들어왔지만 가게에는 충분한 공간이 없었다. (moving in, not, room, kept, enough, was, there)

   → People _____, but _____ in the shop.

7 커피에 크림을 넣어서 마시는 것과 크림 없이 마시는 것 중 어떤 걸 선호하세요?

   (with cream, or, drinking coffee, do, you, without cream, prefer)

   → Which _____?

Unit 17 부정사와 동명사의 관용 표현

A 주어진 단어를 어법에 맞게 바꿔 문장을 완성하시오.

1 He was too shy ＿＿＿＿＿＿＿＿ her out when they first met. (ask)

2 ＿＿＿＿＿＿＿＿ matters worse, she had to file for bankruptcy. (make)

3 Her remark was too provocative for us ＿＿＿＿＿＿＿＿ calm. (remain)

4 A lot of children spend their free time ＿＿＿＿＿＿＿＿ computer games. (play)

5 When he saw people eating larvae on TV, he felt like ＿＿＿＿＿＿＿＿. (throw up)

6 If she continues having trouble sleeping, she should stop ＿＿＿＿＿＿＿＿ coffee. (drink)

7 When it comes to ＿＿＿＿＿＿＿＿ dog behavior problems, no one matches Mr. Cook. (deal with)

8 She is very angry at you now. You had many chances ＿＿＿＿＿＿＿＿ to her but you blew them! (apologize)

9 ＿＿＿＿＿＿＿＿ with, the government should take immediate action to protect refugees. (begin)

10 I'm sorry I didn't answer the phone. You know I was busy ＿＿＿＿＿＿＿＿ Thanksgiving dinner. (prepare)

11 It's no use ＿＿＿＿＿＿＿＿ over spilt milk. Just let it go and try not ＿＿＿＿＿＿＿＿ the same mistake again. (cry, make)

12 Needless to ＿＿＿＿＿＿＿＿, his new book will provoke a lot of controversy. (say)

B 보기 에서 동사를 골라 알맞은 형태로 바꿔 문장을 완성하시오.

[1-4] 보기   live   hold   make   increase

1 The hall has enough seats to ＿＿＿＿＿＿＿ 500 people.

2 The opposition party objected to ＿＿＿＿＿＿＿ taxes.

3 Unfortunately, he is asthmatic and has adjusted to ＿＿＿＿＿＿＿ with inhalers.

4 I got up very late. ＿＿＿＿＿＿＿ matters worse, it was snowing heavily, and the traffic was really slow.

[5-8] 보기   protect   bring   meet   apply

5 This cream is mild enough to ＿＿＿＿＿＿＿ to babies from six to twelve month old.

6 When it comes to ＿＿＿＿＿＿＿ our environment, we need stricter environmental laws.

7 A number of civil and religious organizations are opposed to ＿＿＿＿＿＿＿ back the death penalty.

8 He broke up with his girlfriend two years ago and now looks forward to ＿＿＿＿＿＿＿ someone new.

C 우리말과 같은 뜻이 되도록 주어진 단어를 이용하여 문장을 완성하시오.

1 먹는 습관에 대해 말하자면, 나도 할 말이 많다. (when, eat, habits)

→ _____ _____ _____ _____ _____ _____, I have a lot to
say, too.

2 Mark는 외국에서 혼자 사는 것에 익숙해지고 있다. (get used, live, alone)

→ Mark _____ _____ _____ _____ _____ _____ in a foreign
country.

3 솔직하게 말하자면, 나는 이 문제를 어떻게 해결해야 할지 모르겠다. (honest, how, solve, this problem)

→ _____ _____ _____ _____ _____, I have no idea _____

_____ _____ _____ _____.

4 우리 아이들은 산타클로스에게 선물을 받는 것을 기대하고 있다. (forward, get, Christmas presents)

→ My kids _____ _____ _____ _____ _____ _____

_____ from Santa Claus.

5 설상가상으로, 우리 부모님은 우리가 심하게 싸우고 있는 모습을 보았다. (worse, see, have, a big fight)

→ _____ _____ _____ _____ _____, my parents _____ _____

_____ _____ _____ _____.

D 우리말과 같은 뜻이 되도록 주어진 단어를 배열하시오.

1 네 자신을 탓해봐야 소용없어. 네가 할 수 있는 일은 아무것도 없어. (blaming, no, it's, yourself, use)

→ _____ There's nothing you can do.

2 나의 여동생은 12살에 이의 요정을 믿을 정도로 순진했다. (to, the tooth fairy, naive, was, enough, believe in)

→ My little sister _____ at age 12.

3 그 연예기획사는 그 톱스타의 결혼을 발표하는 것에 반대했다. (to, opposed, announcing, the top star's marriage, was)

→ The entertainment agent _____.

4 우리가 시골에서 사는 데 적응하기 위해서는 시간이 좀 필요할 것이다.

(to, some time, in the country, for us, adjust to, living, take)

→ It will _____.

5 나는 새로 생긴 그 북카페에 읽을 책이 충분하지 않은 것이 아주 실망스럽다.

(to, the new book cafe, have, enough, read, books, doesn't)

→ I'm very disappointed that _____.

6 그녀는 아들이 자신의 인생 전부를 부와 명예를 좇는 데 소비하는 것을 안타깝게 생각했다.

(his whole life, pursuing, spent, wealth and fame)

→ She felt sorry that her son _____.

Unit 18 can, could, may, might

A 주어진 단어를 이용하여 대화를 완성하시오.

1 **A** Did you feed the fish this morning?

　　B Oh, I forgot to, but Mariana ＿＿＿＿＿ ＿＿＿＿＿ ＿＿＿＿＿ (may, feed) them.

2 **A** If you're finished, ＿＿＿＿＿ ＿＿＿＿＿ ＿＿＿＿＿ (may, use) the laptop computer?

　　B Sure. I don't need it until tomorrow.

3 **A** I'm so sorry, but some of my friends ＿＿＿＿＿ ＿＿＿＿＿ ＿＿＿＿＿ (may, not, come) today.

　　B Oh, you ＿＿＿＿＿ ＿＿＿＿＿ ＿＿＿＿＿ (could, tell) me in advance. There will be lots of food left over.

4 **A** I forgot to bring some tissues. ＿＿＿＿＿ ＿＿＿＿＿ ＿＿＿＿＿ (may, borrow) some?

　　B I'm sorry. I don't have any. My husband ＿＿＿＿＿ ＿＿＿＿＿ ＿＿＿＿＿ (might, bring) some. Let me ask him.

5 **A** Excuse me. I ＿＿＿＿＿ ＿＿＿＿＿ ＿＿＿＿＿ (might, leave) my purse in the room. ＿＿＿＿＿ ＿＿＿＿＿ ＿＿＿＿＿ ＿＿＿＿＿ (can, go back) and check?

　　B Absolutely. ＿＿＿＿＿ ＿＿＿＿＿ ＿＿＿＿＿ (may, ask) your room number?

B 보기 에서 알맞은 말을 골라 문장을 완성하시오.

[1-4] 보기　　may not think　　can be used　　can't buy　　might succeed

1 I ＿＿＿＿＿＿＿ that house. It's too expensive for me.

2 You ＿＿＿＿＿＿＿ that money is very important in your life.

3 You ＿＿＿＿＿＿＿ this time if you don't give up and try one more time.

4 The accessories of our camera ＿＿＿＿＿＿＿ interchangeably with the ones from others.

[5-8] 보기　　might have cried　　could have left　　could have met　　might have seen

5 At least, you ＿＿＿＿＿＿＿ some cookies for me!

6 She looks familiar to me. I ＿＿＿＿＿＿＿ her before.

7 If you had made a reservation, you ＿＿＿＿＿＿＿ him.

8 My son ＿＿＿＿＿＿＿ if the same thing had happened one year ago.

C 우리말과 같은 뜻이 되도록 주어진 단어를 이용하여 문장을 완성하시오.

1 확실하지는 않지만, 나는 올해 뉴욕에 계신 이모를 방문할지도 몰라. (might, visit, my aunt)

   → I am not sure but ＿＿＿＿＿ ＿＿＿＿＿ ＿＿＿＿＿ ＿＿＿＿＿ ＿＿＿＿＿ in New York this year.

2 나는 그 후보가 당선될 수 있을 거라고 낙관하고 있다. (the candidate, can, win, the election)

   → I remain optimistic that ＿＿＿＿＿ ＿＿＿＿＿ ＿＿＿＿＿ ＿＿＿＿＿ ＿＿＿＿＿ ＿＿＿＿＿.

3 그는 나에게 그 사고에 대해 설명할 기회를 줄 수 있었을 텐데. (could, give, a chance)

   → He ＿＿＿＿＿ ＿＿＿＿＿ ＿＿＿＿＿ ＿＿＿＿＿ ＿＿＿＿＿ ＿＿＿＿＿ to explain the accident.

4 그 영화의 결말이 너무 슬퍼서 나는 울 수 밖에 없었다. (sad, can't, help, cry)

   → The ending of the movie was ＿＿＿＿＿ ＿＿＿＿＿ that ＿＿＿＿＿ ＿＿＿＿＿ ＿＿＿＿＿ ＿＿＿＿＿.

5 나는 애완용 물고기가 너무 많아. 네가 원하는 만큼 가질 수 있어. (can, have, as many as, want)

   → I have too many pet fish. You ＿＿＿＿＿ ＿＿＿＿＿ ＿＿＿＿＿ ＿＿＿＿＿ ＿＿＿＿＿ ＿＿＿＿＿ ＿＿＿＿＿.

6 그가 돈을 내 계좌로 송금해 주지 않으면 우리는 여행을 떠날 수 없다. (can't, go on a trip)

   → ＿＿＿＿＿ ＿＿＿＿＿ ＿＿＿＿＿ ＿＿＿＿＿ ＿＿＿＿＿ if he doesn't transfer money into my account.

D 우리말과 같은 뜻이 되도록 주어진 단어를 배열하시오.

1 지금이 몇 시인지 말해 줄 수 있어요? (what time, now, can, tell, you, me, is, it)

   → ＿＿＿＿＿＿＿＿＿＿＿＿＿＿＿＿＿＿＿＿＿＿

2 당신이 편할 때 언제든지 저희 꽃집에 들르도 됩니다. (may, my flower shop, drop by, you)

   → ＿＿＿＿＿＿＿＿＿＿＿＿ whenever it is convenient for you.

3 위원회는 그 문제에 대해서 결론을 내지 못했다. (reach, could, on the issue, not, a conclusion)

   → The committee ＿＿＿＿＿＿＿＿＿＿＿＿＿＿＿＿.

4 그가 미리 준비했더라면, 발표를 더 잘했을지도 모른다. (might, a better presentation, made, he, have)

   → ＿＿＿＿＿＿＿＿＿＿＿ if he had prepared for it in advance.

5 우리는 그가 자신의 약속을 지키는 것에 대해 그를 존경할 수밖에 없다. (cannot, admire, for keeping, but, him, his promise)

   → We ＿＿＿＿＿＿＿＿＿＿＿＿＿＿＿＿.

6 우리는 많은 사람이 새로 문을 연 시민 문화 회관을 이용할 수 있기를 바랍니다.

   (use, many people, our newly opened community center, can)

   → We hope ＿＿＿＿＿＿＿＿＿＿＿＿＿＿＿＿.

Unit 19
must, should, had better, don't have to

A 보기 에서 알맞은 말을 골라 문장을 완성하시오.

[1-4] 보기   must have eaten   must not have been
              should have called   should not have washed

1 Why are you so late? You _____ me.

2 Did you have a stomach ache yesterday? You _____ spoiled food.

3 She _____ whites and colors together. Her white shirt turned grey.

4 Some of the audience _____ interested in the lecture. They dozed off before it
   was over.

[5-8] 보기   had better not touch   had better check
              don't have to apologize   must not take

5 You _____ your vehicle before a long drive.

6 You _____ to me. It's not your fault.

7 You _____ other people's stuff without permission.

8 You _____ the pimple with dirty hands.

B 밑줄 친 부분에 주의하여 해석을 완성하시오.

1 The hotel had to employ untrained interns due to a shortage of labor.

   → 그 호텔은 인력난 때문에 훈련되지 않은 인턴을 _____.

2 You'd better not mention anything about Tom in front of Susie.

   → Susie가 있는 자리에서 Tom에 대한 것은 _____.

3 He must have spent his entire life inventing new technologies.

   → 그는 새로운 기술을 개발하는 데 자신의 인생 전부를 _____.

4 The leading candidate for president should not have been involved in the scandal.

   → 그 유력한 대통령 후보는 그 스캔들에 _____.

5 The party planner should have prepared a lot more to give the children a memorable day.

   → 그 파티플래너는 아이들에게 기억에 남을만한 하루를 선사하기 위해 더 많은 _____.

6 A house should be designed to be environmentally friendly in order to prevent sick building syndrome.

   → 집은 새집 증후군을 방지하기 위해 친환경적으로 _____.

C 우리말과 같은 뜻이 되도록 주어진 단어를 이용하여 문장을 완성하시오.

1 나는 그 정치가의 말이 진심이라고 생각하지 않아. 그가 농담하고 있는 것임이 틀림없어. (be joking)

→ I don't think the politician means it. He _____ _____ _____.

2 임신 중이라면 커피를 마시지 않는 것이 좋다. (had better, drink)

→ If you're pregnant, you _____ _____ _____ _____ _____.

3 그녀는 아주 힘든 삶을 살았던 것이 틀림없어. (have, a really difficult life)

→ She _____ _____ _____ _____ _____ _____.

4 이 컵케이크 맛이 좀 이상해. 모든 재료를 정확하게 계량했어야 했는데. (measure, all the ingredients)

→ This cupcake tastes weird. I _____ _____ _____ _____ _____ _____ exactly.

5 눈병에 걸린 환자들로부터 떨어져 있어야 한다. (ought to, stay away from, patients)

→ You _____ _____ _____ _____ _____ _____ with the eye disease.

6 냉장고 안에 무엇이 있는지 더 자주 확인해야 한다. (check out)

→ You _____ _____ _____ _____ what is inside the refrigerator more often.

7 그는 혼자서 모든 경제적인 문제를 처리할 필요는 없다. (have to, deal with, all the financial problems)

→ He _____ _____ _____ _____ _____ _____ by himself.

D 우리말과 같은 뜻이 되도록 주어진 단어를 배열하시오.

1 너는 다른 사람의 사생활을 침해해서는 안 된다. (invade, not, should, others' privacy)

→ You _____.

2 그는 공격적인 발언을 하지 말았어야 했는데. (made, not, have, should, offensive remarks)

→ He _____.

3 수술한 환자는 신체 활동에 참여하지 않는 것이 좋겠다. (not, physical activities, better, participate in, had)

→ Surgical patients _____.

4 회사는 나에게 해외 연수를 더 빨리 제공했어야 했다. (have, overseas training, me, offered, should)

→ The company _____ earlier.

5 전문가들은 우리가 하루에 약 8잔의 물을 마셔야 한다고 말한다. (drink, a day, about eight glasses, should, of water)

→ Experts say we _____.

6 나는 우리가 노인 복지 시설에서 자원봉사를 해야 한다고 생각한다. (ought, at welfare facilities, to, we, volunteer)

→ I think _____ for the aged.

will, would, used to

Unit 20

Ⓐ 주어진 동사를 알맞은 형태로 바꿔 문장을 완성하시오.

1 The wood from oak trees is used to _____ (make) some nice furniture.

2 I am used to _____ (get up) early, but it was difficult for me at first.

3 My brother didn't like the taste of olives, but he got used to _____ (eat) them.

4 A metronome is used to _____ (show) how fast a piece of music should be played.

5 A grater is a kitchen tool which is used to _____ (cut) food into very small pieces.

6 Egyptians used to _____ (believe) that the soul of the dead would return to the body after it was buried.

Ⓑ 보기 에서 알맞은 것을 골라 빈칸에 써넣으시오. [한 번씩만 쓸 것]

보기	would	used to	would like to	won't	is used to

1 They got up late, so they _____ be here in time.

2 Lemon _____ help stop the flow of blood from the wound.

3 My father _____ kiss me on the cheek before he left for work.

4 Today, what I _____ do is to review all the details of their wedding ceremony.

5 The singer _____ be afraid of performing in front of an audience, but now he enjoys it.

Ⓒ 밑줄 친 부분에 주의하여 해석을 완성하시오.

1 I am not used to reading during a bus ride.

→ 나는 버스를 타고 가면서 _____.

2 We would like to recommend getting counseling from a psychiatrist.

→ 저희는 정신과 의사와의 상담을 _____.

3 When I was young, I would play hide and seek in the park near my house.

→ 나는 어렸을 때 집 근처 공원에서 숨바꼭질을 하며 _____.

4 There used to be a traditional market on that block, but now it is occupied by a giant shopping mall.

→ 저 구역에는 전통 시장이 _____, 지금은 커다란 쇼핑몰이 자리하고 있다.

우리말과 같은 뜻이 되도록 주어진 단어를 이용하여 문장을 완성하시오.

1 당신은 더 확인하고 싶은 것이 있나요? (would like, check out)

→ Is there anything else you _____ _____ _____ _____ _____?

2 저에게 당신의 의견을 말씀해 주시겠습니까? (would, give, opinion)

→ _____ _____ please _____ _____ _____ _____?

3 60세 이상의 어른을 위한 정기적인 치과 검진이 있을 것이다. (be, a regular dental check-up)

→ There _____ _____ _____ _____ _____ _____ for adults
over sixty.

4 어떤 사람들은 차라리 무료 난방을 제공받지 않는 것이 낫겠다고 생각했다. (would rather, be provided)

→ Some people thought they _____ _____ _____ _____ _____
with free heating.

5 우리는 심하게 싸우곤 했지만 지금은 둘도 없는 친구 사이이다. (fight like cats and dogs)

→ We _____ _____ _____ _____ _____ _____,
but now we're best friends.

6 나는 사람들 앞에서 말하는 것에 익숙하지 않다. (be used to, talk)

→ I _____ _____ _____ _____ _____ in front of people.

우리말과 같은 뜻이 되도록 주어진 단어를 배열하시오.

1 그 대학생들은 공공서비스 분야에서 일하고 싶어 한다. (to, in public service, work, like, would)

→ The college students _____.

2 사업을 시작하는 것보다 취직하는 것이 낫겠다. (than, start, rather, get, my own business, would, a job)

→ I _____.

3 흑설탕은 피부에서 각질을 떼어내기 위해 사용된다. (to, from your skin, is, the dead cells, remove, used)

→ Brown sugar _____.

4 우리는 주말이면 시장에서 여러 가지 음식을 시식하곤 했다. (would, different kinds of, at the mart, taste, food)

→ We _____ on weekends.

5 그가 자신이 한 일을 깊이 반성하고 있기 때문에 사람들은 곧 그를 용서할 것이다. (him, will, soon, people, forgive)

→ _____ because he deeply regrets what he did.

6 그는 처음에는 룸메이트와 함께 지내는 것이 불편했지만, 이제는 그들과 함께 방을 쓰는 것이 익숙하다.

(with them, to, is, the room, he, sharing, used)

→ At first it was uncomfortable for him to stay with roommates, but now _____

_____.

21 추측, 제안, 요구, 허가

A 주어진 단어를 알맞은 형태로 바꿔 문장을 완성하시오.

1 Why don't you _____ a quick bite for lunch? (grab)

2 Would you mind _____ me pack this baggage? (help)

3 My notebook might _____ her, if she had read it. (help)

4 Would you mind if you _____ me a ride to the museum? (give)

5 He only got a C on the exam. He may not _____ hard enough. (study)

6 She hurt her legs very badly. She might not _____ able to walk by herself now. (be)

7 The foreigners might _____ to eat Korean food, so try asking them what they want to eat. (like)

8 Look! That water is frozen. The temperature must _____ below zero degrees Celsius last night. (fall)

9 Sarah must _____ very happy to have her own room. She keeps talking about her new room all day long! (be)

10 Let's _____ the cat to the vet. She won't even touch her food today. She might _____ sick. (take, be)

B 보기 에서 동사를 골라 어법에 맞게 바꿔 문장을 완성하시오.

보기	ask	force	work	delay

1 Would you mind _____ the night shift this month?

2 Would you mind if I _____ you a personal question?

3 Why don't you _____ the conference call for one hour?

4 Let's not _____ our children to eat vegetables at every meal.

C 보기 에서 동사를 고르고, must를 이용하여 문장을 완성하시오.

보기	be	solve	feel	go

1 You _____ the problem since you caused it.

2 The meatball _____ bad. I have a pain in my stomach.

3 He was addicted to coffee. It _____ difficult for him to cut down on it.

4 She _____ frustrated because she was not able to understand what her teacher said.

D 우리말과 같은 뜻이 되도록 주어진 단어를 이용하여 문장을 완성하시오.

1 저희 사진을 좀 찍어 주시겠어요? (mind, take, a picture)

→ Would _____ _____ _____ _____ _____ of us?

2 그는 첫 손자가 태어나서 틀림없이 매우 기뻤을 것이다. (must, be overjoyed)

→ He _____ _____ _____ _____ by the birth of his first grandchild.

3 이제, 다음 질문으로 넘어가 볼까요? (shall, go on to)

→ Now, _____ _____ _____ _____ _____ the next question?

4 친구 Alice와 함께 놀이동산에 놀러 가도 될까요? (could, go, to the amusement park)

→ _____ _____ _____ _____ _____ _____ _____

_____ with my friend Alice?

5 나머지 사람들이 무사히 나타날 때까지 기다려보자. (let, wait, the rest of them, turn up, safe)

→ _____ _____ until _____ _____ _____ _____

_____ _____ .

6 회사에서 집으로 가는 길에 나를 데리러 와 줄 수 있나요? (will, pick, up, on the way home)

→ _____ _____ _____ _____ _____ _____ _____

_____ _____ from work?

E 우리말과 같은 뜻이 되도록 주어진 단어를 배열하시오.

1 영업부 책임자와 통화할 수 있을까요? (can, the person, talk to, in charge of, I)

→ _____ the sales department?

2 발표 준비하는 것을 도와주시겠습니까? (helping, you, me, prepare for, would, mind)

→ _____ the presentation?

3 결정을 서두르지 말자. 모든 것에는 때가 있는 법이다. (let's, a decision, not, make, to, rush)

→ _____ There's a right time for everything.

4 이번 달에 헬스클럽에 등록하는 것이 어때? (why, sign up for, don't, the fitness center, you)

→ _____ this month?

5 당신의 경력에 대해 얘기해 줄 수 있나요? (your, could, tell, you, me, about, previous experience)

→ _____

6 그녀는 어머니가 아프셔서 수업을 많이 빠졌는지도 몰라. (her mother's illness, might, a lot of classes, have missed, due to)

→ She _____ .

7 하루만 당신의 미술 용품을 빌려가도 괜찮을까요? (would, mind, if, you, I, your art supplies, borrowed)

→ _____ just for one day?

형용사와 부사의 종류

A 보기 에서 알맞은 것을 골라 문장을 완성하시오.

| 보기 | rare | early | late | highly |

1 In the _____ days, women were not allowed to go to schools.

2 Legal services provided by the law firm are _____ diversified.

3 Environmental activists say this species of animal is very _____.

4 My mom was upset because my brother came home very _____.

B 주어진 단어를 '–ing'형이나 '–ed'형으로 바꿔 문장을 완성하시오.

1 interest ① I think documentaries are really _____. I like them a lot.

② They are _____ in protecting wild animals.

2 bore ① He found the political cartoon a little _____.

② My kids easily get _____ with staying indoors, especially in winter.

3 depress ① One of the most _____ things is losing your loved ones.

② Some _____ people are highly likely to go on a shopping spree.

C 주어진 단어 중 가장 적절한 것을 골라 문장을 완성하시오.

1 hard / hardly

① He has a job interview in 10 minutes. He's trying _____ to conceal his nervousness.

② The air in this area is so polluted that people can _____ breathe.

2 late / lately

① School violence has become a big issue _____.

② Are you sure she's going to be _____ for our appointment again?

3 near / nearly

① The company invested _____ two billion dollars in the development of new software.

② Silvia and her partner are planning to open a new Thai restaurant _____ downtown.

4 high / highly

① Jane Goodall is one of the most _____ respected experts on chimpanzees.

② The plane was flying _____ above the clouds when I saw a flash of lightning.

우리말과 같은 뜻이 되도록 주어진 단어를 이용하여 문장을 완성하시오.

1 내 포트폴리오에 대한 그들의 반응은 매우 실망스러웠다. (responses, disappoint)

→ Their _____ to my portfolio _____ _____ _____.

2 그 행위예술가는 자신만의 경험을 통해 영감을 받았다. (perform, inspire)

→ The _____ artist _____ _____ by his own experiences.

3 파란 체크무늬 셔츠를 입고 웃고 있는 여자가 보이니? (laugh, woman, check, shirt)

→ Can you see the _____ _____ in a blue _____ _____?

4 그녀는 너무 바빠서 거의 플루트를 연주하지 않는다. (play, the flute)

→ _____ _____ _____ _____ _____ because she is too busy.

5 그 관찰 결과는 많은 마을 사람들에게 충격적이었다. (results, be, shock)

→ _____ of the examination _____ _____ to many people in town.

6 그들이 인종차별주의자이자 보수주의자인 사람에게 투표를 했다는 것은 정말 놀라운 일이다. (really, surprise)

→ _____ _____ _____ _____ that they voted for the racist and conservative.

7 너희 직원들이 자신의 일에 만족한다는 것을 어떻게 확신하니? (satisfy, in their jobs)

→ How can you be sure that your employees are _____ _____ _____ _____?

우리말과 같은 뜻이 되도록 주어진 단어를 배열하시오.

1 재활용이 안 되는 그 낡은 소파를 버리자. (throw away, sofa, worn-out, the, let's)

→ _____ which can't be recycled.

2 우리의 판매 가격에는 세금과 봉사료가 포함되어 있습니다. (include, prices, our, tax, selling)

→ All _____ and service charges.

3 보고서의 복사본 몇 개가 관련 부서에 배포되었다. (distributed to, department, were, the concerned)

→ Several copies of the report _____.

4 나는 하루 종일 이 앨범을 듣는 것에 정말 질려버렸다. (this album, sick and tired of, really, listening to)

→ I'm _____ all day long.

5 수천 명이 넘는 사람들이 그 탄원서에 서명을 했다는 것은 충격적이었다. (over, that, shocking, was, people, it, thousands of)

→ _____ signed that petition.

6 박물관에 아이들을 위한 특별 행사를 강력히 추천합니다. (highly, for children at the museum, recommended, are)

→ The special events _____.

7 흥미진진하면서도 유익한 우리의 체험 활동에 참가하세요.

(both, our hands-on activities, and informative, are, exciting, which)

→ Join _____.

44

Unit **23** 형용사의 어순과 쓰임

A 밑줄 친 부분이 어색하다면 바르게 고치시오.

1 I bought a new leather nice jacket for my father. → _____

2 The patient became weakly as time passed. → _____

3 I am afraid that my mom is not familiar with mechanics. → _____

4 The lovely couple was sitting on the new large wooden table. → _____

5 I shouldn't have tried the sandwich. Actually it tasted weirdly. → _____

6 Recently, a lot of students have experienced strange something. → _____

7 I can't afford a silk long black dress which I saw in the shop window. → _____

8 Nobody will take your plan seriously because it sounds very unrealistically. → _____

9 An old interesting Korean painting hangs on the wall of my summer house. → _____

10 We don't like the place where we live now, but we can't find nicer anywhere. → _____

B 우리말과 같은 뜻이 되도록 보기 에서 알맞은 말을 골라 문장을 완성하시오.

[1-3] **보기**   afraid   alive   awake   live   frustrated   final

1 그 학생들은 오늘 밤 기말고사에 대비하여 공부하기 위해 깨어 있어야 한다.

  → The students have to keep _____ tonight to study for the _____ exam.

2 그 가수는 무대에서 공연할 때 살아있음을 느낀다. 그는 라이브 공연을 좋아한다.

  → The singer feels _____ when he performs on the stage. He loves _____ performance.

3 나는 발레리나가 되고자 한 그녀의 꿈이 그 자동차 사고로 인해 좌절될 것 같아 겁이 난다.

  → I'm _____ that her dream of becoming a ballerina will be _____ by the car accident.

[4-6] **보기**   best   last   busy   steep   difficult   delicious

4 맛있고 따뜻한 치킨 수프 한 그릇이 감기에는 최고다.

  → A bowl of _____ hot chicken soup is _____ for a cold.

5 지난주 이후로 그를 본 적이 없다. 그는 요새 꽤 바쁜 것 같다.

  → I haven't seen him since _____ week. He seems quite _____ these days.

6 나는 그 가파른 산의 정상에 올라갔을 때 숨쉬기가 어려웠다.

  → When I reached the summit of the _____ mountain, I found it _____ to breathe.

C 주어진 단어를 알맞게 배열하여 문장을 완성하시오.

1 They were having (enormous, meatballs, delicious).

→ They were having _____ _____ _____.

2 I like to watch (American, several, romantic comedies).

→ I like to watch _____ _____ _____ _____.

3 It's becoming fashionable to wear (gold, leather, gloves, driving).

→ It's becoming fashionable to wear _____ _____ _____ _____.

4 I'm going to take several days off. I need a (long, nice, vacation).

→ I'm going to take several days off. I need a _____ _____ _____.

5 What's that (square, silver, big, metal) appliance in the corner?

→ What's that _____ _____ _____ _____ appliance in the corner?

6 Many families are enjoying a (lovely, day, sunny) at the amusement park.

→ Many families are enjoying a _____ _____ _____ at the amusement park.

7 His mom made him (green, woolen, gorgeous, mittens) as a Christmas gift.

→ His mom made him _____ _____ _____ _____ as a Christmas gift.

D 우리말과 같은 뜻이 되도록 주어진 단어를 배열하시오.

1 커다란 초록 괴물은 내 딸이 가장 좋아하는 것 중 하나이다. (monster, one of, green, is, big, a)

→ _____ my daughter's favorites.

2 저 보라색 울 스웨터를 짠 사람은 Susan이다. (knitted, that, sweater, purple, woolen)

→ It is Susan who _____.

3 으깬 감자는 생크림을 조금 섞으면 맛이 더 좋다. (potatoes, fresh cream, some, mashed, better, taste)

→ _____ when _____ is added to them.

4 나는 누군가가 맛있는 것을 먹고 있으면 먹고 싶은 생각이 든다. (delicious, feel like, it, something, eating)

→ When I see someone having _____, I _____, too.

5 밸런타인데이에 우리는 특별한 사람들과 초콜릿을 주고받는다. (give and take, we, chocolate with, someone, special)

→ On Valentine's Day, _____.

6 우리 할머니는 아름다운 한국 민요인 아리랑을 부르곤 하셨다. (is, a, beautiful, Korean, which, traditional, song)

→ My grandmother used to sing *Arirang*, _____.

7 그는 돼지고기 튀김과 잘 어울리는 환상적인 새콤달콤한 소스를 만들고 있다.

(goes well with, sauce, sweet and sour, fantastic, fried pork)

→ He's making _____ that _____.

46

Unit 24 부사의 어순과 쓰임

A 주어진 단어를 알맞게 바꿔 문장을 완성하시오.

1 bad
  ① I don't feel good today. I had a _____ dream last night.
  ② Amy fell off a ladder and _____ hurt her back.

2 fluent
  ① The candidates speak both English and French _____.
  ② Candidate needs to be _____ both in English and French.

3 continuous
  ① My grandmother always complains about _____ headaches.
  ② It has been snowing _____ for a week.

4 sudden
  ① My truck stopped _____ in the middle of the road.
  ② We were surprised because his arrival was very _____ and unexpected.

5 careful
  ① Some medical treatment needs _____ monitoring for side effects.
  ② He needs to decide very _____ which major he will choose.

B 주어진 단어를 알맞게 배열하여 문장을 완성하시오.

1 He is from a royal family, but he (modest, quite, still).
  → He is from a royal family, but he is _____ _____ _____.

2 It's (a, such, lovely, day)! Let's go for a drive to the lake.
  → It's _____ _____ _____ _____! Let's go for a drive to the lake.

3 I never expected to see (familiar, many, so, faces) at the party.
  → I never expected to see _____ _____ _____ _____ at the party.

4 The old program was hard to use, but the new one is (easy, relatively, to, use).
  → The old program was hard to use, but the new one is _____ _____ _____
    _____.

C 보기 에서 알맞은 말을 골라 빈칸에 써넣으시오.

보기   yet   already   totally   enough

1 I've _____ put the sales report on your desk.

2 The room doesn't have _____ room for 100 people.

3 The confidential documents from the headquarters haven't arrived _____.

4 They might be _____ convinced that Ms. Alexander is the right person for the position.

D 우리말과 같은 뜻이 되도록 주어진 단어를 이용하여 문장을 완성하시오.

1 그는 그 사건의 진실을 찾을 만큼 충분히 똑똑하다. (smart, find)

→ He _____ _____ _____ _____ _____ the truth about the incident.

2 그는 자신의 아들과 같은 나이였을 때 꽤 장난꾸러기 소년이었다. (quite, naughty, boy)

→ _____ _____ _____ _____ _____ _____ when he was his son's age.

3 그녀는 너무 피곤해서 정오까지 침대 밖으로 나올 수 없었다. (tired)

→ She _____ _____ _____ _____ _____ _____ get out of bed until noon.

4 그녀가 필요한 모든 서류 절차를 이미 마쳤다는 게 확실하니? (finish, all the necessary paperwork)

→ Are you sure she _____ _____ _____ _____ _____ _____ _____ ?

5 나는 외국어를 배우는 데 그렇게 엄청난 노력이 필요한지 몰랐다. (enormous, effort, learn)

→ I didn't know that I would need _____ _____ _____ _____ _____ a foreign language.

6 그들은 프랑스에서 공부할 때 기차로 유럽 여행을 다니곤 했다. (used to, travel across, train)

→ _____ _____ _____ _____ _____ _____ _____ when they studied in France.

E 우리말과 같은 뜻이 되도록 주어진 단어를 배열하시오.

1 나는 전에 그렇게 높은 건물을 본 적이 없다. (building, seen, have, such, never, a, before, tall)

→ I _____ .

2 그 노조 지도자들은 아직도 회사와 협상을 진행 중이다. (are, with their company, negotiating, still)

→ The union leaders _____ .

3 그는 왜 그 파티에서 나에게 필요 이상으로 친절했을까? (at the party, he, was, nice, unnecessarily, to me)

→ Why _____ ?

4 나의 상사는 내가 청중들 앞에서 자유롭게 말하기를 원한다. (to speak, the audience, wants, in front of, freely, me)

→ My supervisor _____ .

5 일주일은 이 환상적인 섬을 즐기기에 충분한 시간이 아니다. (time, this fabulous island, to, enough, is, not, enjoy)

→ One week _____ .

6 그들은 디자인을 약간 바꿨지만, 가격은 아직 변경하지 않았다.

(slightly, yet, the design, the price, haven't changed, changed)

→ They _____ , but they _____ .

비교

A 보기 에서 알맞은 말을 골라 어법에 맞게 바꿔 문장을 완성하시오.

[1-3]   보기   strong   quick   negative

1   What's the _____ way to get to the airport?

2   The baseball player said his back is as _____ as it's ever been.

3   He seems to be in a good mood today. He's rather less _____ than usual.

[4-6]   보기   soon   comfortable   hiliarious

4   The _____ my mom starts treatment, the better she will get.

5   I think his joke is _____ than any other people's joke.

6   I chose this leather sofa since it is the _____ one I've ever sat on.

B 보기 와 같이 문장의 의미가 통하도록 문장을 완성하시오.

> 보기
> *Three Guys* is the worst movie of its genre.
> → *Three Guys* is ___worse than any other movie___ of its genre.
> → ___No___ movie of its genre is ___worse than___ *Three Guys*.
> → ___No___ movie of its genre is ___as bad as___ *Three Guys*.

1   Break time after hard work is the sweetest thing.

   → Break time after hard work is _____.

   → _____ is _____ break time after hard work.

   → _____ is _____ break time after hard work.

2   I think an octopus is the most flexible sea creature.

   → I think an octopus is _____.

   → I think _____ sea creature is _____ an octopus.

   → I think _____ sea creature is _____ an octopus.

3   I think Interlaken in Switzerland is the most beautiful place.

   → I think Interlaken is _____ in Switzerland.

   → I think _____ place in Switzerland is _____ Interlaken.

   → I think _____ place in Switzerland is _____ Interlaken.

우리말과 같은 뜻이 되도록 주어진 단어를 이용하여 문장을 완성하시오.

1 두 소녀 중 Amy가 더 작다. (short, girls)

→ Amy is _____ _____ _____ _____ _____.

2 오늘이 어제보다 훨씬 따뜻하다. (much, warm)

→ It's _____ _____ _____ _____ _____.

3 벽 색깔이 천장 색깔보다 훨씬 더 밝다. (much, bright, the ceiling)

→ The color of the wall is _____ _____ _____ _____

_____ _____.

4 그녀가 그보다 12살 연상이라는 것을 믿을 수가 없다. (12 years, senior)

→ I can't believe that _____ _____ _____ _____ _____

_____.

5 이곳은 우리 동네에서 가장 비싼 커피숍이다. (expensive, coffee shop, my neighborhood)

→ This is _____ _____ _____ _____ _____

_____ _____.

6 삶에서 좋은 길을 선택하는 것보다 더 중요한 것은 없다. (important, than)

→ _____ _____ _____ _____ _____ choosing a good path in life.

7 나의 남자 친구는 내가 예상했던 것보다 극장에 늦게 나타났다. (late, expect)

→ My boyfriend showed up at the theater _____ _____ _____.

8 근육이 많을 수록, 더 많은 칼로리를 소모하게 된다. (calories, burn)

→ The more muscle you have, _____ _____ _____ _____ _____.

우리말과 같은 뜻이 되도록 주어진 단어를 배열하시오.

1 그는 수영에 있어서 그의 동생에게 열등감을 느낀다. (his brother, feels, to, inferior)

→ He _____ when it comes to swimming.

2 중국의 인구는 한국의 인구보다 훨씬 많다 (that, greater, is, than, much, of Korea)

→ The population of China _____.

3 걷기는 누구나 할 수 있는 가장 안전한 운동 중 하나이다. (walking, one of, exercises, the, is, safest)

→ _____ that everybody can do.

4 만약 컴퓨터가 없다면 삶이 훨씬 불편할 것이다. (more, a lot, inconvenient)

→ Life would be _____ if there were no computers.

5 아마존에 있는 열대 우림 지역을 보호하는 것보다 시급한 것은 없다.

(is, as, protecting, the tropical rain forest, as, urgent, nothing)

→ _____ in the Amazon.

50

Unit 26 전치사 및 기타 표현

A 보기 에서 알맞은 말을 골라 우리말과 같은 뜻이 되도록 문장을 완성하시오.

보기	in spite of	in regard to	for the sake of	regardless of
	in case of	by means of	contrary to	

1 저는 현재의 쟁점에 관한 그의 의견을 듣고 싶습니다.

→ I would like to hear his opinion _____ the current issue.

2 나는 절도에 대비해 자동차를 움직이지 못하게 하는 장치를 샀다.

→ I bought a device to immobilize the car _____ burglary.

3 파리 여행은 예산에 관계없이 네가 하고 싶은 대로 계획을 세워.

→ Make a plan for our trip to Paris as you like, _____ budget.

4 손님들은 자동 시스템을 이용하여 호텔 비용을 지불하게 될 것입니다.

→ Our guests will pay their hotel bills _____ an automatic system.

5 나의 예상과는 반대로 집값이 계속 떨어지고 있다.

→ _____ my expectation, housing prices have been continually falling.

6 우리 할아버지는 뇌 건강을 위해 매일 퍼즐을 푸신다.

→ My grandfather solves puzzles every day _____ his brain health.

7 국제적인 지원에도 불구하고 여전히 몇몇 동물은 멸종 위기에 처해 있다.

→ _____ international support, some animal species are endangered.

B 주어진 단어를 각각 문맥상 가장 적절한 곳에 써넣으시오.

1 by / until

1) The construction work is expected to be finished _____ next week.

2) It is said that the drought is going to continue _____ September.

2 during / for / since

1) Korea has been suffering from yellow dust from China _____ many years.

2) Cold noodles like naengmyeon sell very well _____ the summer season.

3) The crime rate has declined _____ the government declared a fight against crime.

3 concerning / like

1) _____ most other companies, overtime is paid on a monthly basis.

2) There are rumors _____ the cause of his disappearance.

C 우리말과 같은 뜻이 되도록 주어진 단어를 이용하여 문장을 완성하시오.

1 생선을 굽기 전에 올리브 오일과 레몬 한 조각을 넣어라. (prior, grill, it)

→ Put olive oil and one slice of a lemon into the fish ＿＿＿＿ ＿＿＿＿ ＿＿＿＿ ＿＿＿＿.

2 불평하는 대신에 주어진 상황에서 최선을 다하려고 노력해라. (complain about, it)

→ Try your best in your given situation, ＿＿＿＿ ＿＿＿＿ ＿＿＿＿ ＿＿＿＿ ＿＿＿＿.

3 우리 할아버지는 한국 전쟁 중에 총상을 입었다. (the Korean War)

→ My grandfather was wounded by gunshots ＿＿＿＿ ＿＿＿＿ ＿＿＿＿ ＿＿＿＿.

4 그의 영화 평에 따르면 그 프랑스 만화 영화는 완전 실패작이다. (film review)

→ ＿＿＿＿ ＿＿＿＿ ＿＿＿＿ ＿＿＿＿ ＿＿＿＿, the French animated movie
is a total failure.

5 그는 매달 월급과 더불어 주식으로 많은 돈을 벌었다. (addition, his monthly pay)

→ ＿＿＿＿ ＿＿＿＿ ＿＿＿＿ ＿＿＿＿ ＿＿＿＿ ＿＿＿＿, he made huge
investment profits.

6 만약 당신이 만족하지 못하면, 그것을 2주 안에 반납해야 합니다. (return, two weeks)

→ If you are not satisfied, you ＿＿＿＿ ＿＿＿＿ ＿＿＿＿ ＿＿＿＿ ＿＿＿＿
＿＿＿＿ ＿＿＿＿.

7 사람들이 영화 표를 사려고 매표소 앞에 줄을 서 있다. (get, movie tickets, the box office)

→ People are lining up ＿＿＿＿ ＿＿＿＿ ＿＿＿＿ ＿＿＿＿ ＿＿＿＿
＿＿＿＿ ＿＿＿＿ ＿＿＿＿ ＿＿＿＿.

D 우리말과 같은 뜻이 되도록 주어진 단어를 배열하시오.

1 그 직원은 며칠의 치료 후에 회복되었다. (of treatment, recovered, after a few, days)

→ The employee ＿＿＿＿＿＿＿＿＿＿.

2 그 대사관 직원은 한 시간 후에 전화를 걸겠다고 말했다. (in, she, call back, would, an hour)

→ The embassy official said that ＿＿＿＿＿＿＿＿＿＿.

3 당신은 체지방률을 정상 수준 이내로 유지해야 한다. (normal levels, your body fat, within, maintain)

→ You need to ＿＿＿＿＿＿＿＿＿＿.

4 그 대학원생들은 다음 달까지 논문을 끝내기로 되어있다. (their thesis, were supposed to, by, finish, next month)

→ The graduate students ＿＿＿＿＿＿＿＿＿＿.

5 우리 부모님이 결혼하신 후로 거의 20년이 지났다. (got married, has been, 20 years, since, almost, my parents)

→ It ＿＿＿＿＿＿＿＿＿＿.

6 박물관에서 그림을 훔치면 최대 형량은 얼마인가? (the maximum penalty, from a museum, for, is, stealing a painting)

→ What ＿＿＿＿＿＿＿＿＿＿?

Unit 27 등위 접속사와 상관 접속사

A 주어진 단어를 알맞게 바꿔 문장을 완성하시오. [현재 시제로 쓸 것]

1 The parents as well as their child _____ to lose weight. (need)

2 Either Judy or I _____ going to pick you up at the airport. (be)

3 Either you or Jim _____ relocate to Jeju Island next year. (have to)

4 Not only her sweater but also her pants _____ her anymore. (not, fit)

5 Both Jessy and Mike _____ to come to her housewarming party. (want)

6 They have to clean up their house and _____ some laundry on weekends. (do)

7 It is not his present but their presents which you _____ supposed to wrap. (be)

8 He was so disappointed in himself, so he neither _____ nor drank yesterday. (eat)

9 Mark is boring, for he is always _____ about the same thing. (talk)

10 Not only a pencil but also two pieces of paper _____ needed for the exam. (be)

B 보기 에서 알맞은 것을 골라 문장을 완성하시오.

[1-4]

보기	yet actually it's a little challenging	for they made too much noise
	nor what anyone would have wanted	so she couldn't even remember her best friend's name

1 The teacher scolded the students, _____.

2 That was neither what I wanted, _____.

3 This brownie looks simple to make, _____.

4 She suffered from loss of memory, _____.

[5-8]

보기	as a result	on the contrary	for instance	otherwise

5 Anna is not in a bad mood; _____, she's very happy.

6 She has to stop investing lots of money in stocks; _____ she'll be in big trouble.

7 They failed to reach a compromise at the meeting; _____, the decision was put on hold.

8 Some animals have special ways to avoid being eaten. A chameleon, _____, changes its color according to its surroundings.

C 우리말과 같은 뜻이 되도록 주어진 단어를 이용하여 문장을 완성하시오.

1 나의 남편은 남의 험담하는 것을 싫어하고, 나도 그렇다. (like, nor)

→ My husband _____ _____ speaking ill of others, _____ _____ _____.

2 그와 그의 남동생 둘 다 당신의 기부로 인해 혜택을 받게 될 것입니다. (both, benefit)

→ _____ _____ _____ _____ _____ _____ _____ from

your donation.

3 너도 그녀도 컴퓨터를 고치는 방법을 배울 필요가 없다. (neither, need)

→ _____ _____ _____ _____ _____ to learn how to fix the

computer.

4 너나 Cindy가 반대표로 선출되어야 한다. (either, have to, be elected)

→ _____ _____ _____ _____ _____ _____ _____

_____ class representative.

5 그 정치가는 자신의 공약을 지키지 않아서 비판을 받았다. (be criticized, for, keep, one's election promises)

→ The politician _____ _____ _____ _____ _____ _____

_____ _____ _____.

6 흡연은 흡연자 자신뿐만 아니라 주변의 비흡연자들에게도 나쁜 영향을 끼친다. (not only, to, smokers, non-smokers)

→ Smoking is harmful _____ _____ _____ themselves, _____

_____ _____ _____ around them.

D 우리말과 같은 뜻이 되도록 주어진 단어를 배열하시오.

1 서두르지 않으면 결혼식에 늦을 거야. (be late for, hurry up, or, had better, you'll)

→ You _____, _____ the wedding.

2 부모님의 말씀을 들어라. 그렇지 않으면 후회하게 될 거야. (will, you, otherwise, regret, it)

→ Listen to your parents; _____.

3 많은 학생이 그 장학금을 신청했지만 오직 몇 명의 학생만이 장학금을 받았다. (only a few, it, yet, received, students)

→ A lot of students applied for the scholarship, _____.

4 세계적으로 석유가 고갈되고 있으므로 에너지를 아껴야 한다. (energy, we, is, so, save, running out of, need to, oil)

→ The world _____, _____.

5 그가 그녀에게 청혼했지만, 그녀는 거절했다. (her, him, turned him down, asked, however, to marry, she)

→ He _____; _____.

6 저희 5성급 리조트는 당신에게 편안한 휴식처와 편리한 시설을 제공합니다.

(convenient amenities, relaxing retreat, you, and, offers)

→ Our five-star resort _____.

54

명사절을 이끄는 종속 접속사

A 밑줄 친 부분이 어법상 **어색하다면** 바르게 고치시오.

1 Does he know <u>what time does the show begin</u>? → _____

2 I wonder if they <u>will get</u> married. → _____

3 It doesn't matter to me <u>that</u> he is guilty or innocent. → _____

4 She's wondering <u>what can she do</u> to overcome difficulties. → _____

5 <u>If he can be promoted or not</u> depends on his job performance. → _____

6 <u>If you will be</u> stressed out, meditation will help you to calm down. → _____

7 <u>The fact that</u> they didn't have enough time to develop the new products isn't true. → _____

8 Please let me know in advance if you <u>can't attend</u> the awards ceremony tomorrow. → _____

B 다음 주어진 문장을 간접의문문을 이용하여 다시 쓰시오.

1 I wonder. + Who is in charge of the parking lot?

→ _____

2 Do you know? + How long did she stay at the hotel?

→ _____

3 I'd like to know. + Where is the nearest children's hospital?

→ _____

4 Could you tell me? + Why did she leave the company?

→ _____

5 Can you guess? + Where will my sister get married?

→ _____

6 Please tell me. + What qualifications do I need for the job?

→ _____

7 Let me know. + Which one of the two is the more practical?

→ _____

8 He can't remember. + Where did he put his driver's license?

→ _____

C 우리말과 같은 뜻이 되도록 주어진 단어를 이용하여 문장을 완성하시오.

1 그는 자신이 스웨터를 뒤집어 입고 있는 것을 알아차렸다. (wear, a pullover)

→ He noticed _____ _____ _____ _____

inside out.

2 나는 그가 아직도 직원을 더 고용하고 싶어 하는지 궁금하다. (still, want, hire)

→ I'm wondering _____ _____ _____ _____ _____

more workers.

3 Karen이 회사를 그만 둘 거라는 소문은 거짓으로 드러났다. (the rumor, turn out)

→ _____ _____ _____ Karen would leave the company _____

_____ to be false.

4 그들의 관계가 곧 끝날 거라는 것은 분명하다. (relationship, come to an end)

→ _____ is clear _____ _____ _____ _____ _____

_____ _____ soon.

5 우리 집을 팔지 말지를 결정하는 것은 우리에게 너무 어려운 일이다. (sell)

→ _____ is too difficult to decide _____ _____ _____ _____ our

house _____ _____ .

D 우리말과 같은 뜻이 되도록 주어진 단어를 배열하시오.

1 그의 사업이 실패했다는 것은 충격이었다. (his business, shocking, that, failed, was)

→ It _____ .

2 나는 누가 학생 대표로 선출될 것인지 궁금하다. (I'm, be, will, who, elected, wondering)

→ _____ student representative.

3 이 꽃병이 얼마나 값이 나갈지 아세요? (will, have, cost, this vase, any idea, how much)

→ Do you _____ ?

4 제가 언제 그녀의 사인을 받을 수 있는지 말씀해 주시겠어요? (can, can, tell, when, you, I, get, me)

→ _____ her autograph?

5 당신이 왜 일주일 동안 결근을 했는지 말해 줄래요? (tell, been, absent from work, have, you, you, me, can, why)

→ _____ for one week?

6 팬들이 당신이 얼마나 하와이에 머물 예정인지 알고 싶어 합니다. (want, how long, to know, will, you, be staying)

→ Your fans _____ in Hawaii.

7 감독에게 당신이 그 연극에서 어떤 역할을 맡고 싶은지 말하세요. (which role, take, tell, like to, would, the director, you)

→ Please _____ in the play.

56

Unit 29 부사절을 이끄는 종속 접속사

A 보기 에서 알맞은 것을 골라 빈칸에 써넣으시오. [한 번씩만 쓸 것]

> 보기   as soon as   while   despite   because of   as   since

1   Diane likes to drink coffee, _____ her husband loves tea.

2   Please tell him to call me _____ he comes back to the office.

3   He was exempt from military service _____ his poor eyesight.

4   The tide ebbs and flows _____ the moon revolves around the earth.

5   Mr. Smith has had trouble with noisy neighbors _____ he moved in.

6   _____ the bad weather, the couple had a fabulous day at the amusement park.

B 주어진 표현 중 가장 알맞은 것을 골라 문장을 완성하시오.

1   even if / if

1) The couple will get married _____ their parents oppose their marriage.

2) _____ you keep breaking the rules, you will have to face big trouble.

2   in case / if

1) He looked around the bushes and grabbed a stick _____ the bear attacked him.

2) You can call me at the restaurant _____ you need my help.

3   although / in spite of

1) She attended the charity event _____ her illness and tiredness.

2) He's not a devout Christian, _____ he got a strict religious upbringing.

4   unless / if

1) It is very difficult to finish making dictionaries _____ you keep going with persistence.

2) Don't force your children to participate in some activity _____ they don't want to.

5   so / such

1) It was _____ a difficult assignment that I had to get some help from my brother.

2) The volcanic eruption was _____ tremendous that thousands of people were killed.

6   while / during

1) Why don't you window-shop at the mall _____ I develop your photos?

2) I was really embarrassed when my cell phone rang loudly _____ the lecture.

C 우리말과 같은 뜻이 되도록 주어진 단어를 이용하여 문장을 완성하시오.

1 어려운 상황에서, 어떤 사람들은 긍정적인 반면 다른 이들은 그렇지 않다. (while, others)

→ In difficult situations, some people remain positive _____ _____ _____.

2 Murphy는 리더십이 부족하기 때문에 부장으로 승진되지 않을 것이다. (because, lack)

→ Murphy won't be promoted to manager _____ _____ _____ _____.

3 내 조카는 세 살인데도 불구하고 글을 읽을 수 있다. (even though, niece, three years old)

→ _____ _____ _____ _____
_____, she is able to read.

4 내가 스웨터를 만들 수 있도록 뜨개질하는 방법을 가르쳐 줄래? (so that, make, a sweater)

→ Can you teach me how to knit _____ _____ _____ _____
_____ _____?

5 경기 침체로 인해 부동산 가격이 하락했다. (because, the economic recession)

→ Real estate prices went down _____ _____ _____ _____.

6 당신이 시간 내에 책을 반납하기만 한다면 언제라도 빌릴 수 있어요. (as long as, return, the books, in time)

→ _____ _____ _____ _____ _____
_____ _____, you can borrow them.

D 우리말과 같은 뜻이 되도록 주어진 단어를 배열하시오.

1 감기를 예방하기 위해 집에 돌아 온 후에는 손을 씻어야 한다. (in, prevent, you, a cold, can, that, order)

→ You should wash your hands after returning home _____.

2 공장을 살리려는 우리의 노력에도 불구하고, 그들은 공장을 닫기로 결정했다. (the factory, despite, to save, all our efforts)

→ _____, they decided to shut it down.

3 아들은 식성이 까다로운 데 반해 딸은 아무거나 잘 먹는다. (my daughter, is, whereas, eats, picky about food, anything)

→ My son _____, _____.

4 Alice는 고소공포증이 있어서 에펠탑 꼭대기에 올라가지 않았다.

(go to, a fear of heights, as, Alice, had, the top of the Eiffel Tower)

→ _____, she didn't _____.

5 그들이 내 계획을 승인하지 않을지라도, 나는 그것을 실행에 옮길 것이다.

(don't, they, my plan, into practice, even if, approve of, put it)

→ _____, I'll _____.

6 갑작스럽게 일이 생겨서 우리 약속을 한 시간 미뤄야 한다.

(have to, for one hour, unexpected business, delay, our appointment, owing to)

→ I _____.

58

Unit

분사와 분사 구문

A 주어진 단어를 '-ing'형이나 'p.p'형으로 바꿔 문장을 완성하시오.

1 My mom's hair turned grey at the sides, so she had her hair _____. (dye)

2 They watched the two dogs _____ together on the snowy field. (play)

3 We saw an eagle _____ high up in the sky as we drove down the high way. (glide)

4 The police have been looking for the relics _____ from the history museum. (steal)

5 It was _____ to see Mark at that place. I thought he was at school. (surprise)

6 Due to the _____ success of her second novel, she established herself as a best-selling writer. (astonish)

7 The professor's lecture on world economics was extremely _____, and we were _____ to death. (bore, bore)

B 부사절을 분사구문으로 바꿔 문장을 완성하시오.

1 Because I lost my bicycle, I had to take a bus to work.

→ _____

2 As he had taken my advice, he became famous as a novelist.

→ _____

3 If I finish the meeting early today, I'll have time to grab a quick bite.

→ _____

4 After she had transferred to this school, she made many new friends.

→ _____

5 Although he was qualified as a teacher, he still wasn't employed at a school.

→ _____

6 As she is the eldest of all the siblings, she has to take care of her brothers.

→ _____

7 When the man saw a bear in front of him, he quietly turned back to avoid it.

→ _____

8 Because dinner wasn't included, we paid a lot for dinner at the hotel.

→ _____

C 우리말과 같은 뜻이 되도록 주어진 단어를 이용하여 문장을 완성하시오.

1 시간이 많지 않았기 때문에 나는 오늘 아침에 아침을 할 수 없었다. (not, have, much time)

→ _____ _____ _____ _____, I wasn't able to make breakfast this morning.

2 그는 법과 대학원을 졸업했음에도 불구하고 일자리를 찾지 못했다. (although, graduate, from law school)

→ _____ _____ _____ _____ _____, he didn't find a job.

3 그는 자신의 결혼반지를 집에 두고 와서 무언가 허전함을 느꼈다. (leave, wedding ring)

→ _____ _____ _____ _____ at home, he felt something missing.

4 그녀는 어제 수업을 복습하지 않아서 그 질문에 답을 할 수 없었다. (not, review, yesterday's lesson)

→ _____ _____ _____ _____, she couldn't answer the questions.

5 그는 사법시험에 합격하고 나서 친구와 법률 사무소를 차렸다. (pass, the bar exam)

→ _____ _____ _____ _____, he opened a law office with his friend.

6 저기 모퉁이에서 오른쪽으로 돌면 그 꽃집을 찾을 수 있을 것이다. (turn to the right, on that corner)

→ _____ _____ _____ _____ _____ _____, you'll find the flower shop.

D 우리말과 같은 뜻이 되도록 주어진 단어를 배열하시오.

1 너무 이른 시간이어서 운동장에 아무도 없었다. (early, being, there, too, it, was)

→ _____, _____ nobody in the playground.

2 그는 식당을 개업한 이후로 자유 시간이 거의 없었다. (a restaurant, he, opening, has had)

→ _____, _____ little free time.

3 나의 아들은 잠들기 전에 항상 내가 책을 읽어 주기를 바란다. (wants, going, my son, to bed, always)

→ _____, _____ me to read books to him.

4 그는 지갑을 집에 놓고 와서, 아무것도 살 수 없었다. (his wallet, couldn't, left, he, at home, buy, having)

→ _____, _____ anything.

5 그 유명한 화가가 그린 나의 초상화는 전혀 나 같지가 않다. (by the famous artist, look like, painted, me, doesn't)

→ My portrait _____ at all.

6 나랑 기숙사 방을 같이 쓰는 내 친구는 항상 늦게 일어난다.

(gets up, my friend, the dormitory room, always, sharing, with me)

→ _____ late.

관계대명사

A 밑줄 친 단어를 선행사로 하여 두 문장을 한 문장으로 만드시오.

1 We are going to sing a song. It will make you happy.

→ We are going to sing _____ .

2 Sam stayed in the summer house. Its roof is made of glass.

→ Sam stayed in _____ .

3 I can't find the striped shirt. I bought it last weekend.

→ I can't find _____ .

4 She fell in love with a man. He turned out to be a famous actor.

→ She fell in love with _____ .

5 Someone is good at growing plants. He has a green thumb.

→ _____ is good at growing plants.

6 The staff has the list of the businessmen. I will invite them to the opening ceremony.

→ The staff has the list of _____ .

7 What's the name of the actress? She starred in the film *Wedding Singer* as a waitress.

→ What's _____ ?

B 생략 가능한 부분을 생략하여 문장을 다시 쓰시오.

1 Jake is the man who is responsible for the accident.

→ _____

2 Last week, I bumped into a friend whom I hadn't seen for ages.

→ _____

3 The job applicants whom I invited for interviews are college graduates.

→ _____

4 He didn't want to share the room with someone who is inconsiderate of others.

→ _____

5 Tomorrow we're going to visit the dinosaur museum that we've never been to before.

→ _____

우리말과 같은 뜻이 되도록 주어진 단어를 이용하여 문장을 완성하시오.

1 Mary는 컴맹인데 그것이 그녀의 삶을 불편하게 만든다. (be, a computer illiterate, make)

→ Mary _____ _____ _____ _____, _____ _____ her life inconvenient.

2 이 어학 수업은 모국어가 한국어가 아닌 학생을 위한 수업이다. (mother tongue, be, Korean)

→ This language course is for students _____ _____ _____ _____ _____ _____ .

3 에어백은 차 사고의 충돌로부터 운전자를 보호하기 위해 고안된 장치이다. (a device, design, protect, drivers)

→ An air bag is _____ _____ _____ _____ _____ _____ from the impact of a car crash.

4 Smith 씨는 자신의 딸에게 파리에서 찍은 사진을 보여주었다. (show, daughter, the pictures, take)

→ Ms. Smith _____ _____ _____ _____ _____ _____ _____ _____ in Paris.

5 직업 학교에 진학하고자 하는 중학생의 수가 증가하고 있다. (the number of, middle school students, want, increase)

→ _____ _____ _____ _____ _____ _____ _____ to go to vocational school _____ _____ .

6 그 커피숍의 주인은 나에게 시간제 일자리를 제안했는데, 그것은 내가 전혀 예상하지 못한 일이었다.

(offer, part-time job, never, expect)

→ The owner of the coffee shop _____ _____ _____ _____ _____, _____ _____ _____ _____ .

우리말과 같은 뜻이 되도록 주어진 단어를 배열하시오.

1 어제 고장이 난 제 차를 고쳐주실 수 있나요? (my car, fix, you, broke down, which)

→ Can _____, _____ yesterday?

2 나는 초등학교를 같이 다녔던 여자를 우연히 만났다. (had gone, ran into, whom, I, with, a woman)

→ I _____ to elementary school.

3 매너는 당신이 언제나 명심해야 하는 것입니다. (keep in mind, are, that, you, need to, always, something)

→ Manners _____ .

4 지하철로 가는 길을 알려준 그 여자는 친절했다. (was, showed, me, who, the way to the subway, the woman)

→ _____ friendly.

5 Marian은 수술에서 회복하고 있는 할아버지를 보살피길 원한다.

(from the surgery, wants to, her grandpa, recovering, take care of, who is)

→ Marian _____ .

Unit 32 관계대명사: that & what

A 빈칸에 that과 what 중 알맞은 것을 써넣으시오.

1 They must return the car _____ they rented a week ago.

2 My mom loved the gift _____ I bought her for her birthday.

3 I can hardly understand _____ you mentioned in the news conference.

4 Now, let me tell you _____ you need to make chocolate chip cookies.

5 Actually, Mr. Kim is not responsible for _____ he has been accused of.

6 _____ I would like to recommend is to put your plan into practice right away.

7 The detective tried to find out anything _____ is connected to the murder case.

8 Jerry is the only friend _____ she has kept in touch with since elementary school.

B 밑줄 친 말을 선행사로 하고, 관계대명사 that을 이용하여 문장을 연결하시오. [that을 생략할 수 있는 경우 ( )표시할 것]

1 All his property was put up for auction. He had saved it during his life.

→ _____ auction.

2 The animals have a hard time adapting to the zoo. They used to live in the wild.

→ _____ adapting to the zoo.

3 This is the very sweater. She has been looking for it at the shopping mall.

→ This is _____ .

4 The female model has been ranked Korea's greatest beauty. I like her best.

→ _____ Korea's greatest beauty.

5 The woman ran into a thief. He stole some golden jewels from the jewelry store.

→ The woman ran into _____ .

6 The music is Beethoven's Fifth Symphony. You're listening to it at this moment.

→ _____ Beethoven's Fifth Symphony.

7 Ms. Johnson lectured on a topic. I know very little about it.

→ _____ very little about.

8 Dr. Alexander is an astronomer. He is well known for his study of black holes.

→ _____ .

C 우리말과 같은 뜻이 되도록 주어진 단어와 that 또는 what을 이용하여 문장을 완성하시오.

1 내가 너에게 건강을 유지하는 방법에 대한 조언이 담긴 기사를 보내줄게. (the article, provide)

→ I'll send you _____ _____ _____ _____ tips on how to keep fit.

2 당신은 우리의 고객이 진정으로 원하는 것에 초점을 맞추어야 합니다. (customers, really, want)

→ You should focus on _____ _____ _____ _____ _____.

3 그녀는 어제 잃어버린 자신의 공책을 찾았니? (find, notebook, lose)

→ Has she _____ _____ _____ _____ _____ yesterday?

4 대중은 그 여배우가 입는 것과 먹는 것을 따라 하는 것을 좋아한다. (copy, actress, wear, eat)

→ The public likes to _____ _____ _____ _____ _____ _____

_____.

5 네가 내 생일에 사준 그 소설책을 이제 막 다 읽었다. (finish, the novel, buy)

→ I've just _____ _____ _____ _____ _____ _____

_____ on my birthday.

6 이 토마토 스파게티는 내가 이제껏 먹어본 것 중 가장 맛있는 음식이다. (delicious, food, ever, eat)

→ This tomato spaghetti is _____ _____ _____ _____ _____

_____ _____ _____.

7 내가 정말 하고 싶은 것은 가난한 사람들에게 무상 의료 서비스를 제공하는 것이다. (really, want, do, be)

→ _____ _____ _____ _____ _____ _____ _____

provide free medical service to the poor.

D 우리말과 같은 뜻이 되도록 주어진 단어를 배열하시오.

1 그는 바다가 보이는 1인용 객실을 예약했다. (an ocean view, a single room, that, reserved, had)

→ He _____.

2 이게 오늘 우리가 나누게 될 마지막 이야기입니다. (that, this, the last story, share, is, going to, we're)

→ _____ today.

3 Alexia가 베이비샤워에서 진짜로 받고 싶은 게 뭔지 아니? (what, wants, you, Alexia, really, to get, know)

→ Do _____ for the baby shower?

4 너는 수업 중에 네가 알고 싶었던 것을 교수님께 여쭤 봤어야 했어.

(to know, asked, the professor, you, about, what, wanted)

→ You should have _____ during the class.

5 비만으로 고생하는 아이들의 수가 빠르게 늘어나고 있다.

(are suffering, children, that, is increasing, from obesity, the number of)

→ _____ rapidly.

Unit 33 관계부사와 복합관계사

A 보기 에서 알맞은 말을 골라 빈칸에 써넣으시오.

보기	whomever	whatever	whenever	wherever	however

1 He doesn't like people who say straight _____ comes to mind.

2 Do you agree that only big businesses can hire _____ they want?

3 _____ difficult the situation was, he managed to stick to his principles.

4 _____ she wants to go to the movies, she always asks me to join her.

5 Eye disease can easily spread _____ people are in close contact.

B 두 문장을 관계부사를 이용하여 한 문장으로 만드시오.

1 I'd like to know the time. Shrimps and crabs taste the most delicious during the time.

→ I'd like to know _____.

2 Do you know the reason? Jasmine left town without telling anyone for that reason.

→ Do you know _____?

3 This is the way. The Pope wanted us to celebrate the birth of Jesus Christ in that way.

→ This is _____.

4 Tahiti is a beautiful island. Paul Gauguin, the painter, got artistic inspiration in the island.

→ Tahiti is _____.

5 None of us knows the reason. The government subsidy has been reduced for that reason.

→ None of us knows _____.

6 Would you recommend a restaurant? I can have a party for my son's first birthday at the restaurant.

→ Would _____?

7 The reason is not known yet. The famous couple broke up for that reason.

→ The reason _____.

8 You have to remember the day. Your lease expires on the day.

→ You _____.

우리말과 같은 뜻이 되도록 주어진 단어를 이용하여 문장을 완성하시오.

1 우리 엄마는 내가 장래를 위해 무엇을 선택하든지 나를 지지해 주실 것이다. (support, choose)

→ My mom will _____ _____ _____ _____ _____ for my future.

2 그가 그 갈등을 어떻게 해결했는지 알고 싶은가요? (deal with, conflict)

→ Do you want to learn _____ _____ _____ _____ _____ _____ ?

3 네가 아무리 열심히 노력해도 너는 그가 유죄라는 증거를 얻지 못할 것이다. (hard, try)

→ _____ _____ _____ _____ , you won't get any evidence of his guilt.

4 그는 자신의 동료가 왜 자신을 배신했는지 이해할 수 없었다. (reason, colleague, betray)

→ He couldn't understand _____ _____ _____ _____ _____

_____ him.

5 한국 음식을 먹고 싶은 사람은 누구든지 우리의 부스에 들르실 수 있어요. (want, eat Korean food)

→ _____ _____ _____ _____ _____ _____ can drop by our

booth.

6 그녀는 자신의 차 키를 둔 곳을 잊어버렸다. (the place, put, car key)

→ She forgot _____ _____ _____ _____ _____ _____

_____ _____ .

우리말과 같은 뜻이 되도록 주어진 단어를 배열하시오.

1 그 유명한 모델은 어디를 가든지 사람들의 시선을 끌었다. (wherever, people's eyes, she, caught, went)

→ The famous model always _____ .

2 1945년은 한국이 일본으로부터 독립한 해이다. (independence from Japan, Korea, the year, gained, when)

→ Nineteen forty-five is _____ .

3 그 선생님은 학생이 수업시간에 무엇을 하든 놀라지 않는다. (whatever, do, during the class, his students)

→ The teacher is not surprised at _____ .

4 이것이 그 회사가 세계적인 의류 회사로서의 명성을 여전히 유지하고 있는 방법이다.

(its reputation, the company, how, still, maintains)

→ This is _____ as a world-class clothing company.

5 Jackson 씨는 딸이 밤 늦게까지 귀가하지 않을 때마다 걱정한다.

(is not, gets worried, until late at night, his daughter, at home, whenever)

→ Mr. Jackson _____ .

6 우리가 신혼 여행을 갔던 관광지가 요새 점점 인기가 많아지고 있다.

(our honeymoon, where, the tourist spot, spent, is getting, we, more popular)

→ _____ these days.

가정법

A 두 문장의 의미가 통하도록 if 가정법 문장을 완성하시오.

1 As he is very young, he can't travel alone around the world.

→ If he _____ very young, he _____ alone around the world.

2 As she missed the first train, she can't attend the conference now.

→ If she _____ the first train, she _____ the conference now.

3 As my brother practiced hard for the driving test, he passed it.

→ If my brother _____ hard for the driving test, he _____ it.

4 As the students didn't follow the regulations, they were expelled from school.

→ If the students _____ the regulations, they _____ from school.

B 두 문장의 의미가 통하도록 wish 가정법 문장을 완성하시오.

1 I'm sorry I can't afford that fabulous car.

→ I wish I _____.

2 I'm sorry I didn't treat them with respect.

→ I wish I _____.

3 I'm sorry they didn't offer me better service.

→ I wish they _____.

4 I'm sorry he isn't ready to be a good father.

→ I wish he _____.

C 두 문장의 의미가 통하도록 as if 가정법 문장을 완성하시오.

1 In fact, she is not a close friend of mine.

→ She talks as if she _____.

2 In fact, my supervisor is not sensitive to others' feelings.

→ My supervisor acts as if he _____.

3 In fact, he spread rumors about the company's bankruptcy.

→ He acts as if he _____.

4 In fact, Mindy hasn't been to France or many other European countries.

→ Mindy talks as if she _____.

우리말과 같은 뜻이 되도록 주어진 단어를 이용하여 문장을 완성하시오.

1 공항으로 출발할 시간이다. (time, leave)

→ _____ _____ we _____ for the airport.

2 저는 당신에게 그 지침을 숙지할 것을 제안합니다. (suggest, familiarize oneself)

→ I _____ that you _____ _____ _____ with the manual.

3 내가 그라면, 그녀의 사과를 받아 들일 텐데. (be, accept)

→ _____ _____ _____ _____ , I _____ _____ her apology.

4 나는 우리 아버지가 가족과 좀 더 자주 좋은 시간을 보내면 좋겠어. (wish, my father, spend)

→ _____ _____ _____ _____ _____ quality time with my family
more often.

5 그들이 돈을 절약하지 않았다면 지금 자신들의 집을 소유할 수 없었을 거야. (save, can, have)

→ _____ _____ _____ _____ money, they _____ _____
their own house now.

6 그녀는 그 공연에서 어떤 실수도 하지 않았던 것처럼 행동했다. (make, any mistakes)

→ She acted _____ _____ _____ _____ _____ _____
_____ in the performance.

7 그녀가 아르바이트를 하지 않았다면 그녀는 학비를 낼 수 없었을 거야. (have, can, pay)

→ _____ _____ _____ _____ a part-time job, she _____
_____ _____ for her tuition.

우리말과 같은 뜻이 되도록 주어진 단어를 배열하시오.

1 우리 할아버지가 살아계셨다면, 내 결혼식에 오셨을 텐데. (alive, come, would, had, have, been, he)

→ If my grandfather _____ , _____ to my wedding.

2 그 커플이 헤어지지 않았다면, 작년에 결혼했을 텐데. (would, broken up, have got married, hadn't)

→ If the couple _____ , they _____ last year.

3 날씨가 나쁘지 않았다면, 수학여행을 갔을 텐데. (the terrible weather, gone, we, but, have, for, would)

→ _____ , _____ on the school trip.

4 내 남동생은 내 생일 케이크를 먹지 않았던 것처럼 행동했다. (hadn't, acted, he, as if, my birthday cake, eaten)

→ My little brother _____ .

5 쪽지 시험이 없으면 학생들은 공부를 열심히 하지 않을 거야. (wouldn't, without, study hard, pop quizzes)

→ _____ , students _____ .

6 정부가 교육 예산을 늘리는 것이 시급하다. (that, the education budget, the government, urgent, increase)

→ It is _____ .

Unit
35 주어와 동사의 수 일치

A 주어진 동사와 시제를 이용하여 문장을 완성하시오.

1 All of the salt ＿＿＿＿＿＿＿ (be) needed to make pickles. (현재)

2 Thirty minutes ＿＿＿＿＿＿＿ (be) a long time to wait outside in the rain. (현재)

3 Everything that Tom mentioned ＿＿＿＿＿＿＿ (prove) to be false. (현재완료)

4 Women's right to vote ＿＿＿＿＿＿＿ (be) only obtained after World War I. (과거)

5 Some of the rules ＿＿＿＿＿＿＿ (have to) be changed into something more practical. (현재)

6 The job of health trainers ＿＿＿＿＿＿＿ (be) to help you lose weight and keep you fit. (현재)

7 All the rooms in this hotel ＿＿＿＿＿＿＿ (be) booked, so we have to look for another hotel. (현재)

8 Both my parents and my teacher ＿＿＿＿＿＿＿ (suggest) that I apply to New York University. (현재)

9 The number of students who ＿＿＿＿＿＿＿ (want) to be a model ＿＿＿＿＿＿＿ (be) increasing. (현재)

10 The idea that the rich ＿＿＿＿＿＿＿ (have) a responsibility to help the underprivileged ＿＿＿＿＿＿＿ (be) universally accepted. (현재)

B ( ) 안에서 가장 알맞은 것을 고르시오.

1 Every detail that the witness gave you about the accident (was / were) true.

2 Do you agree that the rich (get / gets) richer and the poor (get / gets) poorer?

3 Measles (is / are) a disease accompanied by a high fever and red spots on your skin.

4 There (was / were) a number of people who had gathered to see the actor at the coffee shop.

C 보기 에서 알맞은 동사를 골라 어법에 맞게 바꿔 문장을 완성하시오. [현재 시제로 쓸 것]

보기	need	match	try	get	have	live	like

1 He as well as his parents ＿＿＿＿＿＿＿ to see plays and musicals.

2 One fifth of the students in my class ＿＿＿＿＿＿＿ in the suburbs.

3 Neither she nor I ＿＿＿＿＿＿＿ any special educational background.

4 Either she or her parents ＿＿＿＿＿＿＿ to come and enroll in the course.

5 The mittens which I made for my boyfriend ＿＿＿＿＿＿＿ his green woolen scarf.

6 Most celebrity children ＿＿＿＿＿＿＿ stressed by too much unwanted attention.

7 Both my grandfather and my grandmother always ＿＿＿＿＿＿＿ to keep themselves fit.

우리말과 같은 뜻이 되도록 주어진 단어를 이용하여 문장을 완성하시오.

1 내가 어제 산 가위는 색종이 더미 사이에 있었다. (which, buy, yesterday, be)

→ The scissors _____ _____ _____ _____ among the piles of colored paper.

2 프랑스 사람들은 자신의 모국어에 대한 자긍심이 크다. (French, take, great, pride)

→ The _____ _____ _____ _____ in their mother tongue.

3 그 도시에는 쇼핑 센터가 없는데, 그것은 삶을 불편하게 만든다. (be, no, shopping center, which, make)

→ There _____ _____ _____ _____ in the city, _____ _____ life inconvenient.

4 학급 친구와 좋은 관계를 형성하는 것은 학교 생활의 중요한 부분이다. (be, an important part)

→ Building up good relationships with classmates _____ _____ _____ _____ of school life.

5 최근에 대학 진학을 희망하는 청소년의 수가 줄었다. (who, want, go to college, decline)

→ The number of teenagers _____ _____ _____ _____ _____ _____ _____ _____ recently.

6 우리 팀원들뿐만 아니라 감독도 올림픽을 치를 준비가 되어있다. (the coach, as well as, our team members, be ready for)

→ _____ _____ _____ _____ _____ _____ _____ _____ _____ _____ _____ the Olympics.

우리말과 같은 뜻이 되도록 주어진 단어를 배열하시오.

1 나나 내 여동생 중 한 명이 텐트 안에서 자야 한다. (either, or, I, my sister, sleep, have to)

→ _____ in the tent.

2 많은 중요한 정보가 이 카드에 저장되어 있다. (stored in, a lot of, information, important, is)

→ _____ this card.

3 그 실내 테마파크는 아주 많은 특징이 있다. (are, the indoor theme park, in, features, a number of)

→ There _____ .

4 20센티미터는 그 선물을 묶을 만큼 충분히 길지 않다. (the present, is, to tie up, long, not, enough)

→ Twenty centimeters _____ .

5 어떤 경우라도 개인 정보를 공유하는 것은 매우 위험하다. (personal information in any case, to share, is)

→ _____ very dangerous.

6 너뿐만 아니라 그녀도 소아과 의사가 될 자격이 충분이 있다. (not only, fully qualified, but also, she, you, is)

→ _____ to become a pediatrician.

도치와 강조

A 밑줄 친 부분을 강조하는 문장으로 바꿔 쓰시오.

1 I went to the ballet <u>only once</u>.

→ _____

2 The pop star has <u>rarely</u> been seen in public these days.

→ _____

3 He had <u>no sooner</u> left the firm than we got a new boss.

→ _____

4 We <u>have</u> the right to protect our children from cyber-bullying.

→ We _____.

5 My mother <u>ignored</u> her doctor's advice on the dietary treatment.

→ My mother _____.

6 The butter cream cake <u>not only</u> looks good, but it is also delicious.

→ _____

7 My grandmother can hear well <u>only with the assistance of her hearing aid</u>.

→ _____

B 밑줄 친 부분을 「It ~ that」 강조 구문을 이용하여 바꿔 쓰시오.

1 The Asian Games take place <u>every four years</u>.

→ _____

2 Ad agencies need to know <u>what consumers want</u>.

→ _____

3 I called Mr. Kang <u>to congratulate him on his graduation</u>.

→ _____

4 The ceiling of the building was made of <u>wood and rocks</u>.

→ _____

5 <u>Our staff</u> was trying to improve the service in the best way possible.

→ _____

6 Mark stayed <u>at the airport</u> for ten hours because of terrible weather.

→ _____

C 우리말과 같은 뜻이 되도록 주어진 단어를 이용하여 강조문을 완성하시오.

1 그 환자는 정말로 퇴원했어요. (leave the hospital)

→ The patient _____ _____ _____ _____.

2 겨울에만 그 야외 수영장은 문을 닫는다. (the outdoor swimming pool, be, closed)

→ Only in winter _____ _____ _____ _____ _____ _____.

3 나는 저녁 7시 이후에는 교실에서 한 사람도 볼 수 없었다. (see)

→ Not a single person _____ _____ _____ in the classroom after 7 p.m.

4 어제 제 아이가 놀고 있던 곳은 바로 공원이었어요. (at the park, my child, play around)

→ _____ was _____ _____ _____ _____ _____ _____
_____ _____.

5 내가 사업을 시작하는 데 그가 얼마나 많은 도움을 주었는지 나는 전혀 깨닫지 못했다. (realize, help, me, start)

→ Little _____ _____ _____ how much _____ _____ _____
_____ a new business.

6 그가 아내를 위해 깜짝 파티를 열기로 한 날은 바로 이번 금요일이다. (this Friday, be supposed to, throw a surprise party)

→ _____ is _____ _____ _____ _____ _____ _____
_____ _____ _____ _____ _____ for his wife.

D 우리말과 같은 뜻이 되도록 주어진 단어를 배열하여 강조문을 완성하시오.

1 그들은 결코 오전 10까지 공항에 도착할 수 없을 것이다. (will, arrive, no way, at the airport, they)

→ _____ by 10 a.m.

2 나는 어떤 경우에도 희망을 포기하지 않을 것이다. (will, give up, under no condition, I)

→ _____ hope.

3 나는 나중에서야 겨우 한식 조리사 자격증을 받을 수 있었다. (I, only later, manage, did, to gain)

→ _____ a cooking license in Korean cuisine.

4 그녀는 풍경 사진을 찍는 데 아주 소질이 있다. (have, taking pictures of, landscapes, does, a talent for)

→ She _____.

5 내 여동생은 바로 4월에 남자 친구와 결혼을 할 것이다. (in April, her boyfriend, my sister, get married to, when, will)

→ It's _____.

6 우리 반 친구들이 없었다면, 나는 새로운 학교에 적응하지 못했을 것이다.

(been, for my classmates, not, it, had, adjusted to, have, couldn't)

→ _____, I _____ my new school.

THIS IS GRAMMAR

이것이 진화하는 New This Is Grammar다!

· 판에 박힌 형식적인 표현보다 **원어민이 실제 일상 생활에서 바로 쓰는** 생활 영문법
· 문어체뿐만 아니라 **구어체 문법을 강조한 회화, 독해, 영작을 위한** 실용 영문법
· 현지에서 더는 사용하지 않는 낡은 영문법 대신 **시대의 흐름에 맞춘** 현대 영문법

이 책의 특징

★ 실생활에서 쓰는 문장과 대화, 지문으로 구성된 예문 수록
★ 핵심 문법 포인트를 보기 쉽게 도식화 · 도표화하여 구성
★ 다양하고 유용한 연습문제 및 리뷰, 리뷰 플러스 문제 수록
★ 중 · 고등 내신에 꼭 등장하는 어법 포인트의 철저한 분석 및 총정리
★ 회화 · 독해 · 영작 실력 향상의 토대인 문법 지식의 체계적 설명

This Is Grammar (최신개정판)시리즈

초급
1, 2
기초 문법 강화 + 내신 대비
예비 중학생과 초급자를 위해 영어의 기본적 구조인 형태, 의미, 용법 등을 소개하고, 다양한 연습문제를 제공하고 있다. Key Point에 문법의 핵심 사항을 한눈에 보기 쉽게 도식화·도표화하여 정리하였다.

중급
1, 2
문법 요약(Key Point) + 체계적 설명
중·고등 내신에 꼭 등장하는 문법 포인트를 철저히 분석하여 이해 및 암기가 쉽도록 예문과 함께 문법을 요약해 놓았다. 중급자들이 체계적으로 영문법을 학습할 수 있도록 충분한 콘텐츠를 제공하고 있다.

고급
1, 2
핵심 문법 설명 + 각종 수험 대비
중·고급 영어 학습자들을 대상으로 내신, 토익, 토플, 텝스 등 각종 시험을 완벽 대비할 수 있도록 중요 문법 포인트를 분석, 정리하였다. 다양하고 진정성 있는 지문들을 통해 풍부한 배경지식을 함께 쌓을 수 있다.

www.nexusEDU.kr
넥서스 초 · 중 · 고등 사이트

www.nexusbook.com
넥서스 홈페이지

책에 대해 궁금한 사항은 넥서스에듀 홈페이지 1:1 고객상담 게시판을 이용하세요.

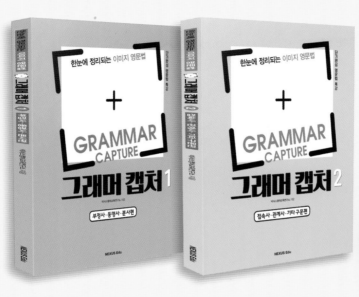

이것이 THIS IS 시리즈다!

THIS IS GRAMMAR 시리즈

▷ 중·고등 내신에 꼭 등장하는 어법 포인트 분석 및 총정리

강남인강
강의교재

THIS IS READING 시리즈

▷ 다양한 소재의 지문으로 내신 및 수능 완벽 대비

강남인강
강의교재

THIS IS VOCABULARY 시리즈

▷ 주제별로 분류한 교육부 권장 어휘

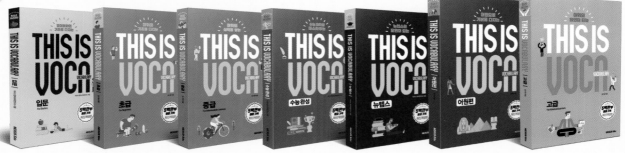

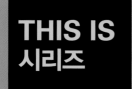

THIS IS 시리즈

무료 MP3 및 부가자료 다운로드
www.nexusbook.com
www.nexusEDU.kr

THIS IS GRAMMAR 시리즈
Starter 1~3 영어교육연구소 지음 | 205×265 | 144쪽 | 각 권 12,000원
초·중·고급 1·2 넥서스영어교육연구소 지음 | 205×265 | 250쪽 내외 | 각 권 12,000원

THIS IS READING 시리즈
Starter 1~3 김태연 지음 | 205×265 | 156쪽 | 각 권 12,000원
1·2·3·4 넥서스영어교육연구소 지음 | 205×265 | 192쪽 내외 | 각 권 10,000원

THIS IS VOCABULARY 시리즈
입문 넥서스영어교육연구소 지음 | 152×225 | 224쪽 | 10,000원
초·중·고급·어원편 권기하 지음 | 152×225 | 180×257 | 344쪽~444쪽 | 10,000원~12,000원
수능 완성 넥서스영어교육연구소 지음 | 152×225 | 280쪽 | 12,000원
뉴텝스 넥서스 TEPS연구소 지음 | 152×225 | 452쪽 | 13,800원

LEVEL CHART

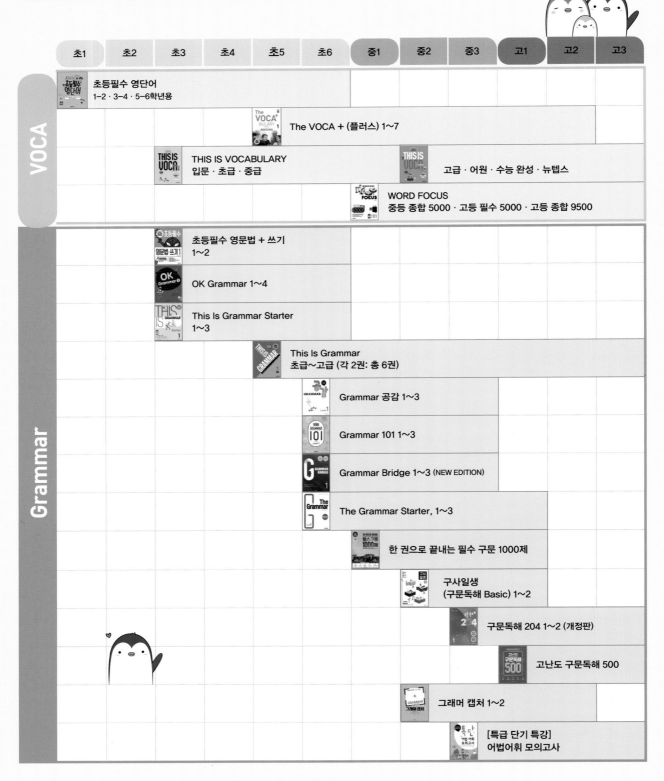

	초1	초2	초3	초4	초5	초6	중1	중2	중3	고1	고2	고3
VOCA	초등필수 영단어 1-2 · 3-4 · 5-6학년용											
					The VOCA + (플러스) 1~7							
			THIS IS VOCABULARY 입문 · 초급 · 중급						고급 · 어원 · 수능 완성 · 뉴텝스			
					WORD FOCUS 중등 종합 5000 · 고등 필수 5000 · 고등 종합 9500							
Grammar	초등필수 영문법 + 쓰기 1~2											
	OK Grammar 1~4											
	This Is Grammar Starter 1~3											
	This Is Grammar 초급~고급 (각 2권: 총 6권)											
	Grammar 공감 1~3											
	Grammar 101 1~3											
	Grammar Bridge 1~3 (NEW EDITION)											
	The Grammar Starter, 1~3											
	한 권으로 끝내는 필수 구문 1000제											
	구사일생 (구문독해 Basic) 1~2											
	구문독해 204 1~2 (개정판)											
	고난도 구문독해 500											
	그래머 캡처 1~2											
	[특급 단기 특강] 어법어휘 모의고사											

THIS IS GRAMMAR

Answers

넥서스영어교육연구소 지음

★ 내신·토익·토플·텝스 등 각종 시험 완벽 대비, 이것이 **현대 영문법의 결정판**이다!

★ 원어민이 사용하는 생생한 문장들로 구성된 예문   ★ 단계별, 유형별로 구성된 연습문제와 리뷰문제

1

고급

NEXUS Edu

PART 1

A

1 to   2 ×
3 for   4 of
5 with   6 ×
7 ×   8 on
9 ×   10 from

해석

1 내게 사전을 좀 가져다주실래요?
2 애비는 4월 15일에 그와 결혼했다.
3 조단이 그녀에게 멋진 원피스를 사 주었다.
4 경찰이 그를 사기 혐의로 기소했다.
5 그 학교는 모든 학생에게 기숙사를 제공한다.
6 승객들은 승무원에게 표를 보여 주어야 한다.
7 아무도 그녀에게 그 숙제에 대해서 어떤 것도 설명해 주지 않았다.
8 조지아는 반에서 수석으로 졸업하게 된 자신의 조카를 축하해 주었다.
9 여동생이 내게 수학 문제를 물었는데 그것은 너무 까다로웠다.
10 14세기에는 흑사병이 유럽 전역에 퍼져 나가는 것을 막을 수 있는 것이 없었다.

B

1 warn people of[about] the risk
2 bought me
3 raised
4 remind me
5 owns
6 discussed the methodology
7 lied
8 entered the attic
9 me the new dress[the new dress to me]
10 provides foreign students with an opportunity

해석

1 사람들에게 위험을 경고하는 것이 옳은 것으로 보입니다.
2 내 친구들이 생일 선물로 화장품 세트를 사 주었다.
3 그는 아주 어렸을 때부터 양부모님에게서 길러졌다.
4 내게 출장 일정을 상기시켜 주시겠어요?
5 댄 씨는 이 건물을 여동생과 공동으로 소유하고 있다.
6 그 교사들은 문법 교수법에 대해서 논의했다.
7 제발 사실대로 말해 줘. 네가 나에게 거짓말을 했을 때 정말 실망스러웠어.
8 나는 전에 가지고 놀던 야구 방망이를 찾으러 다락방에 들어갔다.
9 언니는 친구의 결혼식에 입고 가려고 산 새 원피스를 나에게 빌려주지 않았다.
10 그 대학교는 외국인 학생들에게 지역 문화에 익숙해질 기회를 제공한다.

C

1 of   2 with   3 from   4 ×   5 ×
6 for   7 from   8 on

해석

1 그녀는 나로 하여금 옆집 소녀를 떠올리게 한다.
2 그 호텔은 투숙객에게 아침 뷔페를 제공한다.
3 나는 햇볕에 타는 것으로부터 얼굴을 보호하려고 선크림을 발랐다.
4 그 작은 소년이 새로 오신 국어 선생님의 질문에 대답했다.
5 한국에 입국하는 여행자의 수가 증가하고 있다.
6 그의 파트너는 과제 제출이 늦어진 것을 그의 탓으로 돌렸다.
7 아이들이 자외선에 너무 오래 노출되지 않도록 하세요.
8 나는 네가 이 돈을 가지고 있다가 언젠가 너 자신을 위해 뭔가 좋은 데 쓰기를 바란다.

D

1 틀린 것 없음   2 prefers
3 me   4 틀린 것 없음
5 틀린 것 없음   6 smells like
7 틀린 것 없음   8 틀린 것 없음
9 for the failure   10 seems
11 needs   12 틀린 것 없음

해석

1 제니가 거울에 비친 자신을 보고 있다.
2 우리 가족은 농촌 생활을 선호한다.
3 그 스카우트 담당자는 나에게 좋은 일자리를 제안했다.
4 그녀는 그와 함께 스키를 타러 가려고 생각 중이다.
5 회사는 올해 보너스를 주기로 우리에게 약속했다.
6 그녀의 향수는 벚꽃 향이 난다.
7 커피가 다 떨어졌으면, 뜨거운 차 한 잔이면 충분해요.
8 그녀는 일주일 후에 주간 TV쇼에 나올 것이다.
9 그는 평화 협상의 실패를 다른 사람의 탓으로 돌렸다.
10 당신이 제안한 계획은 완벽하게 진행되고 있는 것 같다.
11 우리 그룹의 지도자는 내일까지 우리가 결정한 것을 알아야 한다.
12 그녀는 방에 들어오자마자 뭔가 잘못된 것을 알았다.

A

1 구, 명사   2 구, 형용사
3 절, 부사   4 절, 명사
5 구, 명사   6 절, 명사
7 구, 형용사   8 절, 형용사
9 구, 부사   10 절, 부사

해석

1 무술을 배우는 것은 재미있을 수도 있다.
2 파란색 액자에 든 사진을 봐.
3 그녀가 여기에 오면, 내가 상황을 설명할게.
4 나는 그녀가 우리 반에서 가장 영리한 아이라고 생각한다.
5 내 여동생은 내년에 외국에서 공부하기를 원한다.

6 파란색 장식이 달린 하얀 집이 내가 살고 싶은 곳이다.

7 내가 운동을 마쳤을 때 마실 것이 하나도 없었다.

8 네가 이야기하고 있었던 사람은 우리 아버지와 정말 많이 닮았다.

9 대통령은 해외여행을 갈 때 항상 전용기를 타고 간다.

10 우리는 등교하기 전에 샤워를 하고 옷을 갈아입었다.

 B

1 or   2 if   3 what   4 Although
5 when   6 that   7 where   8 and

해석

1 일찍 출발해라. 그렇지 않으면 늦을 거야.

2 나는 그녀에게 배구를 할 줄 아는지 물어봤다.

3 통감자 구이를 곁들인 스테이크는 그가 가장 좋아한 음식이었다.

4 그녀는 키가 가장 작지만 팀에서 최고의 선수 중 한 명이다.

5 제시카는 자신과 가족이 미국에 이민 온 그날을 절대 잊지 못할 것이다.

6 그녀는 그 음악이 1950년대에 작곡되었다는 것 이외에 전혀 아는 것이 없다.

7 우리가 네 스무 번째 생일에 저녁을 먹었던 그 식당을 기억하니?

8 한 블록 직진해서 교차로에서 좌회전하세요. 그러면 왼쪽에 체육관이 보일 거예요.

C

1 The woman
2 early
3 later
4 my friend failed the entrance exam last year
5 The church
6 things

해석

1 그 건물로 들어가고 있는 여인은 우리 할머니이시다.

2 네 계획을 추진하는 것을 포기하기에는 너무 이르다.

3 내 학급 친구들 중 몇몇은 평소보다 학교에 더 늦게 왔다.

4 유감스럽게도 내 친구는 작년에 입학시험에 떨어졌다.

5 우리가 매주 일요일에 다니곤 했던 그 교회는 역사가 아주 오래 되었다.

6 홍콩에는 재미있는 할 거리들이 아주 많아서 절대 지루하지 않을 것이다.

D

1 in alphabetical order to get an interview
2 he'll have to move his car
3 at the graduation ceremony
4 in advance
5 as soon as possible
6 to make an appointment for a check-up
7 whether there was a swimming pool at the hotel
8 in the shop

해석

1 면접을 하기 위해 지원자들의 이름이 알파벳 순서대로 호명되었다.

2 유감스럽지만 그가 차를 옮겨야 할 것 같아요. 여기는 주차금지구역이에요.

3 졸업식에서 학생들에게 수료증을 수여하던 사람이 누구였니?

4 그 회사는 신입 사원들에게 미리 경고를 했어야 했어. 그들 대부분이 기계로 일하던 중에 부상을 입었어.

5 나는 이 라디오를 최대한 빨리 고칠 거야.

6 맥스는 건강 검진 예약을 하려고 병원에 전화를 했다.

7 그들은 그 호텔에 수영장이 있는지 여행사에 물어보았다.

8 그 가게에 있는 모든 사람들은 새로운 의류 라인에 관심을 보였다.

 EXERCISES   p. 18~19

A

1 The beef soup smells wonderful.
  S   V   SC

2 Her aunt made her a doll to play with.
  S   V   IO   DO

3 My teacher's new outfit looks gorgeous.
  S   V   SC

4 Lucy bought me a cup of coffee and a donut.
  S   V   IO   DO

5 Most of the students agree with your opinion.
  S   V

6 Her parents made her an international lawyer.
  S   V   O   OC

7 The grocery store always sells people fresh food.
  S   V   IO   DO

8 Most netizens prefer to remain anonymous online.
  S   V   O

9 The government has built lots of libraries for the people.
  S   V   O

10 These organic apples taste different from nonorganic
   S   V   SC

   ones.

11 The noise from outside keeps me awake all through
   S   V   O   OC

   the night.

12 They will see the freshmen at the welcoming party
   S   V   O

   next Monday.

해석

1 그 쇠고기 수프는 냄새가 좋다.

2 그녀의 이모는 그녀에게 가지고 놀 인형을 만들어 주었다.

3 우리 선생님의 새 의상은 멋져 보인다.

4 루시가 내게 커피 한 잔과 도넛 한 개를 사 주었다.

5 학생들 대부분이 너의 의견에 동의한다.

6 그녀의 부모님은 그녀를 국제변호사로 만들었다.

7 저 식료품점은 사람들에게 항상 신선한 식품을 판매한다.

8 누리꾼 대부분은 온라인에서 익명으로 남아 있는 것을 선호한다.

9 정부는 국민을 위해 도서관을 많이 건립해 왔다.

10 이 유기농 사과는 유기농이 아닌 사과와 다른 맛이 난다.
11 밖에서 들리는 소음이 밤새도록 나를 깨어 있게 했다.
12 그들은 다음 주 월요일 환영회에서 신입생들을 만날 것이다.

 B

1 amusing	2 calm
3 guilty	4 terribly
5 sing	6 positive
7 lonely	8 entering
9 good	10 to bring
11 comfortable	12 study

해석

1 우리 반 친구들은 그녀가 재미있다는 것을 알게 되었다.
2 금융 대란에도 그들은 침착함을 유지했다.
3 변호사는 샐리가 무죄임을 입증했다.
4 그는 아토피 피부염 때문에 심하게 가렵다.
5 그녀는 반 친구인 팀이 교실에서 노래 부르는 것을 들었다.
6 우리 오빠는 게임에 승리할 것을 확신하는 것 같다.
7 그녀는 집에 있는 휴일이면 외로움을 느낀다.
8 그는 지난밤에 낯선 사람이 이웃집에 들어가는 것을 목격했다.
9 새 학생회에 대한 교수진의 계획은 좋은 것 같다.
10 기숙사 사감은 학생들이 기숙사에 친구를 데리고 들어오는 것을 허락하지 않을 것이다.
11 나는 정말 덥고 습한 날에 에어컨을 사용하면 쾌적한 기분이 든다.
12 그의 어머니는 그가 중국으로 떠나기 전 매일 두 시간 동안 그에게 중국어 공부를 하게 했다.

C

1 Amanda bought a brand-new computer for me.
2 The curator showed Picasso's early works to us.
3 The company offered a very good job to her.
4 Leon made a miniature doll's house for his daughter.
5 Volunteers gave some Braille books to the visually challenged.

해석

1 아만다가 나에게 최신형 컴퓨터를 사 줬다.
2 전시 책임자가 우리에게 피카소의 초기 작품을 보여 주었다.
3 그 회사는 그녀에게 정말 좋은 일자리를 제안했다.
4 레온이 자신의 딸에게 모형 인형의 집을 만들어 주었다.
5 자원 봉사자들이 시각 장애인들에게 점자책을 주었다.

REVIEW

p. 20~21

A

1 ④ 2 ② 3 ③

해설/해석

1 '짐이 기념일에 어디로 데려갈지'라는 의미이므로 where가 적절
   A: 두 분의 기념일에 뭔가 특별한 일을 하실 건가요?
   B: 네. 하지만 짐이 기념일에 저를 어디로 데리고 갈지는 확실치 않아요.

2 '복잡하다는 것 이외에는 아무것도 모른다'라는 의미이므로 except that이 적절
   A: 난 그 과제가 매우 복잡하다는 것 외에는 아무것도 모르겠어.
   B: 응, 맞아, 찰리야. 아주 복잡해.

3 stay라는 연결동사가 형용사 보어를 동반하는 구문
   A: 아이들이 계속 귀찮게 하는데 메리는 저렇게 평정을 유지하다니 믿어지지 않아.
   B: 맞아, 나 같으면 저런 상황에서 평정심을 유지할 수 없을 거야.

 B

1 ① 2 ④ 3 ④

해설/해석

1 ① because 뒤에 구(the freckles on my face)가 왔으므로 because가 아니라 because of가 적절
   A: 내 얼굴의 주근깨 때문에 창피해.
   B: 별거 아닌데 뭐. 나도 주근깨가 있어.
   A: 하지만, 나는 주근깨가 싫어. 어떻게 없애 버릴 수 없을까?
   B: 젠킨스 박사님 알지? 그분이 피부과 전문의에게 너를 소개시켜 줄 수 있을 거야.

2 ④ 「make+목적어+목적격보어」형태로 목적어(me), 목적격보어(sick)가 와야 함. 명사 sickness는 목적어인 me와 동격 관계가 될 수 없으므로 형용사인 sick이 적절
   A: 내 요리에 대해서 어떻게 생각하는지 말해 줘.
   B: 나는 대체로 네 음식이 맛있어. 하지만, 이 생선찌개는 별로야.
   A: 정말? 어떤 면이 마음에 들지 않는 거니?
   B: 사실, 해산물을 먹으면 배가 아프거든.

3 ④ 이 문장의 know는 주어의 이해를 나타내는 상태동사이므로 'm knowing이 아니라 know가 적절
   A: 나는 리사가 호두 파이와 커피를 가져다줘서 배가 불러.
   B: 이건 불공평하잖아. 리사는 내게 아무것도 가져다주지 않았어. 그녀는 널 더 좋아하는 것 같아.
   A: 리사와 나는 1학년 때부터 절친한 사이야.
   B: 그래. 알지만, 그래도 기대는 해 볼 수 있잖아, 안 그래?

 C

1 ④ 2 ③ 3 ①

해설/해석

1 ④ 「make+목적어+목적격보어(동사원형)」의 형태로 to taste가 아니라 taste가 적절
   간장에 절인 꽃게는 심지어 왕족들도 육즙이 가득한 게살을 맛보려고 수저를 사용하지 않고 오히려 손가락을 사용했을 정도인 한국의 진미이다. 이 식당의 주방장은 손님들을 위해 알이 꽉 찬 신선한 암컷으로만 선별하여 요리를 준비한다. 주방장의 말에 따르면, 익히지 않은 게를 간장에 며칠 동안 절이기 때문에 생선 비린내를 없애는 것이 아주 중요하다. 그래서 꽃게에 젓갈과 생강을 넣어 양념하는데 이것은 게살이 더욱 신선한 맛이 나도록 만들어 준다.

2 ③ the Gobi Desert가 장소이므로 관계 부사 when이 아니라 where가 적절
   기상청은 심각한 황사 때문에 시민들에게 가능한 실내에 머무르도록 권장하고 있습니다. 더욱이 외출을 할 경우에는 마스크를 할 것을 권장합니다. 황사의 발원지인 고비사막의 상태가 평소보다 건조하여 올해의 황사는 지난해보다 심각할 것으로 예상하고 있습니다. 황사 먼지 관

측 농도가 변하는 경향이 있기 때문에 시민들은 발령되는 황사 경보의 추이에 매일 귀를 기울여야 합니다.

3 ① Many different cultural events가 개최하는 것이 아니라 개최되는 것이므로 will hold가 아니라 will be held가 적절

여러 가지 다양한 문화 행사가 서울 곳곳의 다른 작은 무대뿐만 아니라 서울 플라자에서도 개최됩니다. 5월부터 10월까지 매주 토요일 밤 반포 지구 근처의 한강 둔치에서 시민들은 콘서트와 라이브 재즈 공연을 즐길 수 있습니다. 매주 토요일 오후에 다양한 공연이 동대문 시장에서 진행될 것입니다. 그리고 주중에는 매일 거리의 예술가들이 무용과 다른 공연예술을 선사할 예정입니다.

REVIEW PLUS

p. 22

②

해설/해석

(A) 괄호 뒤에 주어(birth order), 동사(affects), 목적어(both ~ achievement)가 있는 완전한 절이 왔으므로 believed의 목적어절을 이끄는 접속사 that이 적절 (B) 「주어+동사+보어」의 형태이므로 형용사보어가 적절(I'm thus less aggressive) (C) you가 other social roles를 받아들이는 것이므로 능동인 accepting이 적절

많은 사회 과학자들은 오랫동안 태어난 순서가 성인의 삶에서 직접적으로 성격과 성취에 영향을 준다고 믿어 왔다. 사실, 사람들은 공격적 행위라든가 소극적 기질과 같은 성격적인 요소를 설명하는 데 태어난 순서를 사용해 오고 있다. 아마도 어떤 사람은 "아, 나는 세 딸 중에 첫째라서 독단적일 수밖에 없어." 또는 "나는 사업에서는 성공하지 못했는데요. 내가 막내라서 다른 형제, 자매보다 덜 공격적이어서 그런가 봐요."라고 말할지도 모른다. 하지만, 최근에 이루어진 연구에 따르면 이러한 믿음은 잘못된 것이다. 바꾸어 말하면, 태어난 순서는 가족 내에서의 자신의 역할을 한정지을지도 모르지만, 어른으로 성장해 감에 따라 사회적 역할을 받아들이면서 태어난 순서는 점점 무의미한 것이 된다.

⑤

해설/해석

⑤ you가 the "single transaction form" link를 사용하는 것이므로 능동(using)이 적절

이 웹페이지에 다른 uBay 회원들을 위해서 손님께서 구매하신 제품의 사용 후기를 남기실 수 있습니다. 기억하세요, uBay는 90일 이내에 구입한 제품에 대한 사용 후기에만 포인트를 지급합니다. 90일 이상이 된 경우, 이 페이지에 사용 후기를 남기실 수 없습니다. uBay의 사용 후기 시스템은 uBay 회원으로 등록되지 않는 사람이 후기를 남기는 것을 허용하지 않는다는 점에 유의하세요. 90일이 지난 거래에 대한 후기를 쓰시려면 사후 후기 페이지(PLF)에 있는 '단일 거래 형식'의 링크를 사용하시면 됩니다. 하지만, uBay는 PLF 페이지의 후기에는 포인트를 지급하지 않습니다.

PART 2

Unit **04** EXERCISES

p. 26~27

1 will attend   2 is, has
3 told   4 has
5 starts, stops   6 spent
7 left, leaves   8 am going to buy

해석

1 나는 로빈이 다음 달 학회에 참석할지 궁금하다.
2 한국의 겨울은 매우 춥고 눈이 많이 내린다.
3 지난주에 그녀가 학생들에게 임시 교사에게 착하게 행동하라고 말했다.
4 이 동물원은 매주 토요일에 최소한 하나의 특별 이벤트를 실시한다.
5 나는 눈이 오기 시작하면 차를 길에다 대고 눈이 그칠 때까지 기다릴 것이다.
6 그녀는 그 문제를 발견하고 나서 그것에 대해 논의하는 데 다섯 시간 이상을 소비했다.
7 바로 이전의 버스는 이십 분 전에 떠났다. 시간표에 따르면 다음 차는 십 분 뒤에 출발한다.
8 나는 최신식 자전거를 가지고 싶어서 돈을 저축했다. 드디어 나는 이번 토요일에 새 자전거를 한 대 살 것이다.

1 did, do, watched, played
2 will accept
3 get up, have, get up
4 was, is, is

해석

1 A: 너 지난 주말에 뭐 했니?
   B: 아, 뭐 별거 없었어. 텔레비전을 보고 컴퓨터 게임을 했어.
2 A: 너 그 일자리 제안을 받아들일지 말지 결정했니?
   B: 응, 결정했어. 거절할 거야. 내가 예상했던 것과 달랐어.
3 A: 나는 대체로 여섯 시에 일어나서 일곱 시에 아침을 먹어.
   B: 그렇게 일찍! 난 보통 여덟 시 삼십 분에 일어나고 아침을 먹지 않아.
4 A: 기다리는 건 정말 싫어! 버스는 십 분 전에 도착했어야 하잖아.
   B: 맞아. 하지만, 이 시간에는 대개 교통 체증이 심하잖아. 혼잡할 시간이야.

1 clean   2 created
3 will play   4 sleep
5 will stay   6 wore
7 expands   8 runs

해석

1 네가 네 방을 청소하면, 내가 숙제를 도와줄게.
2 세종대왕이 한국의 글자 체계인 '한글'을 창제했다.

3 한국 축구팀은 내일 로마에서 이탈리아 팀과 경기를 할 것이다.

4 일반적으로 새끼 고양이는 첫 6개월간은 하루 대부분을 잠으로 보낸다.

5 오늘 밤에 우리 부모님이 친구를 만나러 가면 나는 집에 있을 것이다.

6 과거에는 여자들만 핑크색 옷을 입었지만, 요즘에는 남자들도 입는다.

7 금속은 열을 받으면 팽창하므로 열차 선로 사이에 공간이 있다.

8 미시시피 강은 북부 미네소타에 있는 작은 시내로 시작해서 멕시코만으로 흘러간다.

1 will see, will cycle, will get, will cost
2 went, was, was, departed, saw, was, went
3 am, hold, am, live

해석

1 3월 1일에 새 학기가 시작할 것이다. 지난해부터 알던 친구들을 만날 생각에 정말 신이 난다. 엄마가 자전거로 학교에 다니는 것이 건강에 좋다고 해서 이번 학기부터는 매일 자전거로 등교할 것이다. 내일은 수리점에서 자전거를 찾을 것이다. 얼마가 들지 궁금하다.

2 나는 지난달에 괌에 갔다. 공항에서 비행기가 연착되었다. 우리 비행기는 오전 열한 시에 출발할 예정이었지만 오후 네 시가 되어서야 겨우 출발했다. 괌에 도착하자, 나는 공항에서 오래 기다린 탓에 피곤했다. 하지만, 푸른 바다를 보자 신이 나서 곧장 수영하러 갔다.

3 나는 피겨 스케이팅 선수권에서 메달을 딴 최초의 한국인 피겨 스케이트 선수이다. 나는 한국과 세계에서 가장 인정받는 선수 중 한 명이다. 나는 국제 스케이팅 채점 방식에 따른 여자부 프로그램에서 세계 신기록을 보유하고 있다. 나는 현재 세계 3위이고 내가 훈련하는 곳인 캐나다의 토론토에 거주하고 있다.

 EXERCISES p. 29

1 migrate
2 are taking
3 think
4 is tasting
5 is thinking of

해석

1 새들은 겨울에 남쪽으로 이주해 간다.
2 조용히 해요! 학생들이 지금 시험을 치는 중이에요.
3 나는 브랜든이 신뢰할 수 있고 정직하다고 생각한다.
4 지금 주방장이 스튜가 손님들에게 접대할 정도로 괜찮은지 확인하려고 맛을 보고 있다.
5 수는 다른 언어로 말을 하고 싶어 했다. 그래서 지금 그녀는 불어와 스페인어를 배우려고 생각 중이다.

1 was sleeping, called   2 was studying, came
3 met, was working   4 shouted, was throwing
5 walked, was listening

해석

1 어제 내가 전화했을 때 그는 자고 있었다.
2 그의 아버지가 집에 왔을 때 그는 공부 중이었다.
3 샘은 베이징에서 일하고 있을 때 크리스틴을 만났다.

4 그 아이가 동물들에게 쓰레기를 던지는 것을 보고 그는 화가 나서 소리를 질렀다.

5 오늘 새로 오신 과학 선생님이 우리 반에 들어왔을 때, 나는 라디오를 듣고 있었다.

1 will be traveling   2 will be scuba diving
3 will be vacuuming   4 will be having
5 will be playing

해석

1 다음 주 이 시간쯤이면 나는 혼자 이탈리아를 여행하고 있을 것이다.
2 나는 내일 오후 두 시에서 네 시 사이에 스쿠버 다이빙을 하고 있을 것이다.
3 제이미가 잔디를 깎을 동안 나는 집안 전체를 진공청소기로 청소할 것이다.
4 저녁 일곱 시에 전화할 수 없을 거예요. 나는 그 시간에 식사를 하고 있을 거예요.
5 그는 내일 아침 열 시에 공원에서 축구를 하고 있을 거라서 그 시간에 방영되는 텔레비전 프로그램을 못 볼 것이다.

 EXERCISES p. 32~33

1 had   2 Have
3 had driven   4 will have lived
5 had broken   6 has improved
7 will have won   8 has grown, has won
9 co-hosted, lost

해석

1 그가 그녀를 만났을 때 그녀는 이미 대학을 졸업한 상태였다.
2 네 피부가 붉어졌구나. 모자 없이 햇볕에서 계속 걷고 있었니?
3 그들은 가장 가까운 호텔에 도착하기까지 다섯 시간을 운전했다.
4 내년에 중국으로 돌아가지 않으면 나는 한국에서 10년간 살게 되는 셈이다.
5 우리 엄마는 내가 엄마가 가장 좋아하는 골동품 꽃병을 깨뜨려서 화가 났었다.
6 그녀의 영어실력은 별로 좋지 않았다. 지금은 훨씬 더 나아졌다. 영어 실력이 많이 향상되었다.
7 그녀가 그레미 상을 수상하면 그녀는 다른 어떤 음악가보다 많은 상을 받게 될 것이다.
8 나의 이웃은 수년 동안 꽃을 키워 왔고 많은 대회에서 수상을 했다.
9 한국과 일본이 2002년 월드컵을 공동 개최했고, 결승전에서 독일이 브라질에 2대0으로 패배했다.

1 How long   2 today
3 before   4 since
5 for   6 before
7 recently   8 last night

1 너희는 서로 얼마 동안 알고 지냈니?
2 마이클은 오늘 사진을 많이 찍었다.
3 너는 전에 일본 공포 영화를 본 적이 있니?
4 화가들의 그림은 대부분 사후에 그 가치가 올라간다.
5 이번 달 말이면 나는 6개월 동안 운동을 하고 있는 셈이 된다.
6 제니퍼는 현재의 일자리를 얻기 전에 일곱 군데의 일자리에 지원했다.
7 나는 최근에 제임스에게서 소식을 듣지 못했다. 나는 그가 무엇을 하며 지내는지 궁금하다.
8 어젯밤에 김 교수님이랑 이야기를 하고 나서 내가 장학금을 탈 자격이 된다는 사실을 알게 되었다.

C

1 has broken
2 had predicted
3 have studied
4 have been
5 has written
6 had traveled
7 had studied
8 have already saved
9 haven't seen, Have, seen
10 had ever seen

1 댄은 우리와 축구를 할 수 없어. 그는 다리에 깁스를 하고 있어. 다리가 부러졌거든.
2 대회가 시작되기 전에 많은 사람들이 그녀가 우승할 것이라고 예측했다.
3 나는 영어를 4년 동안 공부했지만, 여전히 배울 것이 더 많이 있다.
4 지난 2년간 여름에 동해안에는 몇 번의 홍수가 났었다.
5 미셸은 세계적으로 유명한 작곡가이다. 그녀는 지금까지 수백 곡의 노래를 작곡했다.
6 지난해에 그가 세계 여행을 끝냈을 때, 그는 3년 동안 여행을 한 셈이었다.
7 유나는 캐나다에 오기 전에 거의 10년간 한국에서 영어를 공부했었다.
8 나는 이미 100달러를 저축해 놓았으니까 다음 달에는 새 컴퓨터 게임을 살 것이다.
9 나는 새로 나온 제임스 본드 영화를 아직 보지 못했어. 너는 봤니?
10 나는 어제 쇼핑몰에서 우리 선생님을 봤어. 학교 밖에서 선생님을 본 것은 그때가 처음이었다.

D

1 Have you ever cheated
2 틀린 것 없음
3 has studied
4 read

1 A: 시험을 볼 때 부정행위를 해본 적 있니?
  B: 아니, 그런 적도 없고 그럴 일도 없을 거야.
2 A: 너는 얼마 동안 버스를 기다린 거니?
  B: 확실하지 않아. 아마 10분쯤.
3 A: 너의 형은 몇 년간 외국에서 공부했니?
  B: 우리 형은 벌써 6년이나 공부했어. 그는 영어가 유창해.
4 A: 너 오늘 신문 본 적 있니?
  B: 응. 내가 점심 먹으면서 읽었어. 아마 지금은 짐이 읽고 있을 거야.

A

1 tell
2 is starting
3 are
4 are sleeping
5 is getting
6 wakes up
7 are rising
8 wins

1 내가 네게 그 비밀을 말하면 그녀는 결코 나를 용서하지 않을 거야.
2 나는 정말 신이 나. 월요일이면 새 학기가 시작되잖아.
3 모든 관중이 입장하면 경기가 곧 시작될 것이다.
4 아이들이 자고 있을 때 산타클로스가 선물을 가져다줄 것이다.
5 나는 지금 집에 가야 해. 점점 어두워지고 있고, 엄마가 걱정하실 거야.
6 오늘 아침에 그가 깨면 밖이 얼마나 추운지 알게 될 것이다.
7 전 세계의 해수면이 그 어느 때보다 빨리 높아지고 있다는 증거가 더 있다.
8 로저 페더러가 한 경기만 더 승리하게 되면 그는 최다승 기록을 깨게 될 것이다.

B

1 has acted
2 has won
3 has never been
4 has just announced
5 joined, fought
6 met, was, have been
7 have been, went
8 rained, hasn't shone

1 앨리슨은 2006년에 데뷔한 이래로 세 편의 연극에 출연했다.
2 프로가 된 이후로 제임스는 많은 골프 대회에서 우승했다.
3 제니는 지난해 베이징으로 이사한 후로 한 번도 만리장성에 가본 적이 없다.
4 정부는 올해에 유가가 더는 오르지 않을 것이라고 발표했다.
5 우리 할아버지께서는 1940년대에 군에 입대하셨고, 제2차 세계 대전에 참전하셨다.
6 나는 열다섯 살 때 콜린을 만났는데, 그때 이후로 가장 친한 친구가 되었다.
7 우리 가족과 나는 휴가 때 이탈리아에 여러 번 갔었지만, 지난해에는 대신 러시아에 갔다.
8 정말 지독한 날씨야! 어제는 폭우가 내렸고, 한 주 내내 태양이 비치지 않고 있어.

A

1 is writing
2 is being groomed
3 drew
4 being organized
5 is collected
6 will be tested
7 were built
8 will be helped
9 bought
10 are handed in

1 그는 장문의 사과 편지를 쓰고 있다.
2 애완동물 미용실에서 그 강아지의 털을 다듬고 있다.

3 그녀는 내게 자신이 사는 곳이 어디인지 알려 주려고 약도를 그렸다.

4 피터가 개회식을 준비하고 있습니까?

5 우리 동네에서 쓰레기는 일주일에 두 번 수거된다.

6 학생들은 어제 숙제로 평가를 받을 것이다.

7 페트로나스 트윈 타워가 말레이시아의 쿠알라룸푸르에 건설되었다.

8 우리 삼촌은 겨울 방학 동안 자녀들의 도움을 받을 것이다.

9 우리는 커피숍에서 여러 봉의 분쇄 커피를 샀다.

10 매일 아침 수업 전에 모든 휴대 전화가 선생님께 넘겨진다.

B

1 was improved 2 separates
3 lent 4 will be recalled
5 will be cleaned 6 was sent
7 built 8 called
9 depends on

해석

1 전구는 에디슨에 의해 개량되었다.

2 우리 어머니가 매일 쓰레기를 분리한다.

3 나는 오늘 아침에 반 친구 중 한 명에게 그 책을 빌려 주었다.

4 일부 식품이 안전상의 이유로 회수될 것이다.

5 우리 오빠에 의해 이번 주말에 창고가 청소될 것이다.

6 백화점에 의해 단체 이메일이 고객들에게 발송될 것이다.

7 대만 사람들이 1999년에서 2004년까지 타이베이 101을 건설했다.

8 랜든은 아이들이 위험에 빠진 것을 보고 911에 신고했다.

9 우리 회사의 미래는 신입 사원들에게 달렸습니다.

C

1 The journalist was reported missing (by them).

2 The ball was thrown to first base by the pitcher.

3 The criminals were caught yesterday by the police.

4 The theory of relativity was formulated by Einstein.

5 I was persuaded by Sarah to do yoga with her.

6 The plane was seen landing[to land] on the river (by some people).

7 The classroom was cleaned after school (by everyone).

8 The movie *Old Boy* was directed by Park Chanwook in 2003.

9 Seven bestselling *Harry Potter* novels were written by J.K. Rowling.

10 The part of Romeo in *Romeo and Juliet* is being played by him this week.

11 Your package will be delivered between 2 p.m. and 4 p.m. tomorrow (by us).

12 The WBC final game was seen by around 56,000 spectators at Dodger Stadium.

해석

1 (그들은) 그 기자가 실종되었다고 보도했다.

2 투수가 1루로 공을 던졌다.

3 경찰이 어제 범인들을 체포했다.

4 아인슈타인이 상대성 이론을 체계화했다.

5 사라는 자신과 함께 요가를 하자고 나를 설득했다.

6 일부 사람들이 그 강에 비행기가 착륙하는 것을 보았다.

7 방과 후에 다들 교실 청소를 했다.

8 박찬욱 감독은 2003년에 '올드 보이' 영화를 제작했다.

9 J. K. 롤링은 베스트셀러인 일곱 편의 '해리포터' 소설을 집필했다.

10 그는 이번 주 '로미오와 줄리엣' 공연에서 로미오 역을 연기할 것이다.

11 (저희는) 당신의 소포를 내일 오후 2시에서 4시 사이에 배달할 것입니다.

12 약 5만 6천 명의 관중이 다저 스타디움에서 세계 야구 선수권 대회 결승전을 관람했다.

REVIEW

p. 40~41

1 ② 2 ③ 3 ③ 4 ④

해설/해석

1 미래를 나타내는 표현인 tomorrow가 왔으므로 현재 진행형(am leaving)이 적절
A: 나는 내일 뉴욕으로 떠날 거야.
B: 정말? 신나겠구나.

2 그녀가 말한 시점보다 전에 그들이 만나지 않은 것이므로 hadn't met이 적절
A: 그녀는 그들이 전에 서로 만난 적이 없다고 했어.
B: 그렇지 않을걸. 그녀는 그 남자가 어디에 사는지 알고 있어.

3 과거를 나타내는 표현인 last week이 쓰였으므로 drove가 적절
A: 너 운전해 본 적이 있니?
B: 응, 있어. 지난주에 해 봤어.

4 배우들이 갈채를 받는 것이므로 수동, B에서 acted가 쓰였으므로 과거
A: 오늘 밤 공연에서 배우들이 10분 동안 박수갈채를 받았어.
B: 맞아. 그들은 연기를 정말 잘했어.

B

1 ③ 2 ① 3 ①

해설/해석

1 ③ 주어인 that CD는 친구들에 의해서 '들려지는' 것이므로 listens가 아니라 is listened가 적절
A: 오늘 쇼핑몰에서 무엇을 살 예정이니?
B: 빅뱅의 최신 음반을 사고 싶어.
A: 아, 그 CD는 요즘 우리 반 친구들이 다들 듣고 있어.
B: 맞아, 그래서 그 음반을 사려고 해.

2 ① 현재완료는 특정한 과거를 나타내는 부사(last night)와 함께 쓸 수 없으므로 Have you seen이 아니라 Did you see ~?가 적절
A: 어젯밤에 스포츠 시상식을 봤니?
B: 응, 멋지더라. 나는 첫해부터 시청해 왔어.
A: 내가 좋아하는 운동선수들이 모두 상을 탔어.
B: 그리고 이미나가 세계적인 스타가 되었다고 말하더라.

3 ① 요즘 나는 동물을 기르려고 '생각하는 중'이므로 think of가 아니라 진행형(am thinking of)이 적절

A: 나는 요즘 애완동물을 기를까 생각 중이야.
B: 와, 어떤 종류의 애완동물을 원해?
A: 아마도 강아지. 하지만, 우리 엄마는 내가 길러도 될지 확신을 못하고 계셔.
B: 음, 동물을 기르는 데에는 큰 책임이 따르지.

 C

1 ②   2 ②   3 ④

해설/해석

1 ② 과거를 나타내는 부사구인 in 43 AD가 왔으므로 has been founded가 아니라 was founded가 적절

런던은 잉글랜드와 대영 제국의 수도이며 유럽에서 가장 큰 도시이고, 인구 밀도가 가장 높은 지역이다. 런던은 서기 43년에 로마인들에 의해 세워졌으며 '론디니움'이라고 불렸다. 세계적인 도시인 런던은 300개 이상의 언어를 사용하는 다양한 주민으로 구성된 세계 금융 및 문화의 주요 중심지 중 하나이다. 런던은 또한 2012년 하계 올림픽을 개최하였다

2 ② 전통적인 살충제와 화학 물질의 사용이 위험하게 여겨지는 것이므로 consider가 아니라 are considered가 적절

유기농 식품은 1990년대 초 이후로 점차 인기를 끌고 있다. 유기농 식품에는 유해하다고 여겨지는 전통적인 살충제와 화학물질의 사용이 금지되고 제한된다. 그 결과 많은 사람이 유기농 식품이 건강에 더 좋다고 주장하지만 확실한 근거는 없다. 확실한 것은 유기농 식품이 싸지 않다는 것이다. 유기농 식품은 일반 식품보다 최대 40퍼센트까지 더 비싸다.

3 ④ 애완동물을 기르는 것이 스트레스를 없애는 것으로 '알려져'있는 것이므로 has known이 아니라 has been known이 적절

세계적으로 많은 사람들이 애완동물을 기른다. 애완동물은 친밀감을 나누기 위해 길러지고 주인에게 행복을 준다. 애완동물은 충성심이 높고 명랑하기로 유명하고 주인에게 많은 이득이 될 수 있다. 애완동물을 기르는 것은 스트레스를 푸는 데 도움을 주는 것으로 알려져 있고, 개를 산책시키는 것은 주인과 동물 모두에게 운동과 신선한 공기를 제공해 줄 수 있다.

REVIEW PLUS
p. 42

 A

③

해설/해석

(A) A distressed person이 그림에 묘사되어 있는 것이므로 수동이 적절 (B) '절규'라는 작품이 현재까지 도둑들의 목표가 되어온 것이므로 현재완료가 적절 (C) 작품들이 복원되어야 하므로 수동이 적절

'절규'는 에드바르트 뭉크의 작품이다. 그는 이 작품을 다섯 가지의 버전으로 만들었다. 이 작품에는 붉은 하늘을 배경으로 절규하는 사람이 묘사되어 있다. '절규'는 여러 명의 악명 높은 미술품 도둑들의 목표가 되어 왔다. 1994년에 노르웨이 오슬로의 국립미술관에 소장되어 있던 채색된 버전 중 하나가 도난당했고 2004년에는 뭉크 박물관에서 채색된 버전이 도난당했다. 두 작품은 모두 회수되었지만, 손상되어 복원 작업을 해야 했다. 복원 후에는 더욱 삼엄한 감시하에 전시가 재개되었다.

 B

④

해설/해석

④ which 앞의 선행사 A personal note는 당신의 손에 의해 쓰여지는 것이므로 수동태가 적절

업무적인 상황에서는 시간을 들여 '감사'를 표현하는 일은 정말 잊어버리기 쉽지만, 이는 다른 사람들과 상호 작용을 하는 데 필수적입니다. 사람들은 자신이 타당하고 중요하게 받아들여지고, 존중받고 있다고 느끼는 것이 중요합니다. 미안하다고 말하는 것이 중요한 것처럼 당신이 발전할 수 있도록 도와준 이에게 잊지 않고 감사를 표현하는 것도 중요합니다. 그리고 이메일을 보내는 것보다 손으로 만질 수 있는 엽서를 보내는 것이 훨씬 더 좋다고 생각합니다. 자필로 쓴 사적인 글은 너무나 손쉽게 손끝으로 (컴퓨터) 화면에 작성해 넣은 몇 줄의 글보다 훨씬 더 의미가 있습니다. 한 가지 덧붙이자면, 이런 수단을 택할 거라면, 별도로 몇 분을 더 들여서 좋은 카드를 사고, 글씨가 잘 써지는 펜을 사용하도록 하십시오.

 PART 3

 Unit 09 EXERCISES
p. 48~49

 A

1 language
2 people
3 freshmen
4 hypotheses, months
5 visitors, money
6 metals, gold, silver, platinum
7 mutton, lamb, sheep
8 wheat, barley, rice

해석

1 모든 언어는 각기 독특한 방식으로 구조가 매우 복잡하다.
2 몹시 추운 날씨로 인해 거리에 사람들이 거의 없었다.
3 신입생 전체가 입학식을 하려고 강당에 모였다.
4 불과 몇 달 후면 우리는 이 가설들을 뒷받침하는 몇몇 증거들을 찾을 수 있다.
5 라스베이거스를 찾는 많은 관광객들이 카지노에서 도박으로 돈을 많이 잃는다.
6 캐나다에는 금, 은, 백금과 같은 값비싼 금속이 풍부하다.
7 뉴질랜드는 양고기와 어린양 고기를 많이 수출한다. 그곳에서는 양을 많이 기른다.
8 중국의 북부 지방에서는 밀과 보리가 널리 재배되는 반면, 남부 지방에서는 쌀이 많이 재배된다.

 B

1 were   2 live
3 are, are   4 have been displaced
5 is   6 have led
7 has co-evolved

해석

1 수십 채의 집이 폭풍으로 인해 전력 공급이 끊긴 채 방치되었다.
2 다양한 종의 물고기가 한국의 인근 해역에서 서식한다.

3 쌍안경은 멀리 있는 것을 보는 데 사용된다.

4 수단에서의 폭력 사태로 인해 수천 명의 사람들이 추방되었다.

5 13억 인구가 사용하는 중국어는 배우기에 매우 어려운 언어이다.

6 올해 여러 가지 요인들로 인해 기업과 소비자들 사이의 신뢰에 있어 위기가 초래되었다.

7 결핵은 수천 년, 어쩌면 무려 수백 만 년 동안 인간과 함께 진화해 왔다.

 C

1	luggage	2	teeth
3	Bacteria	4	salmon
5	people	6	countries
7	chimneys		

해석

1 부치는 짐을 모두 여기에 놔주실래요?

2 캐런은 정말 빨리 자라고 있어. 그리고 젖니가 이미 모두 빠졌어.

3 박테리아는 공기, 물, 토양에서 번식하며 지구의 모든 서식지에 존재한다.

4 태평양 연어는 자신이 태어난 개울에서 번식하고 알을 낳기 위해 수천 마일을 이동한다.

5 새로운 점보제트기는 승객을 무려 800명까지 태울 수 있다. 이 항공기들은 항공 여행의 비용을 상당히 절감시킬 것이다.

6 내가 가보고 싶은 나라 중 하나가 중국이다. 나는 만리장성과 자금성이 정말 보고 싶다.

7 산타클로스는 크리스마스이브에 가정에 선물을 전달하면서 세계를 돌아다니는 것으로 여겨진다. 그는 굴뚝을 타고 내려와 집 안으로 들어간다.

D

1	hair	2	mittens
3	water	4	sugar
5	problems		

해석

1 A: 베이커 씨는 어떻게 생겼니?
  B: 그는 근사한 콧수염이 있고 머리가 짧아.

2 A: 벙어리장갑 한 짝을 잃어버린 것 같아.
  B: 봐, 저기 눈 속에 떨어져 있네. 좀 더 조심했어야지.

3 A: 나는 우리가 휴가 때 꼭 제주도에 가야 한다고 생각해요.
  B: 좋은 생각이에요. 그곳의 바다는 정말 근사해요.

4 A: 존, 가게에 빨리 가서 설탕 좀 사올래? 설탕이 다 떨어졌어.
  B: 알겠어요. 얼마나 필요해요?

5 A: 사라야, 뭐 하고 있니? 자야 하지 않니?
  B: 숙제를 끝낼 수 있을 것 같지 않아서요. 이 수학 문제 하나가 정말 안 풀려요.

  EXERCISES

p. 52~53

A

1	The	2	The, the, the
3	a, The	4	the, a, the
5	A, the	6	a, the

해석

1 비만인 사람들은 종종 살을 빼는 데 상당한 어려움을 겪는다.

2 유럽에서 가장 긴 강은 볼가 강이다. 볼가 강은 북러시아에서 카스피 해로 흘러 들어간다.

3 일반적으로 알래스카의 여름은 짧고 서늘하다. 알래스카의 원주민은 차가운 기후에서 생활하는 데 잘 적응되어 있다.

4 다니엘은 새 자전거를 사려고 엘름 거리에 있는 쇼핑센터에 갔다. 하지만 그가 원하는 자전거는 너무 비쌌다.

5 북극곰 한 마리가 동물원에서 탈출했습니다. 이 곰을 발견하시는 분들은 가까이 가지 마시고, 즉시 경찰에 연락해 주십시오.

6 바스코 다 가마는 포르투갈의 남서부 지역의 작은 마을에서 태어났다. 그는 유럽에서 인도까지의 남쪽 항로를 발견한 첫 번째 유럽인이었다.

B

1	a, ×, the	2	×, the, the
3	the, ×	4	×, ×, a
5	a, ×	6	the, the, the, ×, the

해석

1 케이트 윈슬렛은 매우 재능 있는 배우이다. 그녀의 영화는 전 세계적으로 매우 인기가 있다.

2 스미스 씨, 엘리스 김이라는 분이 전화를 하셨습니다. 사무실에서 받으시겠습니까?

3 민지는 어렸을 때 시간이 날 때마다 피아노를 쳤다. 하지만 요즘 그녀는 여가에 등산을 간다.

4 정현이는 항상 일찍 잠자리에 든다. 그는 아주 훌륭한 학생이라서 결코 학교에 지각하고 싶어 하지 않는다.

5 뉴질랜드는 엘리자베스 2세가 국가 원수로 있는 입헌 군주국이다.

6 르네상스 초기에 이탈리아의 도시인 피렌체는 문화와 예술 계몽의 중심지였다. 오늘날까지도 이 도시에 위대한 예술작품이 많이 전시되고 있다.

C

1	the	2	a
3	틀린 것 없음	4	the wealthy
5	play soccer	6	틀린 것 없음
7	a Picasso	8	the
9	틀린 것 없음		

해석

1 영어는 세계에서 가장 흔하게 사용되는 언어이다.

2 필립이 어제 신형 자동차를 샀어. 너는 그것을 본 적이 있니?

3 윤희는 너무 아파서 하루 종일 침대에서 쉬었다.

4 명품은 중국의 부유층에서 매우 인기가 있다.

5 호현이와 지훈이는 시간이 나면 주말마다 축구를 한다.

6 로렌은 사장님이 월급을 주지 않는다면, 소송을 제기할 것이다.

7 나는 복권에 당첨되면 우리 엄마에게 피카소의 작품을 사줄 것이다. 피카소는 엄마가 가장 좋아하는 예술가다.

8 정인이는 시드니에 있는 세계적으로 유명한 오페라 하우스에 대한 발표를 훌륭히 해냈다.

9 어떤 학생들은 오후에 공부하는 것을 좋아하지만, 또 다른 학생들은 아침에 공부하는 것을 선호한다.

1 the, ×
2 a, the
3 the, an, The
4 the, ×
5 ×, the

1 A: 실례합니다만, 여기서 공항까지 가는 가장 빠른 방법이 뭔가요?
　B: 버스를 타고 가는 게 좋겠어요. 바로 저기서 버스가 정차해요.
2 A: 보니, 기타를 샀니?
　B: 응, 나는 강습을 받기 시작했어. 나는 기타를 잘 치고 싶어.
3 A: 여기에 63빌딩으로 가는 버스는 얼마나 자주 오나요?
　B: 한 시간에 네 번 정도 와요. 다음 버스가 곧 도착할 거예요.
4 A: 앤, 벤치에 앉아 있는 남자 아이가 보이니? 새로 이사 온 우리 이웃이야.
　B: 음, 그는 정말 귀엽구나. 이번 주말에 우리와 함께 스키 타러 가자고 그를 초대하는 게 어때?
5 A: 너는 올해 휴가 때 어디에 갈 거니?
　B: 나는 멕시코에 갈 거야. 멕시코시티에 있는 태양의 피라미드에 정말 가보고 싶어.

Unit 11 EXERCISES
p. 55

1 his, He, him, mine
2 them, They, themselves
3 He, her, he, himself
4 his, he, he, she, him
5 my, She, She, it, she

1 팀은 생일 선물로 새 비디오 게임을 받았다. 내가 항상 내 게임을 그가 가지고 놀도록 해 주기 때문에 그도 새 게임을 나와 함께 가지고 놀 것이다.
2 아이들이 독립심을 배우는 것은 정말로 필요하다. 아이들을 위해서 항상 모든 일을 해 줘서는 안 된다. 그들 스스로 하는 법을 배워야만 한다.
3 크리스와 제인은 가을에 결혼할 계획이다. 그는 직접 준비해 놓은 멋진 식사를 한 후 그녀에게 청혼했다.
4 데이비드는 집을 떠나 있을 때 어머니에게 자주 전화한다. 그가 한국에서 공부하고 있을 때 그의 어머니는 그를 매우 걱정했다.
5 이 사람은 베네수엘라에서 온 내 친구 라이자야. 그녀는 서울에서 한국어를 공부하고 있어. 그녀는 성격이 외향적이어서 한국에서 친구를 아주 쉽게 사귀고 있어.

1 its → their
2 them → themselves, It → They
3 it → that, They → He
4 It → They, its → their
5 it → that, Its → It
6 it → she, one → it

1 한국어는 영어와 너무 달라서 많은 한국인들이 영어로 말하는 것을 어

려워한다.
2 개들은 거울 속의 자신을 인지하지 못해서 거울에 자주 이상한 반응을 보인다. 개들은 가끔 거울에 대고 짖기도 한다.
3 진우는 자신의 월급이 동료들보다 적어서 매우 화가 났다. 그는 공정하게 대우받기를 기대했었다.
4 컴퓨터의 속도가 점점 빨라지고 있다. 그것들은 막대한 용량을 가진 메모리에 모든 종류의 정보를 빨리 저장하고 검색할 수 있다.
5 태평양의 심해는 대서양의 심해보다 더 깊다. 태평양의 심해에는 전 세계 해양 중 가장 깊은 곳인 마리아나 해구가 있다.
6 지수는 새 블라우스를 사고 싶어서 방과 후에 쇼핑몰에 갔다. 하지만 그녀가 원하는 옷이 너무 비싸서 사지 않기로 결정했다.

Unit 12 EXERCISES
p. 58~59

1 worries
2 foreign students
3 it
4 is
5 boys
6 one, the other
7 calls, appreciate
8 All, were

1 모든 부모는 자신의 아이를 걱정한다.
2 우리 학교의 외국인 학생들은 모두 한국말을 잘한다.
3 지난주 라일리는 수리점에 컴퓨터를 맡겼다. 오늘 그는 수리점에서 컴퓨터를 찾을 예정이다.
4 우리가 해야 할 일은 선생님의 허락을 받는 것이다. 그러고 나서야 우리는 오늘 야외 수업을 할 수 있다.
5 그 소년들 중 누구도 교실의 창문을 깼을 리가 없다. 그들은 그날 학교에 가지도 않았다.
6 네가 이 비디오 게임 중 하나를 사고, 내가 나머지 하나를 사면, 우리는 두 개의 게임을 공유할 수 있어.
7 그녀의 일곱 명의 자녀는 모두 어머니의 날에 전화를 한다. 그들 모두 자신들을 위해 어머니가 해 준 모든 것에 대해서 진심으로 감사한다.
8 농구부 선수들 모두가 연습을 하기 위해 학교에 일찍 모이기로 되어 있었다. 그렇지만 포워드를 맡고 있는 선수 두 명이 늦게 왔다.

1 one
2 others
3 One, another, the other
4 One, The other
5 One, another, the others

1 캐리의 컴퓨터는 매우 오래됐다. 그녀는 가지고 있는 컴퓨터를 업그레이드할지, 아니면 새 것을 살지 고려해 봐야 한다.
2 어떤 여학생들은 초록색, 또 다른 여학생들은 푸른색 옷을 입었다. 그것은 어느 팀을 응원하는지에 따라 달랐다.
3 그녀는 세 켤레의 운동화를 가지고 있다. 하나는 러닝화, 다른 하나는 워킹화, 나머지 하나는 하이킹화이다.
4 내게는 두 명의 언니가 있다. 한 명은 결혼해서 휴스턴에 살고, 나머지 한 명은 미혼으로 지금도 시애틀에서 부모님과 함께 살고 있다.
5 당신이 외출했을 때 다섯 개의 메시지를 받았어요. 하나는 사장님, 다른 하나는 당신의 어머니, 나머지는 친구들에게서 온 것이에요.

C

1 틀린 것 없음　　　　2 visit
3 way　　　　　　　　4 틀린 것 없음
5 is　　　　　　　　　6 tells
7 틀린 것 없음

해석

1 어떤 학생도 시험에서 부정행위를 했다고 인정하지 않았다.
2 그나 그의 부모님이 여기를 방문하면, 제게 알려주세요.
3 총리는 모든 방법으로 난민들을 돕겠다고 약속했다.
4 그녀의 동료 중 일부는 지난밤에 신부의 결혼 축하 파티에 초대되었다.
5 우리 부모님 중 한 분이 오늘 밤에 내 여동생을 돌볼 것이다.
6 그녀의 그림들은 각각 그녀의 행복한 어린 시절에 대한 많은 이야기를 보여준다.
7 그 아이는 방금 자신의 음식을 다 먹고 한 접시 더 달라고 입맛을 다시며 말했다.

D

1 Each　　　　　　　2 both
3 the others　　　　　4 either
5 None　　　　　　　6 another

REVIEW

p. 60~61

A

1　①　　　2　②　　　3　④

해설/해석

1 식사를 나타내는 말 앞에는 관사를 붙이지 않음
A: 너는 오늘 점심으로 뭘 먹을 거니?
B: 우리 엄마가 불고기 덮밥을 만들어 주실 거야.

2 동일한 종류의 불특정한 것(a book)을 언급하는 경우 부정대명사 one이 적절
A: 댄, 방과 후에 무엇을 할 거니?
B: 어제 책을 잃어버려서 새 책을 사러 서점에 갈 거야.

3 '인간이 만들어 낸 위대한 사물 중 하나'라는 의미로, one of 뒤에는 복수명사(objects)가 오고, '가장 위대한'이라는 의미의 greatest(최상급) 앞에는 정관사 the가 와야 하므로 the greatest man-made objects가 적절
A: 너는 중국에서 가장 인상 깊은 것이 무엇이라고 생각하니?
B: 나는 만리장성이라고 생각해. 그것은 인간이 만들어 낸 가장 위대한 사물 중 하나야.

B

1　③　　　2　④　　　3　④

해설/해석

1 ③ '혼자서 연습하고 생활한다'는 의미가 되어야 하므로 by her가 아니라 by herself(자기 혼자서)가 적절
A: 한국인의 한 사람으로서 김유진 선수가 정말 자랑스러워요. 그녀는 아주 재능 있는 선수예요.
B: 맞아요. 그녀는 매일 매우 열심히 연습을 해요. 그것은 그녀에게 분

명 힘든 일일 거예요.
A: 홀로 외국에서 생활하고 연습하는 것도 쉬운 일이 아니죠.
B: 무슨 말인지 알아요. 저라면 가족이랑 그렇게 멀리 떨어져서 살고 싶지 않을 거예요.

2 ④ '두 쌍둥이 여동생이 모두 그림 그리는 것을 좋아한다'는 의미로 복수동사인 like가 왔으므로 each 대신 both가 적절
A: 윤진아, 어디 가는 중이니?
B: 어, 쌍둥이 여동생들의 생일 선물을 사러 백화점에 가는 길이야.
A: 무엇을 살 거니?
B: 둘 다 그림 그리는 것을 좋아해서 크레파스를 사려고 해.

3 ④ '수집한 인형 중 일부(some)는 선물로 받았고 나머지는 샀다'는 의미가 되어야 하므로 others가 아니라 the others가 적절
A: 바바라, 정말 예쁜 인형들을 수집했구나!
B: 고마워. 나는 그것들을 몇 년 동안 모았어.
A: 어떻게 그 인형들을 전부 모았는지 물어봐도 돼?
B: 몇 개는 선물로 받았고, 나머지는 여행을 하면서 여기저기서 샀어.

C

1　③　　　2　③　　　3　④

해설/해석

1 ③ 이 문장의 주어는 rain forests이고, from ~ Congo까지는 수식어구이므로 is가 아니라 복수동사 are가 적절
열대 우림은 공기 중의 이산화탄소를 제거하는 반면, 막대한 양의 산소를 생산한다. 산소는 모든 생물의 삶을 유지하는 데 필요하다. 오늘날 인도네시아에서 브라질, 콩고에 이르는 열대 우림은 위험에 처해 있다. 모든 인류가 함께 미래 세대를 위해 이 중요한 천연자원을 보호해야 한다.

2 ③ 「each of+복수명사+단수동사」이므로 are가 아니라 is가 적절
2008년 봄에 개장한 싱가포르 플라이어는 세계에서 가장 높은 대관람차이다. 플라이어는 아름다운 열대 도시의 중심부에 위치해서 숨막히게 멋진 싱가포르의 스카이라인을 만들어 준다. 승객들은 28개의 캡슐 중 어느 곳이든 탈 수 있다. 에어컨이 설치된 각각의 캡슐은 최대 28명까지 탑승할 수 있도록 설계되었다. 큰 규모로 인해 대관람차는 매우 천천히 움직이며 싱가포르와 주변 경치를 볼 수 있는 아주 좋은 기회를 제공한다.

3 ④ 「one of the 소유격+복수명사」의 형태가 되어야 하므로 airport가 아니라 airports가 적절
인천 국제공항에 처음 왔을 때 나는 놀랐다. 높은 천장과 유리로 된 외관은 매우 밝고 쾌적한 느낌을 준다. 게다가 전 세계에 서 온 명품뿐만 아니라 한국에서 만들어진 제품들로 가득 찬 상점이 많다. 비행기를 기다리다가 배가 고프다면 다양한 맛과 예산을 충족시켜 줄 음식점들이 있다. 그래서 나는 인천 국제공항이 세계에서 가장 훌륭한 공항 중 한 곳으로 여겨진다는 것이 놀랍지 않았다.

REVIEW PLUS

p. 62

A

②

해설/해석

(A) 앞에 나온 명사의 반복을 피하기 위해서 반복되는 명사가 단수이면 that, 복수이면 those를 사용, the grass가 단수이므로 that이 적

절 (B) '보도 양쪽 모두'라는 의미, 뒤에 복수명사 sides가 왔으므로 both가 적절 (C) of wildflowers의 수식을 받는 The perfume이 주어이므로 fills가 적절

이 정원에 들어오자마자 내가 처음 알아차린 것은 발목 높이의 풀이 울타리 반대편의 풀보다 더 푸르다는 것이다. 무수히 다양한 종의 야생화 수십 그루가 보도 양쪽으로 땅을 덮고 있다. 덩굴 식물들은 윤이 나는 은빛 대문을 덮고 있고, 거품을 내며 흐르는 물소리가 어디에선가 들려온다. 야생화 향기가 공기 중에 가득하고, 산들바람에 풀은 춤을 춘다. 허브가 담긴 큰 바구니가 서쪽 울타리에 기대어 놓여 있다. 나는 이 정원을 걸을 때마다 "낙원에 사는 것이 어떤 것인지를 이제야 알겠어."라고 생각한다.

④

해설/해석

④ nominate의 주어인 a club or organization에서 부정관사 a가 있으므로 단수동사 nominates가 적절, nominate는 and로 연결된 동사 elects와 병렬관계를 이룸

선거는 특별한 직책에 맞는 사람을 선출하기 위해 치러진다. 예를 들어, 중학교 1학년 학생들은 학급의 반장을 선출하고자 할 수 있다. 그 직책에 관심이 있는 학생들은 급우들에게 그 사실을 말하고 그들이 반장에 입후보한 것을 알리기 위해 포스터를 만들게 된다. 그러면 학생들은 자신들이 선택한 학생을 투표용지에 기재하여 투표할 것이다. 투표용지는 반장 후보들이 적힌 종이이다. 투표한 용지의 숫자를 세어서 가장 많은 득표를 한 학생이 학급의 새로운 반장으로 선출된다. 당신은 후보자들을 지명하고 관리자를 선출하는 어떤 클럽이나 조직에 속해 있을 수 있다. 다수의 동호회, 조직들이나 사업체도 이와 같은 과정을 따른다.

PART 4

Unit 13 EXERCISES
p. 65

A

1 to find	2 to be enjoying
3 to finish	4 to be accepted
5 to start	6 to discover
7 to come	8 to be given
9 for her	10 to be
11 for you	12 of you

해석

1 그러한 품질의 다이아몬드를 찾는 것은 드문 일이다.
2 그들은 미술 수업을 즐기고 있는 것처럼 보인다.
3 그녀는 5월까지 그 벽을 수리하는 것을 끝마치겠다고 약속했다.
4 그는 대학으로부터 입학 허가를 받아서 기뻤다.
5 조셉은 이번 학기에 학교에 다니기를 간절히 바란다.
6 그 고고학자는 유물을 발굴하기를 기대한다.
7 그녀는 네가 내일 디너파티에 오기를 원한다.
8 그 학생들은 시험 결과가 나오길 기다리고 있다.
9 그녀가 한동안 결석하다니 이상한 일이다.
10 데이브는 삼촌처럼 유명한 서예가가 되기를 바란다.

11 네가 그렇게 어려운 책을 읽는 것은 불가능하다. 그것은 너무 전문적이다.
12 시험지를 제출하기 전에 네가 쓴 답을 확인하지 않다니, 너는 조심성이 없구나.

B

1 to stop	2 to be chosen
3 to have been spoiled	4 to be served

해석

1 A: 너는 왜 개가 식탁에서 떨어진 음식을 먹는 것을 막지 않았니?
　 B: 내가 저지하기에 너무 빨랐어.
2 A: 동수야, 무슨 일 있니? 기분이 좋아 보이는구나.
　 B: 나는 국가 대표 축구팀의 최연소 선수로 선발되었어.
3 A: 이상한 냄새가 나지 않니? 뭔가가 상한 것 같아.
　 B: 정말? 나는 코가 꽉 막혀서 냄새를 맡을 수 없어.
4 A: 저는 이 음식을 주문하지 않았어요. 마늘 스파게티가 아니라 비프 스테이크가 나왔어야 하는데요.
　 B: 아, 정말 죄송합니다. 주방에 확인해 볼게요.

Unit 14 EXERCISES
p. 68~69

A

1 to write with	2 to be washed
3 to play in	4 to eat
5 to quit	6 to deal with
7 to check in	8 to drink
9 to choose from	10 not to touch
11 to talk with	12 not to see
13 to have	14 to find out
15 to talk	16 to take pictures of
17 to lock	18 to apply for

해석

1 선생님은 그녀에게 필기할 연필을 주었다.
2 그녀는 바지를 세탁할 필요가 없다고 생각했다.
3 학생들은 경기를 할 수 있는 새 체육관이 필요하다.
4 카페테리아에서 샐리는 먹을 샌드위치를 샀다.
5 그녀는 학교를 그만두겠다는 그의 결정이 바보 같다고 생각한다.
6 그는 자신의 에세이에서 다룰만한 좋은 주제를 찾지 못했다.
7 부치실 짐이 있으신가요? 무게를 재겠습니다.
8 낙타는 마실 것 없이도 며칠간 생존할 수 있다.
9 그 쇼핑몰은 선택할 수 있는 광범위한 상품을 제공한다.
10 아이들은 콘센트를 만지지 말라고 주의를 받았다.
11 수는 새로운 친구와 이야기할 기회가 많이 있기를 바란다.
12 그는 계단에서 그녀를 스쳐 지나갈 때 그녀를 못 본체 했다.
13 크리스틴은 종종 간식으로 먹으려고 땅콩버터 샌드위치를 만든다.
14 나는 그녀가 결혼한 지 10년이 되었다는 것을 알고 충격을 받았다.
15 그는 특히 아주 긴장하면 말을 너무 빨리하는 경향이 있다.
16 나는 사진을 찍을 새끼 호랑이가 없어서 실망했다.
17 누군가가 어젯밤에 사무실에 침입했다. 문을 잠그지 않았다니 그는 정말 조심성이 없다.
18 나는 게시판에 일자리를 살펴봤지만 지원할 만한 게 없었다.

B

1 to vote	2 to fly
3 to wait on	4 to create
5 to drive	6 to ask
7 to donate	8 to accomplish
9 to see	10 to understand

해석

1 프랑스 여성들은 1945년까지 투표권이 없었다.
2 팀은 조종사가 되기를 원한다. 그의 꿈은 점보제트기를 조종하는 것이다.
3 항상 너의 시중을 들어 줄 사람이 있는 것은 아니다.
4 모든 조각가의 꿈은 세상에서 가장 위대한 기념물을 창작하는 것이다.
5 러시아워에 운전하는 건 좋은 생각이 아니었어. 나는 회의에 늦었어.
6 교수님께 추천서를 써 달라고 요청하는 것은 쉽지 않다.
7 집이 없는 사람들을 위해 한 달에 한 번 기부를 하다니 너는 정말 인정이 많구나.
8 당신의 목표를 달성하기 위한 몇 가지 유용한 팁을 배우게 될 테니 제게 집중하세요.
9 제시카는 3년 전에 남자친구와 헤어졌다. 그녀는 그를 다시 보고 싶은 생각이 없다.
10 만화 영화는 이해하기 쉬워서 성인과 어린아이들에게 정말 인기가 있다.

C

1 what to do	2 whether to buy
3 where to put	4 how to play

해석

1 만약 결정을 못 내리면 내가 무엇을 해야 할지 알려줄게.
2 나는 그 고양이를 사야 할지 말아야 할지 잘 모르겠다.
3 이 그림을 벽의 어느 위치에 걸어야 하는지 알고 있니?
4 너는 일단 배드민턴을 배우면 치는 방법을 절대 잊지 않을 것이다.

Unit 15 EXERCISES
p. 72~73

A

1 G	2 PP	3 G	4 PP
5 PP	6 G	7 G	8 PP

해석

1 캐시는 아이들에게 동화를 들려주는 것을 좋아한다.
2 이봐, 내 말 듣고 있는 거니? 내가 무슨 말을 했니?
3 그의 꿈은 다음 세계 야구 선수권 대회에서 우승하는 것이다.
4 그녀는 아파트를 구할 때까지 그녀의 친구들과 함께 살 것이다.
5 나는 며칠 전에 네 딸이 거리를 달리고 있는 것을 봤어.
6 제니퍼는 거실에 할머니의 초상화를 걸었다.
7 내 딸은 대학원에서 심리학을 공부했다.
8 내가 학교에서 돌아왔을 때, 내 여동생은 숙제를 하고 있었다.

B

1 주어	2 주어

---

3 목적어	4 목적어
5 보어	6 목적어

해석

1 내가 알기로는 이 지역에서 전단지를 나눠 주지 못하게 되어 있다.
2 몇 분 동안 아무것도 하지 않는 것은 뇌를 재충전하는 데 도움을 준다.
3 그녀가 돈을 늦게 갚든지 말든지 나에게 중요하지 않다.
4 그녀는 방 청소를 끝내면 엄마와 함께 쇼핑하러 갈 것이다.
5 그 일에 있어서 가장 어려운 점은 고객들에게 걸려오는 전화에 응대하는 것이다.
6 사라는 등산을 하고 정상에서 아름다운 경치를 바라보는 것을 좋아한다.

C

1 finishing	2 Studying
3 using	4 being
5 answering	6 saying

해석

1 그가 새로운 프로젝트를 마무리하는 것을 담당한다.
2 일주일에 70시간 공부하는 것은 어린 학생들에게 너무 많다.
3 제가 잠깐 당신의 컴퓨터를 사용해도 될까요?
4 그는 '책벌레'라고 불리는 것을 좋아하지 않는 것 같다.
5 그녀는 민감한 사안에 대한 질문에는 답을 회피하려고 한다.
6 제니는 남자 친구에게 작별 인사도 하지 않고 공항을 떠났다.

D

1 becoming[to become]	2 to change
3 buying	4 making
5 preparing	

해석

1 그의 꿈은 저명한 물리학자가 되는 것이다.
2 너는 그녀가 왜 갑자기 마음을 바꾸기로 결정했는지 아니?
3 내 생각에 너는 새 컴퓨터를 사는 것을 고려해 보는 게 좋겠어.
4 해외에 나가기 전에 국제 학생증을 만드세요.
5 엘리자베스는 마침내 할아버지의 칠순 잔치 준비를 끝마쳤다.

E

1 Building[To build]	2 to see
3 using[to use]	4 to spend
5 performing	6 taking

해석

1 우리의 집을 아무 도움 없이 짓는 것은 쉽지 않았다.
2 수는 친구와 영화를 보러 가게 되어 신이 났다.
3 나는 치아 건강을 위해 치실을 사용하기 시작했다.
4 요즘에 맥스가 너와 시간을 보내고 싶어 하지 않는 게 확실하니?
5 크리스마스가 다가오기 때문에 학생들은 악기 연주를 열심히 연습해야 한다.
6 나는 오늘 아침에 엄마 말씀을 들었어야 했어. 엄마가 지하철을 타고 등교하라고 하셨거든.

F

1 having been told 2 having lost
3 having spilled 4 having got(ten)

해석

1 그는 거짓말을 한 것을 인정했다.
2 네 공책을 잃어버려서 미안해.
3 네게 물을 엎질러서 정말 미안해.
4 나는 시험에서 좋은 성적을 받아 정말 기쁘다.

Unit 16 EXERCISES

p. 76~77

A

1 talking 2 to live
3 to support 4 go
5 to finish 6 to buy
7 to make 8 go through / to go through
9 getting 10 working / to work

해석

1 아무도 듣지 않았지만, 그녀는 자신의 여행에 대해서 계속 이야기했다.
2 이곳은 꽤 큰 아파트야. 우리가 정말 이곳에 살 형편이 될까?
3 우리는 생물학 연구 실험실을 지원할 약간의 돈이 필요하다.
4 나는 지나의 어머니께서 지나가 우리와 함께 야영을 가지 못하게 해서 유감이다.
5 그녀는 이번 주말까지 청첩장 발송을 끝내기 위해 네 도움이 필요하다.
6 빌과 로라는 재정적인 어려움 때문에 중고차를 구입하기로 결정했다.
7 그 남자는 여자 친구를 위해 유명한 식당에 저녁 식사 예약을 원한다.
8 네 응원이 내 삶의 힘겨운 시간을 견뎌 내는데 도움이 되었어. 이제는 내 차례야.
9 너는 수업 시간에 졸지 않으려면 수면 시간을 늘리는 것을 정말 생각해 봐야 한다.
10 과학자들은 미래에 생명을 구하기 위해서 유전학에 계속 힘써야 한다.

B

1 to donate 2 making
3 eating 4 to reduce
5 having 6 to join
7 to do 8 going

해석

1 그는 그 환자에게 자신의 신장을 기증하기로 동의했다.
2 그 소음 좀 그만 낼래?
3 나는 어린아이들이 정크 푸드를 먹지 않아야 한다고 생각한다.
4 내 주치의는 나에게 소금 섭취를 줄이라고 조언했다.
5 그 강도는 은행에서 돈을 훔친 것을 부인했다.
6 너는 왜 나를 헬스클럽에 함께 다니자고 설득하려고 하니?
7 그녀는 자기 전에 딸에게 숙제를 하도록 시킨다.
8 그녀는 예전만큼 쇼핑하러 가는 것을 즐기지 않는다.

C

1 resigning 2 to computerize

3 departing 4 to correct
5 attempting 6 to exercise

해석

1 알렉스는 이번 학기에 자신의 직위를 사임할 것을 고려하고 있다.
2 다수의 소규모 출판사들은 업무 처리 과정을 전산화할 여력이 없다.
3 우리 가족은 날씨 때문에 아프리카로 출발하는 것을 연기했다.
4 일부 회사들은 그들의 불공정한 거래 행위를 시정하도록 명령을 받았다.
5 부모들은 자녀들의 옷 선택에 대해 영향력을 행사하려는 것을 포기했다.
6 트레이너는 나에게 규칙적으로 운동하고 적정량의 단백질을 섭취하라고 조언했다.

D

1 ① watching ② to close
2 ① to watch ② making
3 ① to send ② seeing
4 ① asking ② to inform
5 ① to teach ② looking

해석

1 ① 나는 지난번 저녁에 너와 함께 일몰을 봤던 것을 결코 잊지 못할 것이다.
   ② 내가 창문을 잠그는 것을 잊어버려서 비가 집 안으로 들이쳐 양탄자가 모두 젖었다.
2 ① 여행 일정이 매우 빡빡했음에도 여행객들은 카니발 행진을 보려고 상파울루에서 멈췄다.
   ② 그는 딸에게 지하철에서 소란을 피우지 말라고 말했다.
3 ① 오늘 오후에 고객에게 청구서를 보내는 것을 기억하세요.
   ② 그녀는 그를 파티에서 본 것을 기억했지만, 그는 그녀를 알아보지 못했다.
4 ① 데이브는 그녀에게 어리석은 질문을 한 것을 후회했지만, 그 순간에는 무엇이든 질문해야만 했다.
   ② 3월 1일까지 당신의 지원서를 받지 못했다는 것을 알리게 되어 유감입니다.
5 ① 우리 영어 선생님은 나에게 정확하게 'v' 발음하는 법을 가르치려고 했지만, 나는 아직도 발음하지 못한다.
   ② 그 단어를 모르면 사전에서 찾아보는 게 어때?

Unit 17 EXERCISES

p. 80~81

A

1 living 2 maintaining
3 watching 4 meeting
5 camping 6 to choose
7 assembling 8 playing
9 To be 10 paying
11 working 12 To make
13 To begin 14 To make
15 to say 16 working

해석

1 나는 시골에서 사는 데 어려움을 겪고 있다.

2 우리 아버지께서는 차량 관리에 관한 한 최고이시다.

3 오늘 밤에 뮤지컬을 보고 싶니?

4 우리 반 친구들은 새 과학 선생님을 만나는 것을 기대하고 있다.

5 내 친구 마이클은 이번 주말에 캠핑을 갈 것이다. 나는 정말 그와 함께 가고 싶다.

6 가족을 위해 딱 맞는 생일 선물을 고르는 것은 너무 어렵다.

7 우리 형은 모형 비행기를 조립하느라 바쁘다.

8 너는 평균적으로 매일 컴퓨터 게임을 얼마나 하니?

9 솔직히 말해서 아주 어린 남자아이들을 돌보는 것은 매우 어려운 일이다.

10 그는 어릴 때 수업 시간에 집중하는 데 어려움을 겪었다.

11 나는 기꺼이 그녀를 도울 것이지만 안타깝게도 나는 보고서를 쓰느라 너무 바쁘다.

12 요약하자면 공룡은 지구의 급격한 기후 변화로 인해 멸종했다.

13 우선, 이번 프로젝트의 주요사항을 살펴볼 것이다. 그런 다음 자세한 사항에 대해서 이야기할 수 있다.

14 나는 올해의 가장 중요한 학회에 늦었다. 설상가상으로 내 자동차 열쇠를 잃어버렸다.

15 그 작가는 한 번도 마감일을 넘긴 적이 없다. 이번에도 물론 마감일 안에 대본을 끝마쳤다.

16 회사가 기꺼이 나에게 더 많은 돈을 준다고 했음에도 불구하고 나는 새로운 조립 라인에서 일하는 것을 완강하게 거부하였다.

B

1 reading	2 bargaining
3 To begin	4 reading
5 to say	6 to speak out
7 to realize	8 To make
9 to say	10 visiting

해석

1 평균적으로 하루에 독서를 얼마나 하니?

2 그는 가격을 흥정하는 데 있어 최고다.

3 먼저, 어젯밤에 피해자에게 무슨 일이 일어났는지 알아봐야 합니다.

4 어떤 사람들은 뇌에 경미한 장애로 인해 읽는 데 문제가 있다. 우리는 그것을 '난독증'이라고 한다.

5 이상한 말이지만 우리 아이들은 단것을 좋아하지 않는다. 사실 채소를 좋아한다.

6 그녀는 민감한 사안에 대해서 솔직하게 의견을 말할 수 있는 충분한 자신감과 용기가 있었다.

7 우리는 전자 기기를 너무 자주 바꾸는 경향이 있는데 알고 보니 그것들이 예전 것보다 나은 것이 없다.

8 그의 기말 보고서의 기한이 다가오고 있었다. 설상가상으로 그의 컴퓨터가 또 고장이 났다.

9 벤과 메기는 자녀 양육에 있어 의견이 다르다. 말할 것도 없이, 그들은 딸을 두고 논쟁을 자주 했다.

10 우리 삼촌은 천문학자인데, 맨 눈으로 은하수를 볼 수 있는 몇 안 되는 장소이기 때문에 호주의 오지에 가고 싶어 한다.

C

1 to take	2 eating
3 to buy	4 packing
5 using	6 talking
7 living	

해석

1 그 소녀는 너무 어려서 스스로를 돌볼 수 없었다.

2 그 교환 학생은 한국 음식을 먹는 데 익숙해졌다.

3 그녀는 새 컴퓨터를 살 돈이 충분하지 않다.

4 나는 오늘 밤에 출장을 가기 때문에, 지금은 짐을 싸느라 바쁘다.

5 그는 새로운 기술 사용법에 익숙해지는 데 많은 어려움을 겪고 있다.

6 사실 그녀는 그와 이야기하고 싶지 않았지만 선택의 여지가 없었다.

7 콜린스 교수님께서는 일 년 전에 하와이에서 서울로 전근을 오셨다. 그녀는 추운 환경에서 사는 데 여전히 익숙하지 않다.

REVIEW
 p. 82~83

A

1 ①   2 ③   3 ③

해설/해석

1 an easy person을 수식하는 형용사적 역할을 하는 to부정사가 와야 하므로 to get이 적절

A: 새로운 이사님에 대해 어떻게 생각하니?

B: 그가 함께 어울리기에 편한 사람은 아니라고 생각해.

2 promise는 to부정사를 목적어로 취하는 동사, 공무원들이 우리를 지원하는 것이므로 능동인 to support가 적절

A: 그 공무원들이 우리를 지원하겠다고 구두로 약속했어.

B: 잘됐구나! 그럼 모든 것이 다 괜찮을 거야.

3 suggest는 동명사를 목적어로 취하는 동사이므로 adding이 적절

A: 이 카레는 정말 맛있어! 비법이 뭐니?

B: 카레에 사과 파우더를 조금 넣으면 돼. 그게 내 비법 재료야.

B

1 ③   2 ④   3 ②

해설/해석

1 ③ '수영복을 가지고 오는 것을 잊어버렸다'라는 의미이므로, packing이 아니라 to pack이 적절, 「forget+to부정사」 ~해야 할 것을 잊어버리다, 「forget+-ing」 (과거에) ~했던 것을 잊어버리다

A: 오늘 날씨가 정말 더워. 2시쯤에 수영장에 가자.

B: 알았어. 편의점에서 만나자.

A: 아, 체육관 사물함에서 수영복을 가지고 오는 것을 잊어버렸어.

B: 내가 일러 줬어야 했는데. 너는 정말 잘 잊어버리는구나.

2 ④ 「adjust to+-ing」 ~하는 데에 적응하다, 전치사 to 뒤에는 farm이 아니라 farming이 와야 함

A: 우리 가족은 농사를 시작하기 위해 귀농할 예정이야.

B: 정말? 언제 이사하니?

A: 이번 늦겨울이 끝나기 전에. 이른 봄에 파종을 할 수 있어.

B: 농사에 적응하는 데 어려움이 있을 것이라고 생각 하니?

3 ② 그가 멕시코 음식 요리에 관해서는 최고라는 의미, when it comes to ~ing는 '~에 관한 한, ~으로 말하자면'이라는 의미로 여기서 to는 전치사로 뒤에 동명사가 와야 하므로 cooking이 적절

A: 뭔가 특별한 것이 먹고 싶어. 너는 멕시코 음식을 만들 줄 아니?

B: 아니, 하지만 우리 아버지께서 아셔. 그는 멕시코 음식 요리에 관해
서는 최고야.
A: 아, 정말? 그가 우리를 위해 요리를 해주실 것 같니?
B: 물론이지. 아버지께선 나를 위해 요리하는 것을 정말 좋아하셔.

1 ①   2 ②   3 ③

해설/해석

1 ① delay는 동명사를 목적어로 취하는 동사이므로 to send가 아
니라 sending이 적절

당신의 친구가 다치거나 아파서 마음이 쓰인다면, 격려 카드를 보내는
것을 미루지 말아야 한다. 그것은 당신이 그 친구를 어떻게 생각하는지
보여 줄 수 있는 아주 좋은 방법이다. 격려 카드에는 "나는 단지 내가
너를 얼마나 그리워하는지 알게 해주고 싶었어. 빨리 나아서 곧 만나게
되기를 바라."와 같은 짧은 편지를 동봉해라.

2 ② '출혈을 막기 위해 큰 수술을 받았다'는 의미, 목적을 나타내는
부사의 역할을 하는 to부정사가 와야 하므로 control이 아니라 to
control이 적절

그는 자신의 아내가 뇌출혈 판정을 받기 전까지는 평범한 생활을 했었
다. 그 병은 그녀가 두 번째 아기를 임신했을 때 발병했다. 그녀는 출혈
을 막기 위해 네 번의 큰 수술을 견뎌내야 했지만, 결과적으로 그녀는
식물인간이 되어 버렸다. 비록 그녀는 어떤 것에도 반응할 수 없었지만
그녀의 남편은 항상 그녀에게 말을 시켰다. 놀랍게도 기적이 일어났다.
그녀가 여전히 의식 불명 상태에서 출산을 한 것이다. 그들 서로와 아
이에 대한 사랑이 없었다면 이런 일은 일어나지 않았을 것이다.

3 ③ '이메일이 잘못 이해하는 것이 아니라 잘못 이해되는 것이므로
to misunderstand가 아니라 수동인 to be misunderstood가
적절

요즘 이메일은 의사소통에 있어 가장 효율적인 방법 중 하나로 여겨
진다. 하지만 직장에서 이메일은 매우 결함이 많은 의사소통의 매체가
될 수도 있다. 어떤 사람들은 얼굴을 대면하는 것을 피하거나 친구들
사이에 비밀을 퍼트리려는 목적으로 이메일을 부적절하게 이용한다.
어떤 직원들은 그 사람의 면전에서는 절대 말하지 않을 내용들을 이메
일에 적을 수도 있다. 더욱 나쁜 것은 이메일은 의사가 잘못 전달될 수
도 있다는 것이다. 이메일은 의사 전달자의 어조나, 억양, 몸짓이 결여
되어 있으므로 메시지를 받는 사람이 잘못 해석할 수도 있다.

REVIEW PLUS   p. 84

③

해설/해석

(A) watch는 지각동사이므로 동사원형인 try가 적절 (B) 그는 문이 열
리기를 기다렸다는 의미로 opened가 아닌 to open이 적절, 「wait
for A to부정사」는 'A가 ~하기를 기다리다'라는 의미 (C) pushing a
button, depressing a lever가 병렬관계이므로 sliding이 적절

대부분의 지하철 전동차에서 문(門)은 각각의 정거장에서 자동으로 열린
다. 하지만 당신이 파리의 지하철인 메트로를 타면 사정이 다르다. 나는 지
하철을 탄 한 남자가 내리려다가 실패하는 것을 지켜보았다. 전동차가 그
가 내릴 정거장으로 들어왔을 때, 그는 자리에서 일어나 문이 열리기를 기
다리며 문 앞에 끈기 있게 서 있었다. 문이 결코 열리지 않았다. 전동차는
다시 떠났고, 다음 정거장으로 계속 갔다. 메트로에서는 단추를 누르거나
레버를 당기거나 문을 옆으로 밀어서 승객 스스로 문을 열어야 한다.

---

④

해설/해석

④ 「when it come to -ing」 ~에 관한 한, ~으로 말하자면, 전치사
to 뒤에 observing이 와야 함

마우나 키는 하와이제도에서 가장 큰 휴화산이다. 이 산의 정상에는 수백
년 동안 천체 관측소가 있어 왔고, 세계에서 가장 훌륭한 천문 관측지 중
하나로 꼽힌다. 이 정상은 지구 대기의 약 40% 선에 위치해 있어서 유난히
도 깨끗한 하늘의 모습을 제공한다. 이러한 이유로 많은 천문학자들은 이
곳을 방문하고 싶어한다. 게다가 관측자들은 이곳에서 1년 중 300일은 맑
은 밤하늘을 즐길 수 있다. 말할 것도 없이, 마우나 키는 밤하늘을 관측하
는 데 최고의 장소이다. 이곳의 관측소는 도시의 불빛으로부터 멀리 떨어
져 있고 이 지역에는 강력한 조명 규정이 실시되고 있어서 아주 어두운 밤
하늘을 더 어둡게 해 주는 데 도움이 된다. 그래서 마우나 키는 천체 관측
의 이상적 장소로 여겨진다.

Unit 18   EXERCISES   p. 88~89

1 ⓑ   2 ⓓ   3 ⓓ   4 ⓑ
5 ⓐ   6 ⓒ   7 ⓐ   8 ⓒ

해석

1 네가 원한다면 내가 조언을 해줄 수 있어.
2 이 컴퓨터를 조립하는 것을 도와줄 수 있니?
3 에어컨 좀 켜 주시겠어요?
4 데이브는 컴퓨터를 고칠 수 있지만, 이 라디오는 고치지 못한다.
5 나는 학교 체육관에 책을 두고 왔을지도 모른다.
6 내가 연설하는 동안 당신은 앉아 있거나 서 있어도 된다.
7 네가 맞을지도 모르지만, 나는 어쨌든 확인하러 돌아갈 것이다.
8 오늘 밤 너희 집에서 묵으면 안 될까? 비가 많이 오고 있어.

1 Can[Could]   2 Can[Could]
3 couldn't   4 can't
5 can[could], can   6 couldn't

해석

1 A: 이 브라우니 한 조각 먹어 봐도 될까요?
   B: 네. 마음껏 드세요.
2 A: 길을 잃었어요. 제가 이 쇼핑센터에서 어떻게 나가는지 말해 줄래
   요?
   B: 물론이죠. 분수대를 지나서 왼쪽으로 꺾으세요.
3 A: 너는 보고서 쓰는 것을 끝냈니?
   B: 아니, 끝내지 못했어. 나는 지난밤 정전 때문에 컴퓨터를 쓸 수가
   없었어.
4 A: 내 지갑 봤니? 모든 곳을 찾아봤지만 찾을 수가 없어.
   B: 네 어머니께 물어보는 것이 좋겠어. 어머니는 그것이 어디에 있는

16

지 아실지도 몰라.

5 A: 실례합니다만, 이 기계는 돈을 어디에 넣나요?
　B: 네, 부인. 동전은 여기에, 지폐는 이 구멍에 넣으세요.

6 A: 콘서트에서 그 밴드의 사인을 받았니?
　B: 아니, 못 받았어. 사람이 너무 많아서 우리는 그 밴드 가까이 가지도 못했어.

 C

1 couldn't find　　　　2 might have left
3 can't　　　　　　　4 may not
5 could have peeled　6 could have gone

해석

1 A: 왜 내게 좀 더 일찍 전화하지 않았니?
　B: 내 휴대 전화를 찾을 수가 없었어.

2 A: 아, 이런. 강아지에게 물을 주지 않고 나온 것 같아!
　B: 걱정하지 마. 내가 너의 집에 가서 강아지를 확인해 볼게.

3 A: 사라야. 너는 정말 열심히 공부하고 있구나. 감동받았어.
　B: 지난 시험을 정말 못 봤어요. 다시 낙제할 수는 없어요.

4 A: 문제가 생겼어. 그 가수가 오늘 밤에 노래를 할 수 없을지도 몰라.
　B: 정말? 어떻게 해야 되지?

5 A: 여기 바닥에 어질러진 것을 좀 봐! 감자를 싱크대에서 벗길 수도 있었잖아.
　B: 정말 죄송해요. 빨리 치울게요.

6 A: 나는 지난 주말에 집에만 있어서 너무 심심했어.
　B: 왜 집에만 있었니? 우리는 동물원에 갈 수도 있었는데.

D

1 틀린 것 없음
2 might[may] snow 등
3 can, may, could, might 등
4 Can/Could 등
5 could
6 may be able to get

해석

1 A: 이 책들을 위층으로 옮겨 줄 수 있니?
　B: 미안하지만 안 돼. 나는 지금 빈손이 없어.

2 A: 너는 내일 일기 예보를 확인했니?
　B: 응. 방금 확인했어. 눈이 올지도 모른다고 했어.

3 A: 나는 내일 시험을 공부할 시간이 너무 없어.
　B: 진정해. 시험이 쉬울지도 모르잖아.

4 A: 이 벚꽃나무 옆에서 사진을 좀 찍어 줄래요?
　B: 그래요. 이 버튼을 누르면 되나요?

5 A: 너 오늘 아침에 숙제를 다 끝냈니?
　B: 물론이지. 아무도 날 방해하는 사람이 없어서 쉽게 끝낼 수 있었어.

6 A: 우리는 다음 달에 열리는 그레이트 보이즈의 콘서트 티켓을 구할 수 있을지도 몰라.
　B: 정말? 나는 그 콘서트에 가고 싶어.

Unit 19 EXERCISES　　　　　　　p. 92~93

 A

1 don't have to　　　　2 must

---

3 should　　　　　　　4 mustn't
5 mustn't　　　　　　　6 don't have to
7 must　　　　　　　　8 should

해석

1 우리는 모닥불을 피우려고 땔감을 더 구해 올 필요가 없어. 이거면 충분해.

2 옷장이 비어 있어. 에이미가 짐을 싸서 떠난 게 틀림없어.

3 너는 여기에 좀 더 일찍 도착했어야 했어. 기차가 방금 출발했어.

4 나는 내일 여동생에게 전화하는 것을 잊어버려서는 안 된다. 내일은 그녀의 생일이다.

5 너는 그렇게 난폭하게 운전을 해서는 안 돼. 사고를 낼 수도 있어.

6 너는 그것들 중에서 하나를 고를 필요는 없어. 너는 모두 가질 수 있어.

7 어제 네가 나에게 보낸 이메일을 찾을 수가 없어. 이메일을 지워 버린 게 틀림없어.

8 유미와 내가 레스토랑에 갔는데 빈 테이블이 없었어. 우리는 예약을 할 걸 그랬어.

B

1 틀린 것 없음　　　　　2 should have asked
3 틀린 것 없음　　　　　4 mustn't
5 틀린 것 없음　　　　　6 don't have to
7 should/must 등　　　8 don't have to
9 must[should] arrive 등 10 must not/should not 등

해석

1 나는 교칙에 따라서 머리를 짧게 잘라야만 한다.

2 너는 내 컴퓨터를 사용하기 전에 먼저 물어봤어야 해.

3 나는 이가 아프다. 그렇게 많은 초콜릿을 먹지 말았어야 했다.

4 공공건물에서 담배를 피우면 안 된다. 그것은 불법이다.

5 어두워지기 전에 산을 내려가는 게 좋겠어.

6 너는 샌드위치를 모두 먹을 필요가 없어. 냉장고에 넣어 두면 돼.

7 때때로 너는 그렇게 열심히 일하던 것을 멈추고 휴식을 취해야만 한다.

8 너는 지금 당장 복습 문제를 끝낼 필요는 없어. 너는 그것을 집에서 끝마칠 수도 있어.

9 우리는 다섯 시 전에 매표소에 도착해야만 한다. 그렇지 않으면 남아 있는 표가 없을 것이다.

10 이 영화는 아이들이 보기에 너무 잔인하고 폭력적이다. 아이들이 봐서는 안 된다.

C

1 should　　　　　　　2 don't have to
3 must　　　　　　　　4 mustn't
5 had better　　　　　6 must not

해석

1 A: 오늘 날씨가 정말 좋아. 소풍을 가야겠어.
　B: 좋아. 음식을 챙겨 가자.

2 A: 내게 가게에서 사다 달라고 했던 것이 뭐였니?
　B: 아, 너는 가게에 가지 않아도 돼. 내가 알아서 했어.

3 A: 너는 오늘 아침에 케이티를 봤니?
　B: 아니, 그녀는 틀림없이 아직 자고 있을 거야. 새벽 한 시가 지나서도 텔레비전을 보고 있었거든.

4 A: 뭔가 타는 냄새가 나! 가스레인지에서 눈을 떼서는 안 돼.

B: 미안해요, 깜박했어요.
5 A: 내 분홍색 스웨터를 봤니?
   B: 아직까지 옷을 안 입은 거니? 서두르지 않으면 늦겠어.
6 A: 내가 샐리에게 먹을 것을 줬는데, 먹지 않았어.
   B: 그녀는 배고프지 않은 게 틀림없어.

D

1 should have asked
2 shouldn't have eaten
3 must have been
4 mustn't have been
5 should have looked

해석

1 A: 린다는 네가 자기 청바지를 입었다고 화를 냈어.
   B: 정말? 내가 청바지를 입기 전에 그녀에게 물어봤어야 했는데.
2 A: 속이 안 좋아. 식사를 그렇게 많이 한 후에 아이스크림을 먹지 말았
      어야 했어.
   B: 약을 좀 먹는 게 어때?
3 A: 방금 그 슬픈 소식을 들었어요. 강아지를 잃게 돼서 낙담하셨겠어
      요.
   B: 정말로 우울했었는데 극복하는 중이에요.
4 A: 나는 지난주에 성적표를 받았어. 역사에서 C를 받았어. 가장 열심히
      한 과목인데.
   B: 너는 분명 그다지 만족스럽지는 않겠구나.
5 A: 다행이다! 팔이 거의 부러질 뻔 했네. 길을 건너기 전에 양쪽을 확
      인했어야지.
   B: 죄송해요, 엄마. 다음부터는 더 조심할게요.

Unit 20 EXERCISES
p. 95

A

1 won't
2 is used to
3 used to
4 be
5 to dance
6 will
7 call
8 used to
9 would like to
10 is used to

해석

1 나는 처음 하와이에 온 그날을 잊지 못할 것이다.
2 캐시는 이제 초밥과 절인 마늘을 먹는 데 익숙해졌다.
3 이 외양간은 닭과 돼지로 가득 차 있었다.
4 우리는 정말 친한 친구였잖아. 우리에게 무슨 일이 일어났던 거지?
5 나는 동창회 파티에서 캐롤린과 춤을 추고 싶다.
6 우리는 여자들만의 주말을 보낼 만한 완벽한 휴양지를 찾아 볼 것이다.
7 지금은 그에게 전화를 하지 않는 것이 낫겠어. 그는 밤에 전화 오는 것
   을 싫어해.
8 그곳은 예전에 목초지였는데, 지금은 아파트 단지가 들어 서 있다.
9 저는 다음 달에 시작하는 당신 회사의 경제 잡지를 구독하고 싶습니다.
10 베이킹 소다는 채소를 세척하고 안경에 낀 얼룩을 씻어내는 데 사용된
   다.

B

1 would[used to] bake
2 would[used to] get up
3 would[used to] ride
4 would[used to] play

---

5 used to believe
6 would[used to] sleep

해석

1 우리 엄마는 내 생일에 쿠키를 구워 주곤 했다.
2 나는 여섯 시에 일어나서 호숫가를 달리곤 했다.
3 나는 어렸을 때, 어디에 가든지 자전거를 타고 다니곤 했다.
4 민준이는 방과 후에 친구들과 함께 놀이터에서 놀곤 했다.
5 나는 딸기 우유가 딸기와 우유로 만들어진다고 믿었었다.
6 오빠와 나는 크리스마스이브에 이 벽난로 앞에서 자곤 했다.

Unit 21 EXERCISES
p. 98~99

A

1 ⓓ   2 ⓒ   3 ⓒ   4 ⓑ
5 ⓐ   6 ⓓ   7 ⓐ   8 ⓑ

해석

1 실례합니다. 질문을 좀 해도 될까요?
2 차 좀 빼 주실래요?
3 내일 밤에 내게 시간을 좀 내줄 수 있어요?
4 우리는 시간이 별로 없어요. 본론으로 들어갈까요?
5 에린은 목도리를 잃어버렸다. 어딘가에 떨어뜨린 것이 틀림없다.
6 과학 공책 좀 빌려줄 수 있니?
7 누군가 우리 집에 침입한 것이 틀림없어. 내 보석이 사라졌어.
8 자신이 있으면 다시 한 번 시도해 보는 게 어때?

B

1 Let's not
2 go
3 Would you mind if I
4 may not
5 can't
6 mustn't have broken up
7 must have gotten
8 Would you mind

해석

1 영화 보러 가지 말자. 대신에 야구 보러 가는 게 어때?
2 우리를 빼고 가는 게 어때요? 우리는 호텔로 돌아가야 할지도 몰라요.
3 제 개를 산책시켜 달라고 부탁해도 되겠습니까?
4 클락 씨는 우리가 생각한 만큼 까다로운 사람이 아닐지도 몰라. 그가
   우리의 실수에 웃었어.
5 그 낡은 자전거를 소유한 사람이 제이슨일 리가 없어. 그는 지난주에
   새 자전거를 샀거든.
6 나는 로리가 마크와 함께 영화 보러 가는 것을 봤어. 그들은 헤어졌을
   리가 없어.
7 차에서 이상한 소리가 난다. 어젯밤 폭풍우로 엔진에 빗물이 들어간 게
   틀림없다.
8 오늘 아침에 그녀를 학교에 데려다 줄 수 있니?

C

1 Shall
2 Can
3 must
4 Would
5 might

1 may have left 2 could check out, could see
3 could call 4 may not finish

해석

1 A: 에릭은 어디에 있니? 전화를 받지 않아.
   B: 그가 집에 휴대 전화를 두고 나왔을 수도 있어. 에릭 없이 회의를 시작하자.
2 A: 브렌다, 오늘 밤에 특별한 계획이라도 있니?
   B: 확실하진 않아. 새로 생긴 옷 가게에 가거나 오늘 개봉한 영화를 볼 수도 있어. 아니면 둘 다 할 수도 있고.
3 A: 케이티가 나와 함께 스케이트장에 갈지 궁금해. 너는 어떻게 생각하니?
   B: 내가 그녀에게 전화해서 스케이트 타는 것을 좋아하는지 물어볼 수 있어. 하지만, 데이트 신청을 하는 것이라면 네가 직접 그녀에게 물어봐.
   A: 네 말이 맞아. 지금 물어볼래.
4 A: 우리가 내일까지 부품을 구하지 못하면 이 과학 프로젝트를 끝낼 수 없을지도 몰라.
   B: 긴장을 풀어. 우리는 모든 가게를 들러보고 찾아볼 거야.
   A: 좋아. 나는 이번 과학 박람회에서 우리가 일등을 하기를 바라.

REVIEW

p. 100~101

1 ③   2 ①   3 ②

해설/해석

1 마라톤에 처음 출전하는 상대에게 무리하지 말라고 충고하는 의미가 되어야 하므로 had better가 적절, 「had better+동사원형」 ~하는 편이 좋다
   A: 나는 마라톤에 참가하려고 준비하고 있어. 마라톤을 완주하면 정말 기분이 좋을 거야.
   B: 그래, 하지만 이번이 첫 출전이니까 너무 무리하지 않는 게 좋겠어.
2 '어제 경기에서 더 쉽게 이겼어야 했는데 실제로는 그렇지 못했다'는 과거 사실에 대한 유감을 나타내므로 should have won이 적절
   A: 너는 어젯밤에 그 경기를 봤니? 레드 팀이 거의 지고 있었지만 투수가 경기를 살렸잖아.
   B: 알아. 그들은 더 쉽게 경기를 이겼어야만 했어. 상대는 훨씬 약한 팀이었거든.
3 상대방에게 빨래방에 가는 일이 익숙해졌는지를 물어보는 의미가 되어야 하므로 gotten used to going이 적절, 「get[be] to+-ing」 ~하는 데 익숙하다, 「used to+동사원형」 ~하곤 했다
   A: 세탁하러 빨래방에 가는 것에 익숙해졌니?
   B: 응. 귀찮을 거라고 생각했었는데 거기서 친구들을 사귀고 나서는 재미있어졌어.

B

1 ④   2 ③   3 ④

해설/해석

1 ④ B가 타려고 했던 기차가 탈선해서 사람들이 다쳤다는 A의 말

을 듣고 '사고를 당할 수도 있었으나 당하지 않았다'라는 의미가 되어야 하므로 couldn't have been이 아니라 could have been이 적절, 「could+have+p.p.」 ~할 수도 있었는데 …하지 않았다
   A: 세상에. 네가 무사히 집에 돌아와서 다행이야.
   B: 무슨 말이야? 기차를 예정보다 일찍 타긴 했는데, 왜 그렇게 놀라니?
   A: 네가 탄다고 했던 기차가 탈선을 했대. 승객들 대부분이 다쳤어.
   B: 정말로? 내가 다쳤을 수도 있었겠네!

2 ③ 엉뚱한 문을 열려고 했던 것은 과거 사실에 대한 내용이므로 must try가 아니라 must have tried가 적절, 「must have p.p.」 ~였음이 틀림없다
   A: 어제 회의에 왜 안 왔니? 우리는 모두 너를 기다렸어.
   B: 정말? 문이 잠겨 있어서 나는 학교에 들어갈 수 없었어.
   A: 너는 엉뚱한 문을 열려고 한 것이 틀림없어. 학교는 일요일에 옆문만 열어 둬.
   B: 이럴 수가. 미안해. 네게 전화했었어야 했는데.

3 ④ 두부와 함께 옥수수를 먹어야 하느냐고 물어보는 의미이므로 must have eaten이 아니라 must[should] eat 등이 적절
   A: 이 논문은 특정한 음식들의 조합이 우리 조상들이 얼마나 지혜로웠는지를 보여 주고 있어.
   B: 특정한 음식들의 조합이 무엇인지 자세하게 얘기해 줄래?
   A: 음. 우리는 보통 옥수수와 함께 콩을 먹잖아. 그렇지? 옥수수와 콩은 다른 종류의 아미노산을 함유하고 있어.
   B: 놀랍구나. 그 말은 내가 두부와 옥수수를 함께 먹어야 한다는 의미니?

1 ①   2 ②   3 ④

해설/해석

1 ① 운전자는 차에서 내려서 휘발유를 직접 넣고, 부스로 걸어가서 돈을 지불해야 한다는 의미, get out of the car, pump the gas, walk over to the booth to pay 모두 병렬관계로 연결되어 있으므로 doesn't have to가 아니라 의미상 must/should 등이 적절
   주유소는 인간미 없는 태도에 관한 좋은 예를 보여 준다. 자동차 운전자는 접수원이 유리 부스에 들어가 돈을 받으려고 접시만 내놓고 앉아 있는 주유소에 차를 세운다. 운전자는 차에서 내려 휘발유를 주유하고 부스로 걸어가서 돈을 지불해야 한다. 그리고 엔진에 이상이 있거나 히터가 제대로 작동하지 않는 손님은 대체로 운이 없는 것이다. 왜냐고? 많은 주유소에서 근무 중인 기술자들을 정리했다. 그 숙련된 기술자들은 차에 대해서 문외한이고 차에는 전혀 관심도 없는 유니폼만 입은 십 대로 대체되었다.

2 ② '선물을 주는 행위는 즐겁지만 선물을 고르는 것은 괴로울 수 있다는 가능성을 나타내므로 can't가 아니라 can 등이 의미상 적절
   우리가 누군가를 위해서 선물을 준비해야 할 경우가 많이 있다. 당신이 선물을 준 사람의 행복한 웃음을 보는 것은 큰 기쁨이 될 수 있다. 하지만 미소를 불러오는 완벽한 선물을 선택 하는 것은 힘든 일 일 수 있다. 하지만 여기에 작은 비결이 있다. 다른 사람이 당신에게 준 선물을 기억해 보라. 사람들 대부분은 자신이 가지고 싶은 선물을 고르는 경향이 있다. 당신은 당신이 받은 선물을 힌트로 사용할 수 있다.

3 ④ '요리사가 청소를 하게 되면 해고될 수도 있다'는 의미가 되어야 하므로 could have got이 아니라 can get이 적절

인도 사람들은 손으로 음식을 먹는 것으로 유명하다. 이것은 불편하게 보일지도 모르지만 인도인들은 위생상의 이유로 손으로 먹는다. 인도는 매우 더운 국가로, 인도인들은 식기를 사용하는 것을 조심스러워한다. 식기를 깨끗이 씻지 않으면, 침이 남아 있을 수도 있다. 더욱이 침은 더운 날씨에는 질병의 원인이 될 수 있다. 그래서 그다지 깨끗하지 않은 숟가락과 포크를 사용하는 위험을 감수하기보다는 자신들의 손을 이용한다. 또한 부잣집에 고용된 요리사는 오직 요리만 한다. 만일 요리사가 청소를 하게 되면 그는 더럽다는 이유로 해고될 수도 있다.

REVIEW PLUS

p. 102

⑤

해설/해석

(A) '내가 문을 열 수 없었다'라는 불가능을 의미하므로 couldn't가 적절 (B) '내가 외쳐도 이웃 사람이 들을 수 있을 것이라고 생각하지 않았다'라는 의미로 과거에 일어난 일에는 could가 적절 (C) 어머니가 와서 물어본 시점(과거)보다 내가 무엇을 하고 있었는지가 더 먼저 일어난 일이므로 과거완료가 적절

지난 여름 어느 날 화장실에 있을 때, 화장실 문의 자물쇠가 고장났다. 아무리 애를 써 보아도 문을 열 수가 없었다. 곤경에 빠진 내 상황에 대해서 생각해 보았다. 소리를 지르더라도 이웃이 들을 수 있을 것 같지 않았다. 그때 뒷벽에 작은 창이 나 있다는 사실이 생각났다. 창 근처에 있는 세면대는 쉽게 디디고 올라갈 수 있는 발판이 되었다. 창문을 기어올라 몇 초간 창턱에 가만히 매달려 있다가 쉽게 땅으로 내려올 수 있었다. 나중에 어머니께서 집에 오셔서는 무엇을 하고 있었는지 물어보셨다. 나는 웃으면서 "아, 그냥 어슬렁거리고 있었어요."라고 대답했다.

④

해설/해석

④ 과거에 운반할 수 없었던 것이 아니라 현재 운반할 수 없다는 사실을 이야기하는 것이므로 can이 적절

여러분은 짧은 거리를 이사한다는 것이 너무 간단한 일이어서 수고를 들이지 않고도 당장 이동할 수 있다고 생각할지도 모른다. 여러분은 이삿짐센터의 서비스가 필요 없다고 판단하여 자신의 차를 사용하기로 결정할지도 모른다. 그렇다면, 여러분의 판단이 틀렸을지도 모른다. 여러분은 실제보다 꾸려야 할 짐이 많지 않다고 잘못 생각한 것이다. 여러분은 옮길 수 있을 것이라고 생각한 만큼 많이 여러분의 차가 운반할 수 없다는 것을 너무 늦게 깨닫게 된다. 그래서 자신이 생각했던 것보다 훨씬 많이 새 집까지 왔다 갔다 하게 된다. 게다가 값비싼 물품의 일부는 파손될 가능성도 있다. 이 모든 것을 고려해 볼 때, 이삿짐센터의 서비스를 요청하는 것이 더 나을지도 모른다.

PART 6

1 형용사	2 부사
3 부사	4 부사
5 형용사	6 형용사

해석

1 재닌의 꿈은 새로운 환경 친화적인 엔진을 개발하는 것이다.
2 강도들은 녹이 슨 자물쇠를 쉽게 부수고 보석을 가져갔다.
3 아버지께서 오늘 늦으시네. 아빠를 못 가게 붙잡고 있는 손님이 있는 게 분명해.
4 뷔페에 사람이 너무 많아서, 우리는 음식을 거의 먹지 못했다.
5 나는 주말 아침 일찍 초인종을 누르는 사람들이 싫다.
6 그 여자는 서투른 영어로 말을 했지만, 우리는 그녀의 보디랭귀지를 다 이해했다.

1 well	2 dangerous
3 likely	4 likely
5 hardly	6 careful
7 cheerful	8 anxious
9 high	10 lately
11 badly	12 beautifully
13 bad	14 certainly

해석

1 사용하기 전에 약병을 잘 흔드시오.
2 저 사다리를 오르지 마세요. 위험해 보여요.
3 유출된 기름을 제거하려면 몇 달이 걸릴 것 같다.
4 우리는 야영을 하기에 적당한 장소를 찾았다. 그곳은 경치가 환상적이다.
5 나는 너무 바빠서 거의 화장실에 갈 틈도 없었다.
6 우리는 식당에서 이야기할 때 더 조심해야 한다.
7 안드레아와 나는 점심때 즐거운 대화를 나누었다.
8 내가 도착했을 때 어머니께서는 걱정스러운 얼굴로 정원에 계셨다.
9 나는 내가 생각해 둔 집을 살 수가 없었다. 그것의 가격은 너무 비쌌다.
10 볼 만한 좋은 영화가 있나요? 최근에 무슨 영화를 봤어요?
11 우리 학교 야구팀은 경기를 잘 못해서 그 시합에서 졌다.
12 그녀는 아이스링크에서 아름답게 연기했고 심판을 사로잡았다.
13 미안해요. 적절하지 않은 시간에 오셨어요. 친척들이 우리를 보러 먼 곳에서 오셔서요.
14 짐과 케이시는 어릿광대 코를 하고 발표해서 확실히 강한 인상을 남겼다.

C

1 fast	2 forgetful
3 friendly	4 rarely

20

해석

1 그들의 우정은 아주 빨리 깊어졌다.

2 나는 오늘 휴대 전화를 가지고 오지 않았다. 나는 요즘에 정말 잘 잊어 버린다.

3 그 개는 다정해 보였지만, 내가 쓰다듬으려고 하자 나를 물었다.

4 우리는 좀처럼 밤에 별을 볼 수가 없다. 그것은 가로등이 너무 밝기 때문이다.

D

1 confusing	2 disappointing
3 tired	4 terrifying
5 exciting	6 delighted
7 surprising	8 astonishing

해석

1 우리는 길을 잃었어! 도로 표지판이 너무 헷갈려.

2 그 회사의 제안은 정말 실망스러웠다.

3 에이미는 다섯 개의 동아리에 가입했다. 그녀가 항상 피곤한 것은 당연하다.

4 그것은 모든 승객에게 있어서 정말로 무서운 경험이었다.

5 그 축구 경기는 정말 흥미진진했어. 정말 즐거웠어.

6 우리 조부모님께서는 우리가 모두 방에 모인 것을 보고 기뻐하셨다.

7 스테이시가 그 시험에 통과했다는 것은 아주 놀라운 일이다. 이제껏 그녀가 공부하는 것을 본 사람이 없다.

8 우리 애완용 앵무새는 놀라운 발전을 보였다. 완전히 혼자서 새장을 들어가고 나올 수 있게 되었다.

E

1 shocking	2 amazed
3 courageous	4 frightened
5 hard	6 interested

해석

1 우리는 TV에 나온 충격적인 장면에 모두 질겁했다.

2 나는 엄마가 콘서트에 가도록 허락해 주셔서 놀랐다.

3 그는 회사의 미래에 대해 용기 있는 결정을 내렸다.

4 그녀는 누군가가 자신의 뒤에 있다고 느꼈을 때 겁이 났다.

5 와, 이건 정말 단단한 매듭인데. 풀려다가 손톱이 부러질 뻔했어.

6 이 프로그램에 관심이 있으신 분은 이번 달 15일 전에 등록하셔야 합니다.

 Unit 23 **EXERCISES**   p. 109

A

1 alike	2 cozy red brick
3 interesting	4 happily
5 a lone	6 someone special
7 alive	8 simple
9 strongly	

해석

1 이 두 장의 그림은 매우 흡사하지만 하나는 가짜이다.

2 나는 마이크를 방문했다. 그의 집은 아늑한 붉은 벽돌집이었다.

3 나는 그 소설이 정말 흥미롭다고 생각했다. 그 책은 모험으로 가득 차 있었다.

4 거의 모든 동화는 "그들은 그 후로도 행복하게 살았습니다."라는 내용으로 끝난다.

5 수사관들은 단독범의 소행일 것이라고 결론지었다.

6 네가 항상 그리워하던 특별한 분을 내가 초대했어.

7 우리가 밤새 모닥불을 피우려면 땔감을 많이 구해 와야 한다.

8 소풍 갈 때 간단하게 준비하고 그냥 음료수와 샌드위치만 사자.

9 주민들은 마을에 화장터를 세우려는 계획에 강하게 반대했다.

B

1 Kelly appears unaware of the changes

2 Let's go somewhere nice by bicycle.

3 This cake tastes salty.

4 Please bring me the small pink English tea set

5 I had to pay for the large white marble statue

해석

1 캘리는 우리가 만든 변화를 인식하지 못한 것 같다.

2 정말 따뜻한 날이야. 자전거를 타고 어디 좋은 곳에 가자.

3 이 케이크에서 짠맛이 나. 너는 설탕과 소금을 혼합한 게 분명해.

4 찬장에서 작은 분홍색의 영국 찻잔 세트를 내게 좀 갖다 주세요.

5 나는 내가 부서뜨린 호텔 로비에 있던 큰 흰색 대리석 조각상 값을 물어야 했다.

 Unit 24 **EXERCISES**   p. 112~113

A

1 only	2 yet
3 still	4 completely
5 hard	6 carefully

해석

1 이 시점에서 우리는 그가 왜 일을 그만두었는지 추측만 할 수 있다.

2 네가 아직도 그 소문을 듣지 못했다니 놀랍다.

3 나는 아직도 이 수학문제를 해결하지 못하고 있어. 아마도 잘못된 것 같아.

4 캘리는 예전의 자신과 완전히 다르게 보이려고 머리를 붉게 염색했다.

5 소시지가 정말 단단히 얼었어. 녹을 때까지 기다리자.

6 상자에서 부품을 꺼내기 전에 사용 설명서를 주의 깊게 읽으세요.

B

1 Amy carried a small black plastic bag.

2 Brice didn't get enough votes to be elected.

3 My grandmother gave me a nice sweater.

4 It was so hot last night that we slept in hammocks.

5 I'll go to City Hall by bus next week to get my license.

6 Will you turn them off when you leave?

7 I have never met such a generous person.

8 Almost all of the students at Kipling High School came from Hillside Middle School.

1 에이미는 작은 검은 비닐봉지를 들고 다녔다.
2 브라이스는 당선될 만큼 충분한 표를 얻지 못했다.
3 우리 할머니께서는 내게 근사한 새 스웨터를 주셨다.
4 우리는 어젯밤에 너무 더워서 해먹에서 잤다.
5 나는 다음 주에 버스를 타고 허가증을 받으러 시청에 갈 것이다.
6 불이 아직 켜져 있네. 나갈 때 좀 꺼줄래?
7 나는 그렇게 관대한 사람을 만난 적이 없다. 그는 기부하려고 태어난 것 같다.
8 키플링 고등학교 학생들 거의 대부분이 힐사이드 중학교 출신이다.

C

1 such   2 so
3 such   4 so
5 such

해석

1 정말 좋은 날씨구나! 해변에 가서 시간을 보내자.
2 도로의 표면이 너무 뜨거워서 계란을 익힐 수 있을 정도이다.
3 이웃의 강아지가 너무 시끄러워서 우리는 찾아가서 불평해야만 했다.
4 어젯밤에 아이들은 너무 흥분해서 침대 위에서 뛰어다녔다.
5 우리는 어제 정말 좋은 시간을 보냈다. 시골에 좀 더 자주 가야겠다.

D

1 I have √seen anything like this before.
2 You should √think positively to achieve success in life.
3 She √eats chocolate chip cookies with milk late at night.
4 We √go to the Thai restaurant right down the block on Friday nights.

해석

1 나는 전에 이것과 같은 것을 한 번도 본 적이 없다.
2 삶에서 성공하려면 항상 긍정적으로 생각해야 한다.
3 그녀는 종종 밤늦게 우유와 초콜릿 칩 쿠키를 먹는다.
4 우리는 금요일 밤이면 보통 한 블록 거리에 있는 태국 식당에 간다.

E

1 quickly wiped away   2 틀린 것 없음
3 still don't   4 틀린 것 없음
5 so much money   6 turn it on
7 틀린 것 없음   8 was already
9 enough enthusiasm   10 hardly had

해석

1 그녀는 재빨리 눈물을 닦았다.
2 아만다는 아직 소설을 읽는 것을 끝내지 못하고 있다.
3 나는 아직도 그날 밤에 있었던 일에 대해 이야기하고 싶지 않다.
4 샐리는 새 CD를 헤드폰으로 듣고 있다.
5 그녀는 돈이 너무 많아서 그것으로 무엇을 해야 할지 모른다.
6 여기는 너무 조용해. 아, 탁자 위에 라디오가 있네. 켜도 되지?
7 아이들은 자주 아이스크림 아저씨가 언제 오는지 물어보곤 했다.
8 구급차가 도착했을 때 환자는 이미 의식이 없었다.

9 그는 심판이나 청중에게 감동을 줄 만한 충분한 열정이 없었다.
10 메리와 수잔은 고등학교를 졸업한 후에 거의 만날 기회가 없었다.

Unit 25   EXERCISES   p. 116~117

A

1 much   2 louder
3 better   4 merrier
5 more modern   6 destructive

해석

1 에밀리는 2년 전보다 지금 훨씬 더 행복하다.
2 소리가 커지면 커질수록 개들은 더욱 크게 울부짖었다.
3 네 칠리소스는 대회에 나온 다른 어느 소스보다 훌륭하다.
4 우리 할머니께서는 연세가 드실수록 더욱 유쾌해지신다. 그것이 그녀의 매력이다.
5 이 예술품은 오래돼 보이지만, 사실은 바로 옆에 있는 것보다 더 근대의 것이다.
6 그 태풍은 작년에 그 지역을 강타한 태풍만큼 파괴적이었다.

B

1 most precious   2 patient
3 scariest   4 happier
5 cheaper   6 cheapest
7 important   8 noisier
9 higher   10 coldest
11 taller   12 fresher, better

해석

1 켄트 씨에게는 가족이 가장 소중하다.
2 그는 자기 여동생만큼도 참을성이 없다.
3 이것은 내가 타 본 것 중에서 가장 무서운 롤러코스터이다.
4 일단 중간고사가 끝나기만 하면 우리는 지금보다 더 행복할 것이다.
5 이 캠핑카가 가게에 있는 다른 어떤 캠핑카보다 가격이 저렴합니다.
6 이곳이 내가 이 지역에서 머물렀던 호텔 중에 가장 저렴하다.
7 스포츠에서 팀을 이루어 경기하는 것만큼 중요한 것은 없다.
8 둘 중에 이 자명종 시계가 소리가 더 커. 이것으로 하자.
9 우리가 산을 높이 올라가면 올라갈수록 숨을 쉬기가 더 어려워졌다.
10 오늘이 올해 들어 가장 추운 날이다. 내 손가락과 발가락에 감각이 없다.
11 이 식물이 다른 것보다 훨씬 더 크게 자랐다. 햇빛 때문인 것이 틀림없다.
12 공기가 상쾌해질수록 건물 안에 갇힌 사람들이 더 숨을 잘 쉴 수 있게 되었다.

C

1 the longest   2 route
3 to   4 students
5 other   6 good
7 far more   8 vacations

해석

1 세계에서 가장 긴 강이 뭔지 아니?

2 이 길이 병원으로 가는 다른 어떤 길보다 짧다.

3 그 건의가 이번 회의에 앞서 제안되었다.

4 조나단은 전체 학교 학생들보다 훨씬 더 영리하다.

5 학교에서 낸시보다 큰 여학생은 없다. 그녀는 183센티미터이다.

6 뜨거운 여름날 시원한 레모네이드를 한 모금 마시는 것만큼 좋은 것은 없다.

7 사람들은 그 가수의 공연보다 그에 대한 소문에 훨씬 더 관심이 있었다.

8 우리는 지난여름에 하와이에 갔다. 그것이 우리가 보냈던 가장 신나는 휴가 중 하나였다.

 D

1 warmer than day
  warmer than, days
2 lovelier than, garden
  lovelier than, gardens
3 No, as talkative as
  No, more talkative than
4 No, as comfortable as
  No, more comfortable than

해석

1 올해 들어 오늘이 가장 따뜻하다.
2 우리 마을에서 티나의 정원이 가장 아름답다. 그곳은 이국적인 꽃들로 가득 차 있다.
3 헤더가 이 방에서 가장 말이 많았다.
4 이 극장에서 귀빈석의 의자가 가장 편안하다.

Unit 26 EXERCISES
p. 120~121

A

1 during
2 in
3 since
4 within
5 instead of
6 until

해석

1 냉면은 겨울보다 여름에 더 많이 먹는다.
2 몇 분 후면 너는 따끈따끈한 피자를 먹을 수 있을 것이다.
3 우리가 여기 이사 온 그날부터 마을 전체가 변했다.
4 손님께선 일주일 안으로 우리 가게의 무료 쿠폰을 받게 되실 것입니다.
5 팝콘이 평상시에 9달러 50센트였는데, 오늘만 7달러다.
6 우리는 오늘 아침 일찍 새로 문을 연 멀티플렉스에 가서 해질 때까지 있었다.

B

1 in case of
2 Thanks to
3 According to
4 instead of
5 prior to
6 in front of
7 for the sake of
8 In addition to
9 in relation to

해석

1 이 지하실은 토네이도에 대비해 만들어졌다.

2 그의 지지 덕분에 우리는 사업을 성공시킬 수 있었다.

3 그래프에 따르면 자동차 판매는 작년부터 급격하게 감소하고 있다.

4 그들은 집에 있지 않고 영화를 보러 가기로 마음을 바꿨다.

5 승무원은 이륙하기 전에 안전 수칙을 설명한다.

6 박 씨는 많은 청중 앞에서 말하는 것의 두려움을 극복하는데 성공했다.

7 그는 부모님의 건강을 생각해서 부모님을 시골로 이사하게 했다.

8 한국은 현대식 건물 외에도 역사적인 장소와 역사적인 문화를 많이 소유하고 있다.

9 그것을 이해하려면 그것의 역사적인 배경과 관련된 사전 지식이 필요합니다.

 C

1 by
2 with
3 for
4 to
5 about
6 of
7 on
8 in

해석

1 ① 사라와 브래드는 이메일로 자신들의 사진을 전송했다.
  ② 너희의 보고서는 이번 주 내로 전부 제출되어야 한다.
  ③ 우리는 우리 앞에 펼쳐진 다양한 음식을 보고 너무 놀랐다.
2 ① 나는 내 삶에 꽤 만족한다고 말할 수 있다.
  ② 캘리는 반 친구들에게 뒤처지지 않으려고 두 배로 열심히 공부해야 했다.
  ③ 마을 사람들은 작물을 망치는 해충에 진저리가 났다.
3 ① 삼가 조의를 표합니다. 당신의 아버지께서는 훌륭한 분이셨습니다.
  ② 사서가 내게 커피를 쏟은 책을 배상하라고 요구했다.
  ③ 나의 조국인 네덜란드는 튤립과 풍차로 유명하다.
4 ① 이 코너의 모든 스니커즈에 할인이 적용됩니다.
  ② 우리 지역 주민들은 지역 병원의 폐업에 반대합니다.
  ③ 나는 엄마가 아시기 전에 내가 깬 접시와 비슷한 것을 찾아야 한다.
5 ① 에이미는 발표 때문에 너무 걱정이 되어 먹을 수가 없었다.
  ② 우리는 수프에서 발견한 머리카락에 대해 매니저에게 항의했다.
  ③ 아기들은 모든 것에 대해 호기심을 느끼기 때문에 부모들은 아주 조심해야 한다.
6 ① 우리 아버지께서는 20년 된 차를 매우 잘 관리해 오고 계신다.
  ② 그들은 아침으로 오트밀을 먹는 것에 싫증이 난다.
  ③ 그는 자신이 연못에 뛰어들었을 때 어떤 일이 일어날지 인식하지 못했다.
7 ① 내가 어렸을 때 우리 가족은 금요일마다 외식을 하곤 했다.
  ② 나의 남편은 몸무게가 많이 늘었다. 그는 다이어트를 해야 한다.
  ③ 그는 나타나지 않았다. 게시판의 공지를 보지 않은 것이 틀림없다.
8 ① 짙은 안개 때문에 나는 앞을 볼 수가 없다.
  ② 나 너무 기분이 좋아! 내 여동생이 3주 후면 결혼하거든.
  ③ 대문자로 세관 신고서를 작성해 주시겠어요?

REVIEW
p. 122~123

 A

1 ③   2 ②   3 ①

해설/해석

1 「the 비교급, the 비교급」 ~하면 할수록 더 ~하다
  A: 우리가 파티에 사람을 너무 많은 사람을 초대한 것 같지 않아요?
  B: 전혀요. 사람이 많이 오면 올수록, 더욱 더 축제 분위기가 날 거에

요.

2 '아직 보내지 않았다'라는 의미로 yet이 적절

A: 샐리가 대학교 입학 허가를 받았니?
B: 아니. 하지만 그 애는 원서도 다 보내지 않았어.

3 '세상에서 가장 못생긴'이라는 의미이므로 최상급이 적절

A: 야! 이게 뭐야? 털이 다 어디 간 거야?
B: 나는 세상에서 가장 못생긴 고양이 같은데, 실제로는 상도 탔어.

 B

1 ④   2 ③   3 ③

해설/해석

1 ④ '한 주 동안'이라는 의미이고, 뒤에 a week이 왔으므로 during이 아니라 for가 적절

A: 무슨 일이니? 네 안색이 파랗고 온몸에 붉은색 반점이 있어.
B: 알아. 내가 대합조개에 알레르기가 있나 봐.
A: 정말? 병원에는 갔었니?
B: 응. 일주일 동안 이 알약을 복용하고, 연고를 발라야 해.

2 ③ 「비교급+than all the other+복수명사」는 '어떤 ~보다 더 …하다'는 의미로 최상급 의미이므로 hot dog가 아니라 hot dogs가 적절

A: 이 놀이공원은 정말 최고야! 무시무시한 놀이기구도 많고, 맛있는 길거리 음식을 파는 곳도 많아.
B: 너 회전목마 뒤쪽에서 파는 핫도그를 먹어 봤니?
A: 응. 세상에서 그보다 더 촉촉하고 맛있는 핫도그는 없을 거야.
B: 전적으로 동감이야.

3 ③ 두 개 이상의 형용사가 하나의 명사를 수식할 때는 의견, 형태, 색깔의 순서이므로 oval-shaped white lovely가 아니라 lovely oval-shaped white가 되어야 함

A: 안녕하세요. 도와 드릴까요?
B: 아, 네. 제 거실에 딱 맞는 커피 테이블을 찾고 있어요.
A: 이 사랑스러운 타원형의 흰색 커피 테이블은 어떠세요?
B: 정말 훌륭하네요. 하지만 전 더 작은 걸 원해서요. 저기 있는 검은색 테이블을 좀 보여 주시겠어요?

 C

1 ①   2 ④   3 ①

해설/해석

1 ① 동사(are updated)를 수식해야 하므로 regular가 아니라 부사인 regularly가 와야 함

오늘날에는 인터넷에 셀 수 없이 많은 블로그가 있다. 블로그는 웹사이트와 다르다. 첫째, 블로그는 더 규칙적으로 업데이트된다. 많은 블로그가 매일 업데이트되지만, 어떤 블로그는 심지어 하루에 두세 번 업데이트되기도 한다. 게다가, 대부분의 블로그는 무료 소프트웨어로 쉽게 만들 수 있다. 누구라도, 심지어 컴퓨터에 대해서 잘 모르는 사람들도, 블로그를 시작할 수 있고 동시에 컴퓨터에 대해 더 많이 배울 수 있다.

2 ④ rely on은 '~에 의존하다'라는 숙어이므로 to가 아니라 on이 되어야 함

여러분은 다독을 함으로써 유연한 읽기 능력과 어휘를 증가시킬 수 있습니다. 매일 다양하고 흥미 있는 자료를 될 수 있으면 많이 읽도록 하십시오. 하지만 자신의 능력이나 수준을 뛰어넘는 글은 읽지 마십시오. 대신, 자신의 수준에 맞는 기사나 약간 낮은 수준의 글을 찾도록 하십시오. 또한 단어 목록에 지나치게 의지하지 않도록 노력하십시오. 일반

적으로 문맥에서 새로운 단어를 배우는 것이 기억하기 쉽습니다. 당신에게 더 이익이 되는 것은 단어의 의미뿐만 아니라 단어의 사용법까지도 배울 수 있다는 것입니다.

3 ① '아이스크림을 영원히 바꿔 놓았다'라는 의미로 부사 forever는 changed ice cream을 수식하므로 changed forever ice cream이 아니라 changed ice cream forever가 되어야 함

오래전에는 아이스크림을 접시에 담아서 팔았다. 하지만, 1904년의 한 사건이 아이스크림을 영원히 바꿔 놓았다. 미주리 주의 세인트 루이스에서 개최된 1904 루이지애나 박람회의 어느 더운 날이었다. 아이스크림이 빠르게 팔려나가고 있었다. 한 아이스크림 장사가 아이스크림을 담을 접시가 다 떨어져서 더는 아이스크림을 팔 수 없었다. 이것을 본 한 와플 장수가 재빨리 자신의 와플을 말아서 콘 모양으로 만들어 아이스크림 장수에게 주었다. 곧 모든 사람이 콘에 든 아이스크림을 원하고 있었다.

REVIEW PLUS   p. 124

 A

②

해설/해석

(A) equate라는 동사를 수식하므로 부사의 형태가 와야 함 (B) '~라는 견지에서'라는 의미의 전치사구는 in terms of (C) 비교급(more credible and effective) 뒤에는 than이 적절

우리는 일반적으로 신화를 고대 그리스인이나 로마인들과 동일시하지만, 현대의 신화는 등록 상표, 영화, 만화책, 휴가, 심지어 광고 방송을 포함한 대중문화의 여러 측면에서 나타난다. 광고방송과 광고는 그것들이 나타내는 근원적인 신화적 주제라는 측면에서 분석될 수 있다. 종종 패션 광고, 특히 향수 광고에서 환상과 신화적 주제를 사용한다. 만화책의 초인들은 또한 어떻게 모든 연령대의 소비자들에게 신화가 전달될 수 있는지 보여 준다. 실제로, 이런 허구적 등장인물 중 일부는 다양한 문화권에서 공통으로 등장하는 신화인 단일 신화를 상징한다. 가장 보편적인 단일 신화에는 초자연적인 힘을 가지고 일상 세계에 출현하여 악의 무리를 무찔러 결정적인 승리를 이끌어내는 한 명의 영웅이 등장한다. 소비자 대부분에게 친근한 만화 속의 영웅들은 실제 유명인사보다 더 믿음직하고 효과적일 수도 있다.

 B

③

해설/해석

③ 비교급(sharper)을 강조할 수 있는 부사에는 much, far, a lot, even, still 등이 있으나, very는 비교급을 수식할 수 없음

대체로 어떤 시기에 대한 기억은 그 기억으로에서부터 멀어지면서 당연히 약해지게 된다. 사람은 끊임없이 새로운 사실을 습득하게 되고 오래된 기억들은 새로운 사실을 대체하기 위해 사라져야 한다. 지금은 확실히 불가능하겠지만 스무살에 나는 학창시절의 일을 정확하게 기록할 수도 있었을 것이다. 하지만, 오랜 시간이 지나고 나서 기억이 훨씬 뚜렷해지는 일도 역시 가능하다. 그것은 바로 사람이 과거를 새로운 시선으로 바라보고 이전에는 다른 많은 사건 속에서 구분되지 않고 존재했던 사실을 분리하고, 알아차릴 수 있기 때문이다. 어느 정도까지는 내가 기억했던 것들이지만 꽤 최근까지 이상하거나 흥미롭게 생각되지는 않은 것들이 있다.

PART 7

p. 128~129

Unit 27 EXERCISES

A

1 has	2 is
3 nor	4 so
5 taking	6 for instance
7 stay	8 is
9 has	10 calm

해석

1 너뿐만 아니라 로빈도 독감에 걸렸어.
2 이번 회의에서는 쿠키도 차도 제공되지 않을 것입니다.
3 그녀는 아들과 이야기할 수도 없었고, 그의 경기를 지켜볼 수도 없었다.
4 초인종이 울려서 개가 짖자 아기가 깨서 울었다.
5 나는 네가 전화했을 때, 자고 있지도 샤워하고 있지도 않았어.
6 나는 예를 들어 카망베르 같은 모든 종류의 프랑스 치즈를 좋아한다.
7 나는 네가 오늘 밤에 외출할 건지 집에 있을 건지 알고 싶어.
8 우리 부모님이나 오빠가 방과 후에 나를 태우러 올 거야.
9 쓰레기를 재활용하는 것뿐만 아니라 대중교통을 이용하는 것도 환경에 좋은 영향을 준다.
10 아버지는 확실히 내 성적을 보시고 기분이 좋지 않은 것 같았다. 아버지의 목소리는 화가 난 것 같았지만 차분했다.

B

1 or	2 and
3 but also	4 but
5 and	6 but also
7 nor	8 or

해석

1 오늘 밤에 나는 턱시도를 입어야 할까 아니면 그저 셔츠와 검정 청바지를 입어야 할까?
2 거실과 아이들 방 둘 다 카펫을 새로 깔아야 해요.
3 해리는 유명한 배우일 뿐만 아니라 성공한 영화감독이다.
4 나는 축구 경기를 보고 싶었는데 주위에 TV가 없었다.
5 가장 좋아하는 가수를 만나고 디즈니 월드에 가는 것이 에이미의 꿈이다.
6 아이들은 감자칩 여섯 봉지를 먹었을 뿐만 아니라 탄산음료 아홉 병을 마셨다.
7 신디도 나도 단수(斷水)가 될 것이라는 안내를 듣지 못했다.
8 잭이나 너 둘 중 하나가 헛간에 가서 임신한 말이 어떻게 하고 있는지 보고 와야 한다.

C

1 needs	2 makes
3 is	4 watering, requires
5 want	

해석

1 A: 너나 마이클 둘 중 하나가 텐트를 가지고 와야 해.
　 B: 내가 텐트를 가지고 올게. 마이클에게 방충제를 가지고 오라고 말해 줘.
2 A: 나는 복숭아뿐만 아니라 강아지 털에도 재채기를 해.
　 B: 정말? 너는 복숭아와 강아지 털에 알레르기가 있는 것이 틀림없어.
3 A: 모닥불을 피울 만큼 성냥과 땔감이 충분하지 않아.
　 B: 대니가 지금 땔감을 구하고 있어. 그리고 내가 가게에 달려가서 성냥을 더 사올 수 있어.
4 A: 묘목을 심는 것뿐만 아니라 정기적으로 물을 주는 것은 상당히 힘든 일이야.
　 B: 걱정하지 마. 나는 원예 전문가야.
5 A: 너는 대학에서 무엇을 공부할지 결정했니?
　 B: 우리 누나뿐만 아니라 부모님도 내가 의학을 전공하기를 원하셔. 하지만, 난 유전 공학을 공부하고 싶어.

D

1 therefore	2 however
3 otherwise	4 for example

해석

1 ① 우리 천장에 금이 갔다. 그래서 카펫이 젖어서 얼룩덜룩하다.
　 ② 우리 할머니가 관절이 약하셔서 내가 할머니께 수영을 하시라고 권했다.
2 ① 마이클은 아트센터에 가고 싶었지만, 그곳은 보수 공사 중이었다.
　 ② 에이미는 그 그림을 사려고 했지만, 마음을 바꿔서 돈을 저축하기로 했다.
3 ① 서둘러 옷을 입어. 그렇지 않으면 학교 버스를 놓칠 거야.
　 ② 우리가 골동품 화병을 깨뜨렸다고 엄마한테 말해야 해. 그렇지 않으면 우리는 많이 혼날 거야.
4 ① 예를 들면 전구는 세상에서 가장 훌륭한 발명품 중 하나이다.
　 ② 예컨대 네 남자 친구와 네 가장 친한 친구가 모두 물에 빠진다면 어떻게 하겠니?

Unit 28 EXERCISES

p. 132~133

A

1 whether[if]	2 that
3 whether[if]	4 Whether
5 that	6 that
7 That	8 whether

해석

1 나는 내가 그 일을 잘할 수 있을지 확신이 없어요.
2 우리 모두 그 선율이 익숙하게 느껴졌다.
3 케네디 씨는 우리에게 간식이 충분한지 물어보셨다.
4 우리가 휴가를 갈지 안 갈지는 아버지에게 달렸다.
5 케빈은 갑자기 자신이 큰 실수를 저질렀다는 사실을 깨달았다.
6 나는 캐리가 내게 말도 없이 뉴질랜드로 이사 갔다는 사실에 충격을 받았다.
7 에이미는 생일날 아무도 자신에게 전화를 하지 않았다는 사실에 매우 실망했다.
8 나는 그 신사의 가발이 날아가 버렸을 때 웃어야 할지 안쓰러워해야 할지 몰랐다.

B

1	R	2	C	3	C	4	R	5	R
6	C	7	R	8	C	9	R	10	C

해석

1 이것이 1890년 이후로 우리 가족 대대로 소유하고 있는 피아노이다.
2 다리를 떨면 나쁜 일이 생긴다는 것은 미신이다.
3 나는 네가 15년 후에는 성공한 최고 경영자가 될 것이라고 믿는다.
4 그것은 우리 모두가 기억에서 지워버리고 싶은 경험이었다.
5 학생 때 나는 여자 아이들에게 인기 있는 부류의 소년은 아니었다.
6 나는 제임스가 아이들을 돕기 위해 정기적으로 보육원을 방문한다는
   사실을 몰랐다.
7 이것은 그 학생들의 10퍼센트만이 답을 맞힌 수학 문제이다.
8 우리는 유령 사건이 제이크의 장난 중 하나일 뿐이었다는 사실을 알아
   냈다.
9 우리는 시기적절하게 할인 판매를 하는 이 가게의 단골이 되었다.
10 그들은 반짝이는 불빛이 사람들이 자신들을 구하러 오고 있는 신호임
   을 알았다.

C

1 It is clear that Kendra told me a lie.
2 It was fate that we met again in another city.
3 It is true that Kevin didn't go to school that day.
4 It was a miracle that Jessica woke up from her coma.
5 It was strange that he never mentioned the wedding.
6 It is a big problem that you are suffering from
   insomnia.

해석

1 켄드라가 내게 거짓말을 했다는 것은 명백하다.
2 우리가 다른 도시에서 다시 만난 것은 운명이었다.
3 케빈이 그날 학교에 가지 않았다는 것은 사실이다.
4 제시카가 혼수상태에서 깨어난 것은 기적이었다.
5 그가 결혼식에 대해 한 번도 언급하지 않았던 것이 이상했다.
6 네가 불면증에 시달리는 것은 큰 문제이다.

D

1 I wonder when the next train arrives.
2 Tell me what you did at the festival.
3 I want to know how the goldfish got out of the bowl.
4 Do you know what Norman was doing when you
   called?
5 Could you tell me why Karen has suddenly left her
   country?
6 Do you know when she will leave for the airport?

해석

1 나는 다음 열차가 언제 도착할지 궁금하다.
2 너희가 축제에서 뭘 했는지 나에게 말해 줘.
3 어떻게 금붕어가 어항에서 빠져나갔는지 알고 싶다.
4 네가 전화했을 때 노먼이 무엇을 하고 있었는지 아니?
5 캐런이 왜 갑자기 자기 나라를 떠났는지 말해 줄래요?
6 그녀가 언제 공항으로 출발하는지 아니?

A

1	because	2	as soon as
3	until	4	unless
5	even though	6	whereas
7	Because	8	in order that
9	If		

해석

1 프레드는 휴식이 필요해서 산책하러 밖에 나갔다.
2 워싱턴에 있는 호텔에 도착하는 대로 내게 전화해 줘.
3 제이크는 머리의 상처가 나을 때까지 입원했다.
4 우리가 나무를 더 많이 심지 않으면 지구 온난화는 더욱 심해질 것이
   다.
5 우리는 택시를 탔는데도 제시간에 공연에 도착할 수 없었다.
6 마샤는 키가 작고 조용하지만, 그녀의 동생인 메기는 키가 크고 외향적
   이다.
7 케빈은 겨우 여섯 살이어서 형처럼 학교에 다닐 수 없었다.
8 우리 가족 모두 반값에 판매하는 쇠고기를 사려고 슈퍼마켓에서 줄을
   섰다.
9 당신에게 맞는 일자리를 구할 수 없다면 Dreamjobs.com으로 오십시
   오! 우리 사이트에는 모든 종류의 일자리가 당신을 기다리고 있습니다.
   사이트를 방문하고 당신의 미래를 발견하십시오.

B

1	Though	2	In spite of
3	While	4	because of
5	Although	6	because of
7	owing to		

해석

1 우리는 버스를 봤지만, 달려가서 잡지는 않았다.
2 거친 바다에도 선원들은 안전하게 집으로 돌아왔다.
3 우리가 텐트에서 자는 동안 곰이 음식을 모두 먹어 치웠다.
4 허리케인 때문에 많은 사람이 죽거나 다쳤다.
5 샐리는 일하러 갈 때 차가 필요했지만, 가족을 돕기 위해 차를 팔아야
   했다.
6 아버지와 아버지의 동료들은 공장의 어려운 재정 사정 때문에 직장을
   곧 잃을 지경이다.
7 우리 반의 많은 친구들은 요즘 빠르게 퍼지고 있는 독감에 걸려 결석
   했다.

C

1	in order that	2	unless
3	Although	4	Because
5	before	6	Whereas

해석

1 외국에서 병에 걸리지 않으려면 모든 여행자는 예방 주사를 맞아야 합
   니다.
2 경찰이나 생물학자가 아니면 아무도 이 노란 선을 넘어갈 수 없습니다.
3 줄리는 사람들이 쳐다보는 것을 알았지만, 딸꾹질을 멈출 수가 없었다.

4 연설자는 마이크가 먹통이어서 목소리가 들리도록 큰 소리로 말해야 했다.

5 네 행동에 대해서 손님에게 사과할 준비가 되기 전에는 안으로 들어오지 마라.

6 어떤 사람들은 추울 때 밖에 나가는 것을 싫어하지만, 스키를 즐기는 사람들은 기온이 내려가기를 기다린다.

1 in case
2 Although
3 during
4 owing to
5 because
6 Despite

1 네가 길을 잃을 것을 대비해 내 전화번호를 줄게.
2 동굴은 어두웠지만, 우리는 비를 피하려면 안으로 들어가야 했다.
3 우리 조부모님께서는 전쟁 중에 만나셨고 그들의 이야기는 영화로 만들어졌다.
4 도로 근처에 있는 농장에서 탈출한 돼지 때문에 버스가 늦게 왔다.
5 우리는 사촌 루시가 우리의 사탕을 다 먹어버릴까 봐 오지 않기를 바랐다.
6 학생들의 노력에도 학교의 지붕을 교체하기 위한 모금액은 충분치 않았다. 하지만, 학생들은 곧 다시 모여서 또 다른 기금 모금 행사를 기획하기 시작했다.

Unit 30 EXERCISES

p. 140~141

A

1 satisfied
2 surprising
3 answering
4 interesting
5 depressed
6 amazing
7 asked
8 disappointed
9 excited

1 그는 이 프랑스 음식점이 전혀 만족스럽지 않았다.
2 짐이 매니저로 승진했다는 사실은 놀랍지 않다.
3 에밀리는 모든 질문에 답하면서 자신 있게 미소를 지어 보였다.
4 박물관에서 피카소의 작품에 대한 흥미로운 전시가 있다.
5 우리 개 진저가 새끼들을 분양시킨 뒤로 우울해하고 있다.
6 그레그가 1분에 30개의 도넛을 먹을 수 있다니 놀라운 일이다.
7 사람들이 네게 물어보거든 내가 외출했다고 이야기해야 해.
8 오늘 밤 그 가수의 공연은 관객들을 매우 실망시켰다.
9 트레버는 자신의 생일파티에서 너무 흥분해서 손님들보다 먼저 지쳤다.

B

1 ① disappointing   ② disappointed
2 ① annoyed   ② annoying
3 ① exciting   ② excited
4 ① convincing   ② convinced
5 ① satisfied   ② satisfying

1 ① 그의 발표는 실망스러웠다.
  ② 그녀는 시험 결과에 실망했다.
2 ① 나는 그가 옷 갈아입는 것을 기다리느라 짜증이 났다.
  ② 벽에 걸린 시계의 똑딱 소리는 정말 신경에 거슬린다.
3 ① 신나는 롤러코스터는 많은 관광객을 끌어들였다.
  ② 나는 크리스마스트리 아래에 놓인 커다란 상자를 발견하고 정말 신이 났다.
4 ① 프랭크의 UFO 사진은 정말 설득력이 있어 보였다.
  ② 어릴 때 나는 진짜 '이의 요정'이 있다고 확신했었다.
5 ① 그 결정에 모든 사람이 만족하게 만드는 것은 불가능한 일이다.
  ② 만족스러운 직업은 쉽게 찾을 수 있는 게 아니다.

C

1 surprising
2 worried
3 depressing
4 inspired
5 frightening
6 embarrassing
7 delighted
8 exhausted

1 작은 벌들이 큰 벌집을 만드는 것을 보는 것은 놀라운 일이다.
2 우리 아빠는 병원에서 온 전화를 받고 걱정하셨다.
3 나는 열심히 공부했지만 낮은 점수를 받았다. 정말 우울하다.
4 나는 구스타프 클림트의 그림에 매우 감명을 받아 이 책을 썼다.
5 천둥이 치는 밤에 혼자 집에 남아 있는 것은 무서운 일이었다.
6 사람들 앞에서 어리석은 실수를 하는 것은 내성적인 사람에게 창피한 일이다.
7 에이미는 아들이 슬기롭게 퍼즐을 푸는 것을 보고 기뻤다.
8 제임스는 손님들이 떠난 뒤에 몇 시간 동안 청소를 하고 지쳤다.

D

1 Having written all the cards
2 making it correctly
3 Jogging down the street
4 Eating his hot dog
5 Having slept until noon
6 Knowing how stupid it was
7 Being the youngest child

1 에이미는 카드를 모두 쓰고 난 후에 친구들에게 부쳤다.
2 우리가 제대로만 만들면, 이 조리법으로 30인분을 제공할 수 있어요.
3 그는 길을 따라 달리면서 음악을 들었다.
4 앨런은 핫도그를 먹는 동안 자신의 강아지가 침을 흘리는 것을 보았다.
5 정오까지 자고 난 후 우리는 점심을 먹으러 식당에 갔다.
6 나는 그것이 얼마나 어리석은 짓인지 알면서도 팀에게 나와 함께 춤을 추러 가자고 부탁했다.
7 나는 집안의 막내라 항상 많은 관심을 받는다.

REVIEW

p. 142~143

A

1 ②   2 ②   3 ④

해설/해석

1 '만일 ~의 경우를 대비해서'의 뜻을 가진 in case가 문맥상 가장 적절
   A: 방금 두 시부터 몇 시간 동안 아파트 단지가 단전될 것이라고 안내 방송을 했어.
   B: 정말? 컴퓨터가 갑자기 꺼질 때에 대비해서 보고서를 끝마치면 USB에 저장해 놓는 편이 좋겠구나.

2 조건을 나타내는 as long as(~하는 한)가 문맥상 가장 적절
   A: 너 점심으로 뭘 먹을래, 파스타 아니면 밥?
   B: 먹기만 한다면 뭘 먹든 상관없어. 걸어가면서 결정하자.

3 If you go down ~이라는 부사절이 분사구문으로 바뀐 Going down ~이 적절
   A: 실례합니다. 근처에 있는 꽃집으로 가는 길을 알려 주시겠습니까?
   B: 이 블록을 따라 내려가시면 왼쪽에 하나 보일 거예요.

1 ②   2 ③   3 ④

해설/해석

1 ② 내가 피곤함을 느낀 것이므로 tiring이 아니라 과거분사인 tired를 쓰는 것이 적절
   A: 짐! 뭐 하는 거야? 나는 네가 자는 줄 알았어.
   B: 나는 정말 피곤해. 그냥 여기 바닥에 누워 잘 수도 있을 것 같아.
   A: 일어나도록 해. 피도가 아침에 실례를 했단 말이야. 그걸 세탁하려고 했어.
   B: 아, 이런. 샤워를 하는 편이 좋겠어.

2 ③ 문맥상 '황사 먼지가 집으로 들어가기 전에'라는 의미가 되어야 하므로 after가 아니라 before와 같은 접속사가 적절
   A: 하늘 좀 봐. 비가 곧 내릴 것 같아.
   B: 저건 비구름이 아니야. 황사 먼지구름이야.
   A: 정말? 먼지가 집에 들어오기 전에 창문과 문을 모두 닫는 편이 좋겠어.
   B: 창문은 내가 이미 다 닫았어. 어서 안으로 들어와서 문을 닫는 게 어때?

3 ④ 'As I was confused ~'라는 부사절을 분사구문으로 바꾸면, Being confused에서 Being은 생략할 수 있으므로 Confusing이 아니라 Confused가 되어야 함
   A: 안드레아, 너 오늘 집에 일찍 왔구나. 파티에 있어야 하는 거 아니니?
   B: 음, 사실 파티가 없었어요!
   A: 뭐라고? 어떻게 그런 일이 있을 수가 있어?
   B: 제가 날짜를 혼동해서 파티가 내일이라는 걸 방금 깨달았어요.

1 ②   2 ①   3 ③

해설/해석

1 ② others are not(절)이 왔으므로 during(전치사)이 아니라 while(접속사) 같은 접속사가 와야 함
   교복은 몇 가지 장점이 있다. 예컨대, 교복은 모든 학생이 동등하다는 의식을 갖게 한다. 사람들의 생활 수준은 매우 다르다. 어떤 사람들은 부유하지만, 또 다른 사람들은 그렇지 않다. 교복은 학생들이 부유한지 그렇지 않든지 간에 모든 학생을 똑같이 보이게 해준다. 교복은 멋

스러운 옷을 입을 만한 여유가 없는 학생들의 자긍심과 자존심을 키워 준다.

2 ① a fine tie가 분사구문의 생략된 주어로 a fine tie는 짜여지거나 프린트되는 것이므로 weaving or printing이 아니라 woven or printed가 되어야 함
   실로 짠 것이든지, 아니면 프린트된 것이든지 좋은 넥타이는 처음부터 끝까지 하나의 예술품이다. 비록 오늘날 흔하지 않게 되었지만 실로 짠 넥타이는 한때 진정한 신사의 필수 장신구였다. 제작비용이 많이 드는 탓에 실로 짠 실크 넥타이는 가격이 매우 비싸다. 이것은 부분적으로나마 실로 짠 실크 넥타이가 현재 넥타이 생산량의 단 5퍼센트밖에 차지하지 않는 이유를 설명해 준다. 프린트 실크 넥타이는 실로 짠 것보다 훨씬 저렴하고 간단하다.

3 ③ '선생님의 메시지가 학생들에게 전달되었는지 아닌지'라는 의미이므로 that이 아니라 whether나 if가 되어야 함
   미국과 한국 사이에는 많은 문화적 차이가 존재한다. 그중 하나가 시선을 마주치는 행위이다. 한국에서는 선생님이 훈계할 때 학생은 눈을 아래로 보고 있어야 한다. 선생님의 눈을 똑바로 바라보는 일은 무례하고 실례가 되는 행위로 간주된다. 하지만, 미국에서는 눈을 내리까는 것이 실례가 된다. 선생님은 자신의 메시지가 학생에게 전달되었는지 아닌지 알 수가 없을 것이다. 또한, 선생님은 학생이 선생님의 훈계를 받아들이지 않는다고 생각할 것이다.

REVIEW PLUS

p. 144

⑤

해설/해석

(A) 앞의 문장(체열이 대부분 머리로 빠져나간다고 믿는 사실)과 뒤 문장(그것은 잘못된 믿음이었다는 내용)의 내용은 상반되므로 however를 쓰는 것이 적절 (B) 1950년대에 시행한 실험이 왜 잘못 해석되었는지 그 이유를 설명하고 있으므로 Because가 적절 (C) 이전의 문장에 대해 추가적인 내용을 언급하는 부사구로는 In fact(사실, 사실상)가 적절
추운 겨울날에는 포근한 모자가 필수라고들 한다. 우리는 종종 체열이 대부분 머리로 빠져나간다고 믿게 된다. 하지만, 모자를 쓰지 않은 사람들의 체열 손실에 대해 자세히 조사한 결과 그러한 믿음이 잘못되었음이 드러났다. 이러한 (잘못된) 믿음은 1950년대 행해졌던 한 실험을 잘못 해석한 데서 비롯되었다. 이 연구에서 참가자들은 극지용 방한복을 입고 몹시 추운 날씨에 노출되었다. 몸에서 감싸지 않은 유일한 부분이 머리였으므로 체열의 대부분은 머리를 통하여 배출되었다. 사실 신체의 한 부분을 감싸는 것은 다른 어떤 부위를 감싸더라도 같은 효과가 있다. 만일 이 실험이 수영복 바지만 입은 사람들을 상대로 실행되었다면 머리로 빠져나가는 체열은 단지 10퍼센트밖에 되지 않았을 것이다.

③

해설/해석

③ 절(the computer screen shows ~)을 이끌어야 하므로 because of 대신 because가 적절
어린이는 몇 살에 컴퓨터 사용법을 배워야 할까? 그 대답은 당신이 누구에게 질문하느냐에 달린 것 같다. 어떤 영유아 교육철학자들은 현대 사회에서 컴퓨터 기술은 모든 아이에게 기본적으로 필요하다고 생각한다. 하지만, 또 다른 교육학자들은 컴퓨터 화면이 어린이들에게 모든 것을 보여주기 때문에 어린이들이 자신의 상상력을 충분히 이용하지 않는다고 한다. 신체적

으로도 오랫동안 타자를 치거나 컴퓨터 마우스를 너무 많이 사용하는 어린이들은 신체 발육에 문제가 생길 수 있다. 어린이들이 컴퓨터를 사용하는 가장 좋은 방법은 아마도 매일 잠깐씩만 사용하는 것일 것이다.

PART 8

 EXERCISES p. 148~149

1 Where is the apple which was on the table this morning?
2 I saw a boy who was swimming too far from the beach.
3 I don't like people who never keep their promises.
4 James works for the company which makes electronic products.
5 The man who injured in the car accident is now in the hospital.
6 The woman who is studying to be a sports trainer was a figure skater.
7 I have a book which contains a lot of useful tips on how to take better photos.
8 The building which was destroyed by fire has been declared a world heritage site.

해석

1 오늘 아침에 식탁에 있던 사과 어디에 있니?
2 나는 해변에서 지나치게 멀리 떨어져서 수영하는 소년을 보았다.
3 나는 약속을 지키지 않는 사람들을 싫어한다.
4 제임스는 전자제품을 만드는 회사에서 일한다.
5 교통사고로 다친 그 남자는 지금 병원에 있다.
6 스포츠 지도자가 되려고 공부하는 그 여자는 피겨 스케이팅 선수였다.
7 나는 사진을 더 잘 찍는 방법에 대한 많은 유용한 정보를 담은 책을 가지고 있다.
8 화재로 훼손된 그 건물은 세계 문화유산으로 지정되었다.

1 We saw a boy whose sister went to elementary school with us.
2 A girl whose purse was stolen is trying to get some help from a police officer.
3 There was a picture of the man whose house was destroyed by the storm.
4 Our teacher came into the classroom with a boy whose parents had sent him to this school to learn Spanish.

해석

1 우리는 자기 누나가 우리와 함께 초등학교에 다녔던 남자 아이를 보았다.
2 지갑을 도난당한 소녀가 경찰관에게 도움을 얻으려 하고 있다.

3 폭풍에 의해 집이 부서진 남자의 사진이 있었다.
4 우리 선생님이 스페인어를 배우라고 부모님이 우리 학교로 보낸 남자 아이와 함께 교실로 들어 왔다.

1 Did you finish the work which you had to do today?
2 The man whom I wanted to talk to was on a business trip
3 The room which I slept in had a wonderful view of the Vatican.
4 I recently moved back to the city which I was born and raised in.
5 The man whom you were dancing with last night is my brother.
6 You'll get very important information which you must pay attention to.

해석

1 오늘까지 해야 하는 그 일을 끝마쳤니?
2 내가 이야기하고 싶어 했던 그 남자는 출장 중이었다.
3 내가 잤던 방은 바티칸의 멋진 풍경이 보였다.
4 나는 최근에 내가 태어나고 자랐던 도시로 돌아왔다.
5 어젯밤에 너와 함께 춤을 췄던 사람은 우리 오빠이다.
6 너는 주의를 기울여야 하는 매우 중요한 정보를 얻게 될 것이다.

1 needs		2 haven't	
3 were		4 owns	
5 live, are		6 are	
7 seems		8 represents	

해석

1 내가 2년 동안 살아온 이 집은 수리가 필요하다.
2 우리 형이 내게 준 PC게임을 아직 해 보지 못했다.
3 현관에 서 계셨던 분들이 우리 어머니의 친구들이다.
4 고등학교 건너편에 있는 서점을 소유한 사람이 우리 삼촌이다.
5 유머 감각이 있는 사람들이 더 오래 살고 대체로 더 행복하다.
6 그의 저서가 특히 한국인들 사이에 인기를 끌고 있는 그 수상 작가에 대해 이야기해 봅시다.
7 내 왼쪽 아래 사랑니를 두 명의 치과의사가 진찰했는데 부어 오른 것 같다.
8 우리는 심리학 수업의 마지막 과제로 어린 시절의 정말 행복했던 시간을 보여주는 사진을 가지고 와야 한다.

Unit 32 EXERCISES p. 152~153

1 what		2 that	
3 that		4 that	
5 that		6 what	
7 What		8 that	
9 That		10 that	

해석

1 너는 방금 데이브가 뭐라고 했는지 들었니?
2 이것은 내가 본 최악의 영화이다.
3 우리 누나는 무슨 일이든 잘못되면 모두 내 탓을 했다.
4 나는 우리 엄마가 얼마 전에 주신 돈을 모두 그에게 빌려줬다.
5 어제 네가 했던 모든 행동은 그녀에게 너무 큰 상처가 되었다.
6 네가 지금 먹고 있는 것이 건강에 이롭다고 확신하니?
7 그와 나의 공통점은 학력이다.
8 안나는 그녀의 가게에 매일 오는 고객들에게 선물을 보냈다.
9 다음 달에 군 생활을 시작해야 한다는 사실이 나를 긴장하게 한다.
10 나는 이렇게 크고 부유한 회사가 사회를 위해 큰 공헌을 해야 한다는 의견에 동의한다.

B

1	What	2	what
3	what	4	which
5	which	6	which
7	which	8	what

해석

1 당신이 해야 할 일은 지출을 줄이는 것입니다.
2 생일 선물로 뭘 갖고 싶은지 이야기해 봐.
3 나는 네가 한 일에 대해 절대 동의할 수 없다.
4 지금 내가 일하는 직장은 아주 좋은 환경은 아니다.
5 내가 일하는 회사는 지난 12개월에 걸쳐 대규모 정리 해고를 시행했다.
6 탑에 붙어 있던 그 옛 건물은 1차 세계 대전 이후에 파괴되었다.
7 나는 우리 반 친구 모두를 내 블로그로 초대했고, 그것은 그 친구들과 계속해서 연락을 취하는 데 도움을 주었다.
8 우리 부모님의 결혼기념일에 뭘 사야 할지 결정하는 것은 힘들다.

C

1 ⓑ what you saw in the store
2 ⓒ What you did for me
3 ⓔ that I plugged into the notebook computer
4 ⓓ that you checked out at the library
5 ⓐ that I've had contact with

해석

1 당신이 가게에서 본 것을 정확하게 경찰에게 말씀하세요.
2 네가 나를 위해 한 일은 칭찬을 받아 마땅해. 정말 고마워.
3 내가 노트북 컴퓨터에 꽂아 두었던 USB 스틱은 어디에 있니?
4 네가 도서관에서 빌린 책을 반납했니?
5 윌리엄스 선생님은 내가 고등학교를 졸업한 이후로 유일하게 연락을 하고 있는 선생님이다.

D

1	that/whom	2	who
3	that/who	4	which
5	who	6	which
7	which	8	for whom

해석

1 너는 공원 벤치에서 내 옆에 앉아 있던 여자분을 아니?
2 브라운 선생님께서는 우리 학교의 상담 선생님이신데 학생을 상담하고 계신다.
3 에디슨은 과학자이자 전구를 발명한 발명가이다.
4 오드리 헵번이 처음 주연을 맡은 영화는 '로마의 휴일'이다.
5 조는 우리 반에서 가장 잘생긴 남학생인데 언제나 관심을 받으려고 노력한다.
6 우리 수학 선생님께서 쪽지 시험을 내셨는데 너무 어려워서 우리 모두 놀랐다.
7 십 대를 겨냥한 휴대 전화 모델이 끊임없이 나오고 있는데 그중 대다수는 시장에서 금방 사라진다.
8 당신이 애정을 느끼고, 존경하는 사람과 함께 있다면 당신은 그것에 대해서 감사해야 한다.

Unit 33 EXERCISES

p. 156~157

A

1	how	2	when
3	where	4	why
5	how	6	why
7	where	8	when
9	where		

해석

1 이것이 내가 오믈렛을 만드는 방식이다.
2 나는 그녀를 처음 만난 그날을 결코 잊지 못할 것이다.
3 우리가 살았던 집이 팔렸다.
4 내가 자동차를 구입하지 않은 이유는 필요하지 않기 때문이다.
5 당신이 다른 사람을 대하는 방식에 한국 문화가 어떻게 영향을 줍니까?
6 내가 너에게 전화한 이유는 내 생일 파티에 초대하기 위해서야.
7 우리 가족과 내가 휴가 때 머문 호텔은 매우 깨끗했다.
8 우주에 관한 자료는 매년 갱신이 될 때마다 수정될 것이다.
9 많은 투자가들이 대형 쇼핑몰이 건설될지도 모르는 이 땅에 관심이 있다.

B

1	whichever	2	However
3	why	4	whenever
5	where	6	where
7	wherever	8	how
9	Whatever	10	at which

해석

1 어떤 것이든 네가 원하는 것을 살 수 있지만 둘 다는 안 된다.
2 삶이 아무리 힘들어도 우리는 희망을 포기해서는 안 된다.
3 너는 어젯밤에 그가 왜 집에 오지 않았는지 아니?
4 언제라도 가능할 때 내게 전화를 해 주세요.
5 내가 태어난 병원은 완벽하게 수리되었다.
6 건강에 좋은 음식을 먹을 수 있는 식당을 골라 달라고 그들에게 부탁하자.
7 그는 이국적인 새들을 좋아한다. 그는 그런 새들을 촬영할 수 있는 곳

이라면 어디든 간다.

8 십 대들은 종종 옷과 자신의 외모에 지나치게 관심을 둔다.

9 이곳에서 일어난 일은 결코 다른 사람에게 알려지면 안 된다.

10 우리는 자전거와 러닝머신, 역기와 다양한 다른 기구를 이용하여 운동할 수 있는 헬스클럽에 갔다.

C

1 whatever		2 Wherever	
3 However		4 whomever	
5 Whenever			

해석

1 당신이 요청하는 것은 무엇이든 얻을 수 있을 거예요.

2 지구상에 물이 있는 곳이면 어디든 과학자들이 생명체를 발견했다.

3 아무리 열심히 노력한다 하더라도 너는 내 마음을 바꿀 수 없을 것이다.

4 너는 파티에 초대하고 싶은 사람 누구에게나 초대장을 줄 수 있다.

5 네가 우울하다고 느낄 때마다 행복한 생각을 떠올리거나 하다못해 네가 행복했던 순간을 기억하도록 해라.

D

1 how		2 where	
3 when		4 why	

해석

1 그는 기계가 어떻게 작동하는지 내게 설명했다.

2 우리 아빠가 차를 수리했던 곳은 그 정비소이다.

3 나는 엘리베이터에 갇혔던 그때를 절대 잊지 못할 것이다.

4 네게 전화하지 못한 이유는 네 전화번호를 몰라서야.

E

1 Whenever
2 Whichever
3 when / in which
4 the way (in which) / how
5 in which / where
6 틀린 것 없음
7 where / at which
8 틀린 것 없음

해석

1 네가 미소 짓는 것을 볼 때마다 나는 매우 행복하다.

2 가장 높은 점수를 얻는 팀이 어떤 팀이든 공짜로 저녁을 먹게 될 것이다.

3 2006년은 내가 새로운 일을 시도하기 시작한 해였다.

4 손님은 항상 옳다.(손님은 왕이다.) 그것이 내가 배운 손님을 대하는 방식이다.

5 여러분께서 묵으실 방에 개인 소지품을 두십시오.

6 우리 딸이 태어난 날이 내 인생에서 가장 행복한 순간이었다.

7 나는 당신이 나를 만나기로 약속한 매표소에 조금 일찍 도착했다.

8 당신이 식당에서 먹고 싶은 것은 무엇이든지 할인된 가격으로 제공될 것입니다.

REVIEW

p. 158~159

1 ③   2 ②   3 ④

해설/해석

1 선행사(my purse)가 사물이고 빈칸 뒤에 동사가 오므로 주격 관계대명사인 which가 적절

A: 가죽을 꼬아 만든 손잡이가 달린 내 가방을 봤니?

B: 아니, 못 봤어. 어디다 뒀는지 기억 안 나니?

2 '어떻게 대해야 할지'라는 의미가 되어야 하고, the way와 how는 함께 쓸 수 없으므로 빈칸에는 the way나 how 둘 중 하나가 와야 함

A: 부모들은 때때로 사춘기의 자녀를 어떻게 대해야 할지 혼란스러워 해.

B: 맞아. 어른들이 청소년을 이해하기는 정말 어려워.

3 선행사는 the governor, 빈칸 다음의 career는 the governor's career를 뜻하므로 소유격 whose가 적절

A: 너는 할리우드의 배우로 경력을 쌓기 시작했던 주지사를 만나 봤니?

B: 아놀드 스미스를 말하는 거니?

1 ②   2 ④   3 ③

해설/해석

1 ② many Koreans go there for shopping이라는 완전한 문장을 이끌어야 하므로 what 대신 that이 와야 함

A: 너는 홍콩에 가 본 적 있니?

B: 아니, 하지만 많은 한국 사람이 쇼핑하러 그곳에 간다고 알고 있어.

A: 그래. 나는 거기서 초등학교를 다녔어.

B: 와. 네게는 제2의 고향 같은 곳이겠구나.

2 ④ show의 직접목적어가 되는 the site를 선행사로 받는 주격 관계대명사가 필요, 주격 관계대명사는 생략할 수 없으므로 which나 that이 site 뒤에 와야 함

A: 당신이 만든 치킨 샐러드는 정말 맛있네요.

B: 좀 더 드시겠어요? 많이 있거든요.

A: 네, 그리고 싶어요. 요리하는 것을 어떻게 배웠어요?

B: 요리법과 요리에 대한 유용한 조언이 있는 인터넷 사이트를 알려 줄게요.

3 ③ 선행사(the day)는 시간을 나타내므로 the day which가 아니라 the day when/the day on which등이 와야 함

A: 너 '양말 없는 날'에 대해서 들어 봤니?

B: 아니. 그게 뭔데? 양말과 관계가 있는 날이니?

A: 응. 그날은 환경을 생각한다는 것을 보여 주려고 사람들이 양말을 신지 않는 날이야.

B: 그럼, 빨래를 줄여서 환경을 보호할 수 있다는 것이구나? 정말 좋은 생각인데.

1 ④   2 ①   3 ③   4 ③

1 ④ whose 다음의 exercise는 동사이므로 whose가 아니라 주어 역할을 하는 관계대명사 who나 that이 적절

운동은 단순히 열량을 연소하는 것 이상의 일을 한다. 운동은 기분이 좋아지게 만든다. 그것은 육체적 활동이 인체로 하여금 엔도르핀을 생산하여 배출하게 하기 때문이다. 이 화합물은 사람들에게 편안한 기분을 느끼게 해 준다. 전문가들은 규칙적으로 운동하는 사람이 자신에 대해 더욱 긍정적으로 판단한다고 말한다.

2 ① 사물 선행사(meaningful quotes)가 있으므로 what이 아니라 선행사를 포함하지 않는 주격 관계대명사인 that이나 which가 와야 함

여러분을 기분 좋게 할 의미 있는 인용구를 찾으십시오. 여러분은 인용구를 온라인 또는 책이나 잡지 같은 오프라인에서 찾을 수 있습니다. 또한 행운의 쿠키 안에서도 찾아볼 수 있습니다. 책상 위나, 문, 거울 같이 여러분이 자주 볼 수 있는 사적인 곳에 그 인용구를 보관해 두십시오. 또한 일기 속이나 학교 공책 안에 보관할 수도 있습니다.

3 ③ that 앞에 선행사가 없고, makes 앞에 주어가 없는 것으로 보아 that이 아니라 선행사를 포함하는 관계대명사 what이 와야 함

최근 연구에 따르면 사람들이 정말로 원하는 배우자는 그들의 부모와 같은 특징을 가진 사람이라고 한다. 여성들은 아버지와 비슷한 남성을 찾고, 남성들은 꿈에 그리는 여성에게서 자신의 어머니를 볼 수 있기를 원한다. 인지심리학자인 데이비드 페렛은 무엇이 얼굴을 매력적으로 보이게 하는지를 연구한다. 페렛에 의하면 우리가 어렸을 때 항상 봐왔던 어머니와 아버지의 얼굴을 생각나게 해주기 때문에 우리는 자신의 얼굴을 매력적이라고 생각한다고 한다.

4 ③ 선행사가 장소를 나타내는 a scene이므로 which가 아니라 관계부사 where가 적절, you realize that quality at the scene이므로 which를 쓰려면 전치사(at)가 필요

비밀의 장소를 만들고 당신이 발전시키고 싶거나 강화시키고 싶은 당신 안의 특성을 상상해 보도록 하십시오. 아마도 당신은 더욱 인기 있고 자신감이 있으며 혹은 더 세련되어지기를 원할지도 모릅니다. 이제 당신이 이러한 특성을 발휘하는 장면을 상상하거나 마음속에 그려 보십시오. 아마도 자신감 있게 무대에서 노래를 부르고 있거나, 남동생에게 수학 문제를 가르치고 있거나, 노인을 돕고 있는 자신이 그려질 것입니다.

REVIEW PLUS

p. 160

③

(A) ranging from A to B 형태의 문장으로, to라는 전치사 다음에 관계대명사 whom이 와야 함 (B) the more ~, the better …의 비교급 문장이므로 more가 적절 (C) with라는 전치사의 목적어로 쓸 수 있는 명사절이 와야 함, 그러므로 명사절을 이끄는 복합관계대명사인 whatever가 적절

우리는 그 모든 아이스크림의 맛은 말할 것도 없이, 매일 저녁 무엇을 먹을 것인지부터 누구와 결혼을 해야 할 것인지까지 쉴 새 없이 결정을 내리고 있다. 우리는 특정한 기호가 자신의 행복을 증진시킬 수 있을 것이라는 생각에 바탕을 두고 상당 부분 결정을 내리게 된다. 직관적으로, 우리는 선택할 것이 많으면 많을수록 궁극적으로 더 잘 살게 될 것으로 확신하는 것 같다. 하지만 기회를 무한히 주는 것은 우리를 행복하게 하기보다는 우리를 더욱 구속하게 된다. 한 심리학자가 '선택의 역설'이라 부르는 것에 따르면, 많은

가능성에 직면하게 되면 우리는 많은 스트레스를 받게 되고, 우리가 무엇을 결정하든지 간에 덜 만족하게 된다는 것이다. 너무 많은 선택권이 있으면 우리가 놓쳐버린 모든 기회에 대해서 계속 궁금해하게 된다.

②

② 계속적 용법으로 쓰이며, 앞 문장 전체를 선행사로 받는 관계대명사는 which가 적절

당신이 오른손잡이나 왼손잡이인 것처럼, 당신은 오른눈잡이나, 왼눈잡이이다. 이 말은 당신의 두 눈 중 한쪽이 다른 한쪽보다 더 강하거나 우월하다는 뜻이다. 이 사실을 알아낼 수 있는 실험이 하나 있다. 연필을 팔 길이 정도 되도록 몸과 간격을 두고 세로로 들어 눈높이에 맞춘다. 두 눈을 뜬 채로 선반이나, 사진, 책, 혹은 벽에 걸린 무언가를 연필과 함께 한 줄로 세운다. 먼저 한쪽 눈을 감고, 다음에 다른 쪽 눈을 감는다. 한쪽 눈만 뜨고 있을 때 연필이 같은 위치에 머무르는 것 같은가? 아니면 다른 눈 쪽으로 이동하는 것 같은가? 연필이 벽에 걸린 물체와 한 줄을 이룰 때 어떤 눈을 뜨고 있든 간에 그것이 당신의 강한, 혹은 우월한 눈이다.

PART 9

Unit 34 EXERCISES

p. 164~165

1 had set	2 had
3 were	4 is
5 would make	6 had been
7 were	8 have
9 don't start	10 be

1 내가 자명종을 맞춰 뒀더라면, 나는 수업에 늦지 않았을 텐데.
2 제이슨에게 충분한 돈이 있다면 새 카메라를 살 수 있을 텐데.
3 내가 너라면, 여유를 좀 갖고 휴식을 취할 텐데.
4 내일 날씨가 좋으면, 우리는 산에 갈 것이다.
5 네가 오늘 밤에 해야 할 일이 없다면 우리는 쿠키를 만들 텐데.
6 네가 거기에 좀 더 일찍 갔더라면, 내 여동생이 공연하는 것을 봤을 텐데.
7 네가 거기 가는 것을 허락받으면, 내가 다음 경기의 표를 너에게 사줄 텐데.
8 한국이 그렇게 빨리 발전하지 않았다면 오늘날과 같은 부(富)는 없을 것이다.
9 국가들이 야생 동물 보호를 시작하지 않으면, 많은 종의 동물이 멸종할 것이다.
10 톰 크루즈가 성공한 영화를 그렇게 많이 만들지 않았다면 오늘날 인기가 없을 것이다.

1 If I had known that he had lied, I wouldn't have treated him well.

2 If Miranda hadn't traveled around Korea, she wouldn't have learned Korean culture.
3 If you had been home when I called, I would have asked you out to the movie.
4 If it hadn't been so cold, Isaac and Jessie would have gone outside to play.
5 If they had realized the importance of the work, they would have done it immediately.

해석

1 나는 그가 거짓말을 했다는 것을 알았다면, 그에게 잘 해주지 않았을 텐데.
2 미란다가 한국으로 여행을 오지 않았다면, 그녀는 한국 문화에 대해 몰랐을 것이다.
3 내가 전화했을 때 네가 집에 있었다면, 나는 너에게 영화 보러 가자고 했을 텐데.
4 날씨가 춥지 않았다면, 이삭과 제시는 밖에서 놀았을 텐데.
5 그들이 그 일의 중요성을 깨달았더라면, 그것을 즉시 했을 텐데.

C

1 틀린 것 없음		2 틀린 것 없음	
3 were		4 studies	
5 have slept		6 had blown	
7 틀린 것 없음		8 틀린 것 없음	
9 wouldn't be			

해석

1 모든 숙제는 제시간에 끝마쳐야 한다.
2 그들이 나에게 일자리를 제공했다면 나는 그것을 받아들였을 텐데.
3 한국의 기후가 열대성이라면 코코넛이 자랄 수 있을 텐데.
4 수진이가 아주 열심히 공부하면 한국의 위대한 수학자가 될 것이다.
5 네가 그렇게 늦게 커피를 마시지 않았다면 너는 어젯밤에 잠을 잘 잘 수 있었을 텐데.
6 학교 운동장은 어지럽혀져 있었다. 그것은 마치 토네이도가 지나간 것처럼 보였다.
7 네가 배관에 대해 안다면, 너 스스로 싱크대의 누수를 수리할 수 있을 텐데.
8 글렌이 자기 방 청소를 마치지 못했다면, 그는 용돈을 받을 수 없었을 것이다.
9 대영제국이 그렇게 세계적으로 번성하지 않았다면 영어는 지금과 같은 세계 공용어는 아닐 것이다.

D

1 Were I you, I would cut back on sweets.
2 Were I a famous singer, I wouldn't forget about my fans.
3 Should anyone call me, please take a message.
4 Had he caught the bus, he wouldn't have been late for the meeting.
5 Had the price not been so high, I would have bought the computer.
6 Had Sean not scored high on his finals, he wouldn't have been accepted to the university.

해석

1 내가 너라면 당분 섭취를 줄일 텐데.
2 내가 유명한 가수라면 나의 팬들을 잊지 않을 텐데.
3 누군가 내게 전화하면 메모 좀 받아줘.
4 그가 그 버스를 탔더라면 회의에 늦지 않았을 텐데.
5 가격이 그렇게 높지 않았다면, 나는 그 컴퓨터를 구입했을 텐데.
6 션이 기말고사에서 높은 점수를 받지 못했다면, 그 대학에 입학 허가를 받지 못했을 거야.

Unit 35 **EXERCISES** p. 168~169

A

1 is		2 has	
3 are		4 is	
5 are		6 aren't	
7 have		8 depends	
9 have		10 have	
11 has		12 shows	

해석

1 100의 4분의 1은 25이다.
2 자신만의 주차 공간을 소유하고 있는 사람은 없다.
3 배구 팀 소속인 그 소녀들은 모두 매우 키가 크다.
4 반에서 일등을 하는 것이 올해 그녀의 목표다.
5 나뿐만 아니라 너도 실수에 대해 비난받아서는 안 된다.
6 왜 병원 근처에 약국이 하나도 없는 걸까?
7 참가자들 중 절반은 자신이 선택한 곡을 불러야 한다.
8 네가 인라인스케이트 동아리에 가입할 것인지 아닌지는 전적으로 너에게 달려 있다.
9 다수의 대학원 학생들이 첫 해에 중퇴했다.
10 바다에서의 기름 유출은 지역 어부들의 수입 감소를 초래했다.
11 이 나라로 이주하는 사람들의 수가 상당히 증가했다.
12 침팬지에 관한 과학적 연구에 따르면, 그들은 기초적인 수화를 배울 수 있다고 한다.

B

1 were		2 do	
3 are		4 was	
5 is		6 have	
7 is		8 is	

해설

1 부상자들은 인근 병원으로 이송되었다.
2 그녀도 나도 주말에 아무런 계획이 없다.
3 우리 삼촌은 콧수염뿐만 아니라 눈썹도 점점 더 하얘지고 있다.
4 가족을 위한 행사 중 가장 좋은 공연은 마술쇼였다.
5 그 카페를 방문하는 하루 고객 수는 평균 약 서른 명이다.
6 그 반 학생의 5분의 1이 장염으로 고생하고 있다.
7 기사에 따르면, 홍역은 노인들에게 치명적인 병이다.
8 선생님과 학생들 간에 관계를 맺는 것은 가장 중요한 일 중 하나이다.

C

1	belong to	2	is
3	is	4	are
5	were	6	are
7	is	8	contain
9	was	10	are
11	has caused	12	are

해석

1 책꽂이 위의 책들은 우리 오빠의 것이다.
2 경제학은 나에게 어렵고 지겨운 과목이다.
3 여러 번 우승한 경력이 있는 이 말은 아름답다.
4 축구를 하고 있는 남자 아이들은 우리 반 친구들이다.
5 내가 파티에서 만난 몇몇 사람들은 재미있었다.
6 그 집을 소유한 사람들은 친절하고 관대하다.
7 필리핀은 가장 큰 쌀 수입국 중 하나다.
8 요즘 많은 영화들이 폭력적인 내용을 너무 많이 담고 있다.
9 여행객의 수는 처음에 예상했던 수치보다 4배가 많았다.
10 젊은이들은 노인들에 비해 어려운 시기에도 위험을 감수하는 데 있어 두려움이 덜 하다.
11 음악 소리를 크게 듣는 것은 난청의 원인이 된다.
12 매 선거 때 투표에 참여하는 유권자들의 대다수가 30세 이상이다.

D

1	is	2	makes
3	틀린 것 없음	4	makes
5	are	6	was
7	틀린 것 없음	8	틀린 것 없음

해설

1 그들이 조국을 곧 떠날 거라는 사실은 놀랍지 않다.
2 여기에 내 친구가 한 명도 없다는 사실이 나를 슬프게 만든다.
3 그의 새 영화에 대한 안 좋은 평은 그에게 큰 상처가 되었다.
4 남동생이 어지른 것을 치워야만 한다는 사실은 항상 그녀를 화나게 한다.
5 내 생각에 영국 사람들은 자신들의 유머를 매우 자랑스러워 하는 것 같다.
6 그는 밖에서 들려오는 시끄러운 소음 때문에 쉽게 잠이 들지 못했다.
7 그들은 너와 나 모두 학생 대표로 자격이 있다고 말한다.
8 많은 사람들이 그 답을 찾으려고 했지만 모두 실패했다.

Unit 36 EXERCISES
p. 172~173

1 did I dream he would become famous
2 have I seen such beautiful scenery
3 have I seen anything as beautiful as this
4 had I fallen asleep when the phone rang
5 should you be late for school
6 did she lose her way in the woods, but she was nearly killed
7 had I finished the meal when the dessert arrived

8 had the helicopter taken off when it began to experience engine trouble

해석

1 나는 그가 유명해지리라고 꿈에도 생각해 본 적이 없었다.
2 나는 그렇게 아름다운 풍경은 본 적이 없다.
3 나는 이렇게 아름다운 것은 좀처럼 본 적이 없다.
4 내가 잠이 들자마자 전화가 울렸다.
5 어떤 일이 있더라도 너는 학교에 늦어서는 안 된다.
6 그녀는 숲 속에서 길을 잃어버렸을 뿐만 아니라 거의 죽을 뻔 했다.
7 내가 식사를 마치자마자 디저트가 나왔다.
8 헬리콥터가 간신히 이륙했을 때 엔진에 문제가 발생하기 시작했다.

1 She does love me in spite of my faults.
2 Most parents do want their children to win first prize.
3 Michael did make chicken salad and vegetable soup for me this morning.
4 Last week, Jason did take care of his daughter when he didn't go to work.
5 I did see Hugh Jackman. He was promoting his latest film in the downtown area.

해석

1 그녀는 내 결점에도 불구하고 나를 정말로 사랑한다.
2 대부분의 부모는 자신의 아이들이 1등을 하기를 정말로 원한다.
3 마이클은 오늘 아침에 나를 위해 치킨 샐러드와 야채 수프를 정말로 만들어 주었다.
4 지난주에 제이슨은 일하러 가지 않았을 때 정말로 딸을 돌봤다.
5 나는 정말로 휴 잭맨을 봤다. 그는 시내에서 최근에 나온 영화를 홍보하고 있었다.

1 It was James that won first prize in the dancing contest.
2 It was *The Mystery House* that I saw last night with my friends.
3 It was on my new computer that I spent most of my savings.
4 It was yesterday that Danny received a camera as a gift.
5 It was on Main Street that Jane witnessed the car crash this morning.
6 It was the shattered glass left everywhere on the floor that I had to clean up.

해석

1 댄스 대회에서 일등을 한 것은 바로 제임스였다.
2 어젯밤에 친구들과 함께 본 것은 바로 '미스터리 하우스'였다.
3 내가 저축의 대부분을 쓴 것은 바로 내 새 컴퓨터이다.
4 대니가 카메라를 선물 받은 것은 바로 어제였다.
5 제인이 오늘 아침에 차량 충돌 사고를 목격한 곳은 바로 메인 가(街)였다.
6 내가 치워야 했던 것은 바로 바닥 여기저기에 떨어져 있던 산산이 조각난 유리였다.

1 There comes the next bus.
2 At the bus station stood my boyfriend.
3 Never have I seen such a beautiful sunset.
4 My brother wanted to go to the ball park, and so did I.
5 Had I had enough time, I would have visited the Louvre.
6 Hardly had he gotten his license than he got a speeding ticket.
7 There is the huge National Museum of Natural History in Washington, D.C.
8 If people should inquire about legal matters, please refer them to the lawyer's office.

REVIEW

p. 174~175

1 ④   2 ④   3 ①

해설/해석

1 그가 여기 있으면 무엇을 해야 할지 알 것이라는 의미, 현재 사실에 반대되는 상황을 가정하고 있으므로 가정법 과거인 were here가 적절
A: 우리가 무엇을 해야 한다고 생각해?
B: 나도 모르겠어. 그가 여기 있으면 무엇을 해야 할지 알 텐데.

2 스테이크를 꺼내 놓았어야 했다는 의미, 과거 사실과 반대되는 내용을 가정하여 유감을 나타내는 가정법 과거완료를 써야 하므로 had taken이 적절
A: 오늘 저녁에 무엇을 먹고 싶어요, 여보?
B: 스테이크와 감자를 먹고 싶은데, 스테이크가 얼었네요. 냉장고에서 좀 더 일찍 꺼내 놓았어야 했어요.

3 Not once라는 부정어 표현이 강조되어 문장의 처음에 왔으므로, 주어와 동사가 도치된 did Susan offer가 적절, 일반동사의 경우 do동사를 주어 앞에 놓고 주어 뒤에는 동사원형을 씀
A: 수잔은 한 번도 설거지를 하거나 집 청소를 돕겠다고 제안한 적이 없어.
B: 네 말은 네가 항상 그 집안일을 다 했다는 거야? 그건 불공평해.

1 ③   2 ①   3 ③

해설/해석

1 ③ neither가 문두에 위치하므로 I do가 아니라 도치형인 do I가 적절
A: 오늘 뭔가를 하고 싶어?
B: 물론이지, 하지만 돈이 없어.
A: 나도 그래. 용돈이 다 떨어졌어.
B: 우리는 공짜로 할 수 있는 것이나 찾아봐야겠어.

2 ① 「there+be동사」 구문에서 be동사 뒤에 오는 명사에 동사의 수를 일치시켜야 하므로 is가 아니라 are가 적절
A: 집회에 참가한 인원이 삼백 명이나 되는군요.
B: 정말요? 지난번 참가자들은 겨우 백여 명 정도였어요.
A: 마을 주민의·10분의 1 정도가 우리의 의견을 지지하고 있어요.
B: 그 정도도 많은 것 같아요. 이제 기금 모금 행사를 준비해야겠어요.

3 ③ 동사 read를 강조하려면 do동사를 써야 하는데, 문맥상 과거에 대한 내용이므로 do가 아니라 did가 적절
A: 나는 왜 이렇게 이 컴퓨터를 조립하는 게 힘이 드는지 이해할 수가 없어.
B: 설명서를 읽어 보았니?
A: 응, 나는 그것을 최소 다섯 번은 읽었어.
B: 아마도 부품들을 올바르게 연결시키지 않았을 거야.

1 ③   2 ④   3 ②

해설/해석

1 ③ '금성이 태양에서 더 떨어져 있다면'이라는 현재 사실과 반대되는 상황을 가정하고 있으므로 had been이 아니라 가정법 과거인 were가 적절
어떤 사람들은 여성이 금성에서 왔다고 한다. 하지만 우리는 그것이 터무니없는 소리임을 알고 있다. 금성은 완전히 건조해서 생물체가 살 수 없다. 만약 금성이 태양으로부터 더 멀리 떨어져 있다면, 비가 내리거나 바다가 존재할 것이다. 금성은 태양에 매우 가까이 있어서 금속을 녹일 만큼 온도가 높고, 물이 있다고 해도 모두 증발해 버릴 것이다.

2 ④ those가 주어이므로 tends가 아니라 복수동사인 tend가 적절
영국에는 다양한 인종의 사람들이 살고 있다. 하지만 그들 중 많은 사람이 자신의 인종 공동체에 소속되어 사는 것을 선택한다. 예를 들어, 아랍계 후손의 대다수는 아랍인 동네에 사는 것을 선호한다. 그리고 또한 아프리카계의 사람들은 자신의 인종으로 밀접하게 결속된 공동체에서 함께 사는 경향이 있다.

3 ② not until로 시작하는 문장은 주절에서 주어, 동사가 도치되므로 the hat became이 아니라 did the hat become이 적절
당신은 '인디애나 존스' 시리즈를 본 적이 있는가? 존스 박사의 앙상블과 더불어 그 모자 없이는 그가 그렇게까지 모험심이 강해 보이지 않았을 것이다. 이 영화 시리즈가 나오고 그 모자는 인기를 끌었다. 페도라로 알려진 이런 스타일의 모자는 1950년대 말에 유행이 지나갔다. 하지만 '인디애나 존스' 시리즈의 개봉 이후, 이 스타일은 다시 한 번 인기를 얻게 되었다. 이 모자 스타일은 1982년 베스트셀러 중 하나가 되었다.

②

해설/해석

(A) 「keep A from B」는 'A로부터 B하는 것을 금지하다'라는 의미이고, 이 문장은 can keep people with mental disorders from voting의 수동태 문장으로 목적어인 people with mental disorders가 주어로 나가 people with mental disorders can be kept from voting이 된 것이므로 from voting이 적절 (B) 「the+형용사」는 '~한 사람들'이라는 의미로 복수동사가 와야 하므로 are가 적절 (C) To exclude those from voting이 주어, who are already socially isolated는 관계대명사절로 those를 수식, 동명사/to부정사/명사절이 주어일 경우, 단수 취급하므로 destroys가 적절

나는 뉴스에서 지적 장애를 가진 사람들이 투표를 못하게 될 수도 있다는 소식에 충격을 받았다. 헌법상에 보장된 투표권은 우리 중 어느 누구에게도 이성적 선택을 할 것을 요구하지 않는다. 우리는 어떤 후보가 가장 자질이 뛰어나서 표를 주기도 하지만, 단지 그 후보의 외모가 마음에 들어서 투표를 할 수도 있다. 게다가 지적 장애를 가진 사람들은 자신만의 고유한 도전에 맞서고 있는데, 투표를 할 수 없다면 그들의 이익은 적절하게 대변되지 못할 것이다. 이미 사회적으로 소외된 사람들을 투표에서 배제하는 것은 계급 제도를 만들어 내는 동시에 우리의 민주주의를 파괴하는 일이다.

②

해설/해석

② 「If you were to ~」는 가정법 과거, 가정법 과거의 주절의 동사 형태로 would cause가 적절

유사(流砂)는 진짜 있을까? 그렇다. 하지만 영화에서처럼 그렇게 치명적이지는 않다. 유사는 모래에 물이 너무 많이 섞여서 모래의 결합이 헐거워져 걸쭉하게 되면서 형성된다. 그것은 평범한 모래처럼 보일지도 모르지만, 그 위에 한 발짝 올라가게 되면 발의 압력으로 인해 모래가 오히려 액체처럼 움직이게 되어 바로 가라앉게 될 것이다. 지하 수원에서 나오는 압력은 모래 입자들 사이의 마찰을 감소시켜 낱알 모양의 입자를 분리시켜 부유하게 만든다. 유사 속에서 당신이 발버둥 치면 칠수록 더 깊이 빠지게 될 것이다. 하지만 당신이 가만히 있으면, 몸은 다시 떠오르게 될 것이다. 그러므로 당신이 혹시 유사에 빠지게 된다면, 침착함을 유지해야 한다는 것을 기억하고 몸이 가라앉는 것이 멈출 때까지 움직이지 말아라.

Workbook

PART 1

UNIT 01

A 1 appears, is appearing 2 is looking, look
3 tastes, is tasting 4 think, am thinking
5 see, is seeing 6 is having, has

B 1 The country possesses more than 10 nuclear bombs.
2 That child does not resemble any of his family members.
3 I can't find a better way to explain this theory more effectively.
4 They try to prevent adolescents from going off the right track.
5 I fully understand why you are trying to put things back on track.
6 The neighbors suspected the man of having damaged the cars in the town.
7 We are going to discuss school violence and come up with some solutions to the problem.

C 1 before you enter my room
2 since they resemble real ones
3 how many people attended the seminar
4 marry his girlfriend
5 easy to explain the history
6 is having a meeting, discuss the housing problem

D 1 accused him of taking bribes from the company
2 She will forgive him for forgetting their wedding anniversary.
3 reminded Jerry of why he had rejected the proposal
4 kept him from telling the truth about his bankruptcy
5 took the medicine to prevent cancer from spreading to the bone
6 decided not to spend much time making her own blog

UNIT 02

A 1 구, 명사 2 절, 부사 3 구, 부사 4 절, 부사
5 절, 명사 6 절, 형용사 7 절, 형용사 8 구, 형용사

B 1 if I don't complete the courses in one year
2 and they invented the dome
3 but she learned how to read later
4 which we bought in Germany
5 Although the accommodations at the hotel were not fantastic
6 which are made of symbols
7 who put forward ideas of how living things can change through time

C 1 he eats ice cream
2 to form about 500,000 words
3 had to protect themselves from the meat-eaters
4 her dream to become a doctor
5 but others excel at many things
6 The total cost to fix the toilet

D 1 earn a living by their noses
2 are normally served with jam at teatime
3 consumes 17 percent of your body's total energy
4 needs a hearing aid to communicate easily
5 is that he doesn't know what he wants
6 am afraid to tell my parents about the car accident last week

UNIT 03

A 1 alive 2 sick 3 vulnerable 4 fertile
5 fantastic 6 disappointed

B 1 write a thank-you letter to his parents
2 showed her report card to her parents
3 make cinnamon rolls for me
4 sent clothes and food to the tornado victims
5 offered this important position to the man
6 bought Christmas gifts for us
7 a school for local children

C 1 elected her chairman of the committee
2 can tell the Earth's age
3 made people laugh their heads off
4 will learn how to make your brain cells energetic
5 is one of the oldest German Christmas fairs
6 allow him to take a day off

D 1 Let me advise you to go to college

2 he has to do is learn sign language

3 breathe through a blowhole on the top of their heads

4 Leave your dirty shirt soaked in the warm water

5 showed her kids animated movies to keep them quiet

6 his son made such a stupid mistake

7 warned us not to be absent from family gatherings

PART 2

UNIT 04

Ⓐ **1** found **2** will give **3** will help **4** seems
5 felt **6** didn't cost **7** won't pass
8 doesn't drive **9** interact **10** had

Ⓑ **1** is, is, lived, had, is, was
2 are, stand up, is, call
3 will see, look, will see, pass
4 need, will adopt, look, require, advise, have

Ⓒ **1** doesn't seem interested in
2 confessed, he stole the necklace
3 I'll have a club sandwich
4 start school at the age of seven
5 our brain controls our body and mind
6 are supposed to make some cookies
7 lay eggs in the water, hatch into tadpoles

Ⓓ **1** If you don't eat, will be starving
2 explained her plan for the new building
3 make their nests out of various kinds of stuff
4 stretch out your arms, will help you keep your balance
5 can't concentrate on studying, is too loud
6 thought the tomatoes weren't ready to be picked

UNIT 05

Ⓐ **1** Is, watching **2** was raining **3** was looking at **4** am organizing **5** am, leaving **6** were arguing **7** is increasing **8** am thinking of **9** was having **10** is, coming up with

Ⓑ **1** will be performing, will be
2 seems, will be meeting
3 Do, have, will visit

4 Is, was crying, took, gave
5 are, cooking, smells, am making

Ⓒ **1** is preparing an important presentation
2 will be performing a play
3 was standing, the truck hit a pedestrian
4 will be having Mom's birthday party
5 will be staying at her friend's house
6 is slowly accelerating
7 he set off for adventure, the chilly wind was blowing

Ⓓ **1** I'll be attending my grandmother's birthday party
2 cut her finger while she was chopping the onions
3 She is having dinner with her boyfriend
4 he is not working at the moment
5 We'll be having brunch
6 took pictures of me while I was playing with toys

UNIT 06

Ⓐ **1** has been learning **2** has been drawing
3 has been **4** has played **5** had, signed up
6 have lost **7** has been practicing

Ⓑ **1** has been, since
2 has been drawing, since
3 have been waiting, for
4 has worked, since
5 had been running, for
6 have been speaking out, for
7 has been talking, for

Ⓒ **1** went under, had been working, for three years
2 has washed the car, is very clean now
3 hasn't spent, went to the fair
4 have been thinking about, since the car accident
5 have been monitoring the patients' responses
6 was notified of, had already been accepted

Ⓓ **1** had finished, by the time we got to the zoo
2 has been fixing the car for seven hours
3 everybody had been listening to my song
4 had been playing baseball for hours, it started to rain
5 She had already left the coffee shop,

explained the reason

UNIT 07

(A) 1 A long drought has been ruining the crops since last month.
2 When all brain activities cease, we call it brain death.
3 Don't bother your sister! She is studying for the finals now.
4 As soon as my parents came back home, all of my friends left.
5 She accused the doctor of medical negligence last month.
6 Last week, a group of students protested against the death penalty.
7 Scientists have discovered about 600 different kinds of dinosaurs so far.

(B) 1 have, been, has been, came, flies
2 sprained, think, is getting
3 am staying, find
4 am starving, haven't had, is
5 need, haven't seen, has been

(C) 1 has already had five muffins
2 announced their retirement
3 be traveling in every part, is attending
4 have discovered amazing relics
5 had been excavating the ground, for years
6 has welcomed immigrants, for years

(D) 1 is arranging the vegetables on the shelves
2 announced extinction of the animals in 1991
3 has slightly increased its membership fees
4 if there are ghosts living in the abandoned house
5 you have been working hard on your new novel
6 has released five albums so far

UNIT 08

(A) 1 be rented 2 asked 3 be surprised 4 be covered 5 were shown 6 interest 7 been brought up 8 being repaired

(B) 1 are allowed to take a day off each month (by them)
2 was made for me by my grandmother
3 will be given priority by the new sports center,

will be given to club members by the new sports center
4 have been offered tax benefits by the senator, have been offered to manufacturers by the senator
5 is expected that the country's economy will get better soon,
is expected to get better soon
6 was said that the company had gone out of business,
was said to have gone out of business

(C) 1 was hit by a falling tree
2 was written in 1723
3 been surrounded by a group of armed men
4 The National History Museum was built
5 was introduced to northern Europe, by the Romans
6 were born in Long Island City, raised by their grandparents

(D) 1 is said that, lived to be 109 years old
2 was interviewed by a Korean film magazine
3 were delighted by the news of my having been accepted at the college
4 are discussed in the next chapter
5 women are not allowed to get a proper education
6 are threatened by over-hunting and climate change

PART 3

UNIT 09

(A) 1 series 2 lice 3 hypotheses 4 geese
5 species 6 offspring 7 phenomenon

(B) 1 have been killed 2 is increasing 3 have warned 4 develops 5 were 6 is 7 shows
8 move

(C) 1 each child has to keep a diary
2 my favorite stockings, have, ankles
3 Some animals change, according to their surroundings
4 plenty of ways for students to volunteer
5 his favorite beverage contains a large amount of sugar
6 The number of foreigners living in the city has decreased

D 1 my sister doesn't put on any airs
2 put a great deal of effort into writing a graduation thesis
3 Daily bus schedules will be posted in every bus stop.
4 All her savings were used to invest in real estate.
5 Put the potatoes into a roasting pan, two tablespoons of oil
6 One of her family members sued the plastic surgeon

UNIT 10

A 1 a, × 2 the, × 3 the, a, the, × 4 the, a
5 the, the

B 1 with algebra 2 church 3 The most useful 4 the *New York Times* 5 by public transportation 6 play the harp 7 play rugby 8 the most famous 9 the fourth longest river 10 The baby leopards

C 1 the seashore, by boat
2 the painting, a Vincent van Gogh
3 go to the beach once a month
4 As a result, the jewelry was sold in Paris
5 The biggest part, our conscious actions and thoughts
6 The first bridge across the Mississippi River was built

D 1 spend three weeks cruising the Mediterranean
2 a good sport for people, need an outlet
3 the third time that the famous jazz pianist has visited Seoul
4 playing the piano, a lot more practice to play the violin
5 The magazine listed a wrong actor as an Oscar winner by mistake

UNIT 11

A 1 mine 2 yourself 3 hers 4 herself 5 herself
6 himself 7 their 8 themselves 9 myself

B 1 Its 2 your, they, you 3 It, our, they 4 Its, that 5 those 6 that 7 they 8 he, his, them 9 mine, hers

C 1 she could hardly control herself

2 the missing key is mine
3 It, to find a planet, that of the earth
4 to interrupt, someone else is speaking
5 found it convenient to clean his desk
6 Parents should discipline their children

D 1 heaven helps those who help themselves
2 take it for granted that we enjoy political freedom
3 normal to pass gas 10 to 20 times a day
4 can measure your heart rate by feeling your pulse
5 the average height of girls is greater than that of boys

UNIT 12

A 1 is 2 are[is] 3 has 4 have 5 need 6 has
7 want[wants] 8 fit[fits] 9 has

B 1 it 2 is 3 others 4 corner, was 5 student, has 6 have decided 7 the other 8 weren't 9 either 10 none of 11 Each

C 1 all of my clothes
2 Neither of my children
3 Some musical instruments, others
4 none of the workers
5 Some of his colleagues don't think
6 tell one from the other
7 Each of the lunch boxes contains

D 1 you give me another one
2 Every word of her speech touched the audience.
3 None of their employees has experience
4 Neither of them wants to spend a lot of money
5 Each of these newspapers has its own target readers.
6 Both of them deny revealing the confidential information.

PART 4

UNIT 13

A 1 to have escaped 2 to have been repainted
3 to be hired 4 to provide 5 to have enjoyed
6 to raise

B 1 to have injured his leg

2 to have lost a lot of weight
3 to have been posted on the board
4 to have argued with each other
5 to be very satisfied with his job

C **1** of **2** for **3** of **4** for **5** for **6** of **7** for
8 of

D **1** agreed to keep the regulations
2 advised me not to invest
3 seem to have been training hard
4 persuaded me to sign up for
5 has continuously managed to adjust her diet
6 waited for the Academy Award for Best Actress to be announced

E **1** want the appointment to be postponed
2 turned out to be useless
3 Both of them pretended not to know each other.
4 seems to have already finished the report
5 promised not to drop out of college
6 is planning to apply for the scholarship in university
7 expected her boyfriend to take her out to a nice dinner

UNIT 14

A **1** to get off **2** to skip **3** to cover with **4** to deliver **5** to protect **6** to visit **7** to put on
8 to deal with **9** to be **10** to leave

B **1** are not to be left **2** was to become **3** are to handle **4** are to be revealed **5** are to win
6 is to reopen

C **1** need friends to rely on
2 tried not to lose his temper
3 started to search for an eligible man
4 use baking soda to remove pesticide
5 made great efforts to keep in touch

D **1** has conclusive evidences to support this theory
2 so busy that he hadn't got a chance to review my proposal
3 help me choose what to eat
4 Use aromatic candles to create a romantic atmosphere
5 started to distinguish her toys from someone else's

UNIT 15

A **1** cooking the meal her own way
2 our speaking in English for a while
3 being abandoned by their owners
4 having made false statements to the police intentionally
5 having disposed of toxic waste illegally
6 having shared your ideas with us at the conference
7 having a different opinion on their children's education from his wife's

B **1** his[him] **2** not failing **3** requires **4** is
5 Drinking **6** advertising **7** being **8** buying
9 being **10** meeting

C **1** started sprouting this time
2 Overeating can increase the chance
3 considering joining a support group
4 Do you mind my[me] talking about
5 are concentrating on rehearsing a play
6 admitted having been there for three months
7 don't do anything, risk being left behind

D **1** should not put off writing a journal
2 seemed to avoid doing the project with us
3 had better quit complaining about everything
4 used to enjoy playing badminton with my dad
5 need to find a way of maximizing our cash flow
6 keep paying attention to how much caffeine you take in

UNIT 16

A **1** to brush **2** to buy **3** living **4** picking up
5 doing **6** locking **7** not to look at **8** fixing[to be fixed] **9** traveling **10** to allow **11** drinking

B **1** help **2** to understand **3** to play
4 walk[walking] **5** step off[stepping off]
6 to get **7** feel **8** going

C **1** began to devour pizza
2 delayed leaving for the airport
3 advises her staff to work hard
4 postponed going on a picnic
5 decided to quit drinking soft drinks
6 continue to have pain in your chest

D **1** managed to accomplish the assignment
2 persuaded me to go to college

3 love to eat bacon and eggs for breakfast

4 made her kids behave politely

5 regret to say, for you to put the idea

6 kept moving in, there was not enough room

7 do you prefer, drinking coffee with cream or without cream

UNIT 17

A **1** to ask **2** To make **3** to remain **4** playing
5 throwing up **6** drinking **7** dealing with
8 to apologize **9** To begin **10** preparing
11 crying, to make **12** say

B **1** hold **2** increasing **3** living **4** To make
5 apply **6** protecting **7** bringing **8** meeting

C **1** When it comes to eating habits
2 is getting used to living alone
3 To be honest with you, how to solve this problem
4 are looking forward to getting Christmas presents
5 To make matters worse, saw us having a big fight

D **1** It's no use blaming yourself.
2 was naive enough to believe in the tooth fairy
3 was opposed to announcing the top star's marriage
4 take some time for us to adjust to living in the country
5 the new book cafe doesn't have enough books to read
6 spent his whole life pursuing wealth and fame

PART 5

UNIT 18

A **1** may have fed **2** may I use
3 may not come, could have told
4 May I borrow, might have brought
5 might have left, Can I go back, May I ask

B **1** can't buy **2** may not think **3** might succeed
4 can be used **5** could have left **6** might have seen **7** could have met **8** might have cried

C **1** I might visit my aunt
2 the candidate can win the election

3 could have given me a chance
4 so sad, I couldn't help crying
5 can have as many as you want
6 We can't go on a trip

D **1** Can you tell me what time it is now?
2 You may drop by my flower shop
3 could not reach a conclusion on the issue
4 He might have made a better presentation
5 cannot but admire him for keeping his promise
6 many people can use our newly opened community center

UNIT 19

A **1** should have called
2 must have eaten
3 should not have washed
4 must not have been
5 had better check
6 don't have to apologize
7 must not take
8 had better not touch

B **1** 고용해야 했다 **2** 언급하지 않는 게 좋을 거야
3 보냈음이 틀림없다 **4** 연락되지 않았어야 했다
5 준비를 했어야 했다 **6** 설계되어야 한다

C **1** must be joking
2 had better not drink coffee
3 must have had a really difficult life
4 should have measured all the ingredients
5 ought to stay away from patients
6 have to check out
7 doesn't have to deal with all the financial problems

D **1** should not invade others' privacy
2 should not have made offensive remarks
3 had better not participate in physical activities
4 should have offered me overseas training
5 should drink about eight glasses of water a day
6 we ought to volunteer at welfare facilities

UNIT 20

A **1** make **2** getting up **3** eating **4** show
5 cut **6** believe

B **1** won't **2** is used to **3** would **4** would like to **5** used to

C **1** 독서하는 것에 익숙하지 않다
2 추천하고 싶습니다 **3** 놀곤 했다 **4** 있었지만

D **1** would like to check out
2 Would you, give me your opinion
3 will be a regular dental check-up
4 would rather not be provided
5 used to fight like cats and dogs
6 am not used to talking

E **1** would like to work in public service
2 would rather get a job than start my own business
3 is used to remove the dead cells from your skin
4 would taste different kinds of food at the mart
5 People will forgive him soon
6 he is used to sharing the room with them

UNIT 21

A **1** grab **2** helping **3** have helped **4** gave
5 have studied **6** be **7** like **8** have fallen
9 be **10** take, be

B **1** working **2** asked **3** delay **4** force

C **1** must solve **2** must have gone **3** must have been **4** must have felt

D **1** you mind taking a picture
2 must have been overjoyed
3 shall we go on to
4 Could I go to the amusement park
5 Let's wait, the rest of them turn up safe
6 Will you pick me up on the way home

E **1** Can I talk to the person in charge of
2 Would you mind helping me prepare for
3 Let's not rush to make a decision.
4 Why don't you sign up for the fitness center
5 Could you tell me about your previous experience?
6 might have missed a lot of classes due to her mother's illness
7 Would you mind if I borrowed your art supplies

PART 6

UNIT 22

A **1** early **2** highly **3** rare **4** late

B **1** ① interesting ② interested
2 ① boring ② bored
3 ① depressing ② depressed

C **1** ① hard ② hardly **2** ① lately ② late
3 ① nearly ② near **4** ① highly ② high

D **1** responses, were very disappointing
2 performing, was inspired
3 laughing woman, checked shirt
4 She rarely[hardly] plays the flute
5 The result, were shocking
6 It is really surprising
7 satisfied in their jobs

E **1** Let's throw away the worn-out sofa
2 our selling prices include tax
3 were distributed to the concerned department
4 really sick and tired of listening to this album
5 It was shocking that over thousands of people
6 for children at the museum are highly recommended
7 our hands-on activities which are both exciting and informative

UNIT 23

A **1** a nice new leather jacket **2** became weak
3 틀린 부분 없음 **4** large new wooden **5** tasted weird **6** something strange **7** a long black silk dress **8** unrealistic **9** interesting old
10 anywhere nicer

B **1** awake, final **2** alive, live **3** afraid, frustrated
4 delicious, best **5** last, busy **6** steep, difficult

C **1** delicious enormous meatballs
2 several American romantic comedies
3 gold leather driving gloves
4 nice long vacation
5 big square silver metal
6 lovely sunny day
7 gorgeous green woolen mittens

D **1** A big green monster is one of

2 knitted that purple woolen sweater

3 Mashed potatoes taste better, some fresh cream

4 something delicious, feel like eating it

5 we give and take chocolate with someone special

6 which is a beautiful traditional Korean song

7 fantastic sweet and sour sauce, goes well with fried pork

UNIT 24

Ⓐ **1** ① bad ② badly
2 ① fluently ② fluent
3 ① continuous ② continuously
4 ① suddenly ② sudden
5 ① careful ② carefully

Ⓑ **1** still quite modest
2 such a lovely day
3 so many familiar faces
4 relatively easy to use

Ⓒ **1** already **2** enough **3** yet **4** totally

Ⓓ **1** is smart enough to find
2 He was quite a naughty boy
3 was so tired that she couldn't
4 has already finished all the necessary paperwork
5 such an enormous effort to learn
6 They used to travel across Europe by train

Ⓔ **1** have never seen such a tall building before
2 are still negotiating with their company
3 was he unnecessarily nice to me at the party
4 wants me to speak freely in front of the audience
5 is not enough time to enjoy this fabulous island
6 changed the design slightly, haven't changed the price yet

UNIT 25

Ⓐ **1** quickest **2** strong **3** negative **4** sooner
5 more hilarious **6** most comfortable

Ⓑ **1** sweeter than any other thing
Nothing, as sweet as
Nothing, sweeter than
2 more flexible than any other sea creature

no, more flexible than
no, as flexible as

3 more beautiful than any other place
no, more beautiful than
no, as beautiful as

Ⓒ **1** the shorter of the two girls
2 much warmer today than yesterday.
3 much brighter than that of the ceiling
4 she is 12 years senior to him
5 the most expensive coffee shop in my neighborhood
6 Nothing is more important than
7 later than I expected
8 the more calories you burn

Ⓓ **1** feels inferior to his brother
2 is much greater than that of Korea
3 Walking is one of the safest exercises
4 a lot more inconvenient
5 Noting is as urgent as protecting the tropical rain forest

UNIT 26

Ⓐ **1** in regard to **2** in case of **3** regardless of
4 by means of **5** Contrary to **6** for the sake of **7** In spite of

Ⓑ **1** 1) by 2) until
2 1) for 2) during 3) since
3 1) Like 2) concerning

Ⓒ **1** prior to grilling it
2 instead of complaining about it
3 during the Korean War
4 According to his film review
5 In addition to his monthly pay
6 have to return it within two weeks
7 to get movie tickets in front of the box office

Ⓓ **1** recovered after a few days of treatment
2 she would call back in an hour
3 maintain your body fat within normal levels
4 were supposed to finish their thesis by next month
5 has been almost 20 years since my parents got married
6 is the maximum penalty for stealing a painting from a museum

PART 7

A 1 need 2 am 3 has to 4 don't fit 5 want
6 do 7 are 8 ate 9 talking 10 are

B 1 for they made too much noise
2 nor what anyone would have wanted
3 yet actually it's a little challenging
4 so she couldn't even remember her best
friend's name
5 on the contrary
6 otherwise
7 as a result
8 for instance

C 1 doesn't like, nor do I
2 Both he and his brother will benefit
3 Neither you nor she needs
4 Either you or Cindy has to be elected
5 was criticized for he didn't keep his election
promises
6 not only to smokers, but also to non-smokers

D 1 had better hurry up, or you'll be late for
2 otherwise you will regret it
3 yet only a few students received it
4 is running out of oil, so we need to save
energy
5 asked her to marry him, however she turned
him down
6 offers you relaxing retreat and convenient
amenities

A 1 what time the show begins 2 틀린 것 없음
3 whether[if] 4 what she can do 5 Whether
6 are 7 틀린 것 없음 8 틀린 것 없음

B 1 I wonder who is in charge of the parking lot.
2 Do you know how long she stayed at the
hotel?
3 I'd like to know where the nearest children's
hospital is.
4 Could you tell me why she left the company?
5 Can you guess where my sister will get
married?
6 Please tell me what qualifications I need for
the job.

7 Let me know which one of the two is the
more practical.
8 He can't remember where he put his driver's
license.

C 1 It, that the world is becoming
2 that he was wearing a pullover
3 if[whether] he still wants to hire
4 The rumor that, turned out
5 It, that their relationship will come to an end
6 It, if[whether] we will sell, or not

D 1 was shocking that his business failed
2 I'm wondering who will be elected
3 have any idea how much this vase will cost
4 Can you tell me when I can get
5 Can you tell me why you have been absent
from work
6 want to know how long you will be staying
7 tell the director which role you would like to
take

A 1 while 2 as soon as 3 because of 4 as
5 since 6 Despite

B 1 1) even if 2) If
2 1) in case 2) if
3 1) in spite of 2) although
4 1) unless 2) if
5 1) such 2) so
6 1) while 2) during

C 1 while others don't
2 because he lacks leadership
3 Even though my niece is three years old
4 so that I can make a sweater
5 because of the economic recession
6 As long as you return the books in time

D 1 in order that you can prevent a cold
2 Despite all our efforts to save the factory
3 is picky about food, whereas my daughter
eats anything
4 As Alice had a fear of heights, go to the top
of the Eiffel Tower
5 Even if they don't approve of my plan, put it
into practice
6 have to delay our appointment for one hour
owing to unexpected business

UNIT 30

Ⓐ 1 dyed 2 playing 3 gliding 4 stolen
5 surprising 6 astonishing 7 boring, bored

Ⓑ 1 Losing my bicycle, I had to take a bus to work.
2 Having taken my advice, he became famous as a novelist.
3 Finishing the meeting early today, I'll have time to grab a quick bite.
4 Having transferred to this school, she made many new friends.
5 (Being) Qualified as a teacher, he still wasn't employed at a school.
6 Being the eldest of all the siblings, she has to take care of her brothers.
7 Seeing a bear in front of him, he quietly turned back to avoid it.
8 Dinner not being included, we paid a lot for dinner at the hotel.

Ⓒ 1 Not having much time
2 Although having graduated from law school
3 Having left his wedding ring
4 Not having reviewed yesterday's lesson
5 Having passed the bar exam
6 Turning to the right on that corner

Ⓓ 1 It being too early, there was
2 Opening a restaurant, he has had
3 Going to bed, my son always wants
4 Having left his wallet at home, he couldn't buy
5 painted by the famous artist doesn't look like me
6 My friend sharing the dormitory room with me always gets up

PART 8

UNIT 31

Ⓐ 1 a song which[that] will make you happy
2 the summer house whose roof is made of glass
3 the striped shirt which[that] I bought last weekend
4 a man who[that] turned out to be a famous actor

5 Someone who[that] has a green thumb
6 the businessmen who(m)[that] I will invite to the opening ceremony
7 the name of the actress who[that] starred in the film *Wedding Singer* as a waitress

Ⓑ 1 Jake is the man responsible for the accident.
2 Last week, I bumped into a friend I hadn't seen for ages.
3 The job applicants I invited for interviews are college graduates.
4 He didn't want to share the room with someone inconsiderate of others.
5 Tomorrow we're going to visit the dinosaur museum we've never been to before.

Ⓒ 1 is a computer illiterate, which makes
2 whose mother tongue is not Korean
3 a device designed to protect drivers
4 showed her daughter the pictures which[that] she took
5 The number of middle school students who[that] want, is increasing
6 offered me a part-time job, which I never expected

Ⓓ 1 you fix my car, which broke down
2 ran into a woman with whom I had gone
3 are something that you always need to keep in mind
4 The woman who showed me the way to the subway was
5 wants to take care of her grandpa who is recovering from the surgery

UNIT 32

Ⓐ 1 that 2 that 3 what 4 what 5 what
6 What 7 that 8 that

Ⓑ 1 All his property (that) he had saved during his life was put up for
2 The animals that used to live in the wild have a hard time
3 the very sweater (that) she has been looking for at the shopping mall
4 The female model (that) I like best has been ranked
5 a thief that stole some golden jewels from the jewelry store

6 The music (that) you're listening to at this moment is

7 Ms. Johnson lectured on a topic (that) I know

8 Dr. Alexander is an astronomer that is well known for his study of black holes.

C
1 the article that provides
2 what our customers really want
3 found her notebook that she lost
4 copy what the actress wears and eats
5 finished the novel that you bought me
6 the most delicious food that I've ever eaten
7 What I really want to do is

D
1 reserved a single room that had an ocean view
2 This is the last story that we're going to share
3 you know what Alexia really wants to get
4 asked the professor about what you wanted to know
5 The number of children that are suffering from obesity is increasing

UNIT 33

A
1 whatever **2** whomever **3** However
4 Whenever **5** wherever

B
1 the time when shrimps and crabs taste the most delicious
2 the reason why Jasmine left town without telling anyone
3 how the Pope wanted us to celebrate the birth of Jesus Christ
4 a beautiful island where Paul Gauguin, the painter, got artistic inspiration
5 the reason why the government subsidy has been reduced
6 you recommend a restaurant where I can have a party for my son's first birthday
7 why the famous couple broke up is not known yet
8 have to remember the day when your lease expires

C
1 support me whatever I choose
2 how he dealt with the conflict
3 However hard you try
4 the reason why his colleague betrayed
5 Whoever wants to eat Korean food

6 the place where she put her car key

D
1 caught people's eyes wherever she went
2 the year when Korea gained independence from Japan
3 whatever his students do during the class
4 how the company still maintains its reputation
5 gets worried whenever his daughter is not at home until late at night
6 The tourist spot where we spent our honeymoon is getting more popular

PART 9

UNIT 34

A
1 were not, could travel
2 hadn't missed, could attend
3 hadn't practiced, wouldn't have passed
4 had followed, wouldn't have been expelled

B
1 could afford that fabulous car
2 had treated them with respect
3 had offered me better service
4 were ready to be a good father

C
1 were a close friend of mine
2 were sensitive to others' feelings
3 hadn't spread rumors about the company's bankruptcy
4 had been to France or many other European countries

D
1 It's time, left
2 suggest, should familiarize yourself
3 If I were him, would accept
4 I wish my father spent
5 If they hadn't saved, couldn't have
6 as if[though] she hadn't made any mistakes
7 If she hadn't had, couldn't have paid

E
1 had been alive, he would have come
2 hadn't broken up, would have got married
3 But for the terrible weather, we would have gone
4 acted as if he hadn't eaten my birthday cake
5 Without pop quizzes, wouldn't study hard
6 urgent that the government increase the education budget

A 1 is 2 is 3 has proven 4 was 5 have to
6 is 7 are 8 suggest 9 want, is 10 have, is

B 1 was 2 get, get 3 is 4 were

C 1 likes 2 live 3 have 4 need 5 match
6 get 7 try

D 1 which I bought yesterday were
2 French take great pride
3 is no shopping center, which makes
4 is an important part
5 who want to go to college has declined
6 The coach as well as our team members is
ready for

E 1 Either my sister or I have to sleep
2 A lot of important information is stored in
3 are a number of features in the indoor theme
park
4 is not long enough to tie up the present
5 To share personal information in any case is
6 Not only you but also she is fully qualified

A 1 Only once did I go to the ballet.
2 Rarely has the pop star been seen in public
these days.
3 No sooner had he left the firm than we got a
new boss.
4 do have the right to protect our children from
cyber-bullying
5 did ignore her doctor's advice on the dietary
treatment
6 Not only does the butter cream cake look
good, but it is also delicious.
7 Only with the assistance of her hearing aid
can my grandmother hear well.

B 1 It is every four years that the Asian Games
take place.
2 It is what consumers want that ad agencies
need to know.
3 It was to congratulate him on his graduation
that I called Mr. Kang.
4 It was wood and rocks that the ceiling of the
building was made of.
5 It was our staff that was trying to improve the

service in the best way possible.
6 It was at the airport that Mark stayed for ten
hours because of terrible weather.

C 1 did leave the hospital
2 is the outdoor swimming pool closed
3 did I see
4 It, at the park that[where] my child played
around
5 did I realize, he helped me start
6 It, this Friday that[when] he is supposed to
throw a surprise party

D 1 No way will they arrive at the airport
2 Under no condition will I give up
3 Only later did I manage to gain
4 does have a talent for taking pictures of
landscapes
5 in April when my sister will get married to her
boyfriend
6 Had it not been for my classmates, couldn't
have adjusted to

이것이 진화하는 New This Is Grammar다!

· 판에 박힌 형식적인 표현보다 **원어민이 실제 일상 생활에서 바로 쓰는** 생활 영문법
· 문어체뿐만 아니라 **구어체 문법을 강조한 회화, 독해, 영작을 위한** 실용 영문법
· 현지에서 더는 사용하지 않는 낡은 영문법 대신 **시대의 흐름에 맞춘** 현대 영문법

이 책의 특징

★ 실생활에서 쓰는 문장과 대화, 지문으로 구성된 예문 수록
★ 핵심 문법 포인트를 보기 쉽게 도식화 · 도표화하여 구성
★ 다양하고 유용한 연습문제 및 리뷰, 리뷰 플러스 문제 수록
★ 중 · 고등 내신에 꼭 등장하는 어법 포인트의 철저한 분석 및 총정리
★ 회화 · 독해 · 영작 실력 향상의 토대인 문법 지식의 체계적 설명

This Is Grammar (최신개정판) 시리즈

초급 1, 2
기초 문법 강화 + 내신 대비
예비 중학생과 초급자를 위해 영어의 기본적 구조인 형태, 의미, 용법 등을 소개하고, 다양한 연습문제를 제공하고 있다. Key Point에 문법의 핵심 사항을 한눈에 보기 쉽게 도식화·도표화하여 정리하였다.

중급 1, 2
문법 요(Key Point) + 체계적 설명
중·고등 내신에 꼭 등장하는 문법 포인트를 철저히 분석하여 이해 및 암기가 쉽도록 예문과 함께 문법을 요약해 놓았다. 중급자들이 체계적으로 영문법을 학습할 수 있도록 충분한 콘텐츠를 제공하고 있다.

고급 1, 2
핵심 문법 설명 + 각종 수험 대비
중·고급 영어 학습자들을 대상으로 내신, 토익, 토플, 텝스 등 각종 시험을 완벽 대비할 수 있도록 중요 문법 포인트를 분석, 정리하였다. 다양하고 진정성 있는 지문들을 통해 풍부한 배경지식을 함께 쌓을 수 있다.

www.nexusEDU.kr
넥서스 초·중·고등 사이트

www.nexusbook.com
넥서스 홈페이지

책에 대해 궁금한 사항은 넥서스에듀 홈페이지 1:1 고객상담 게시판을 이용하세요.

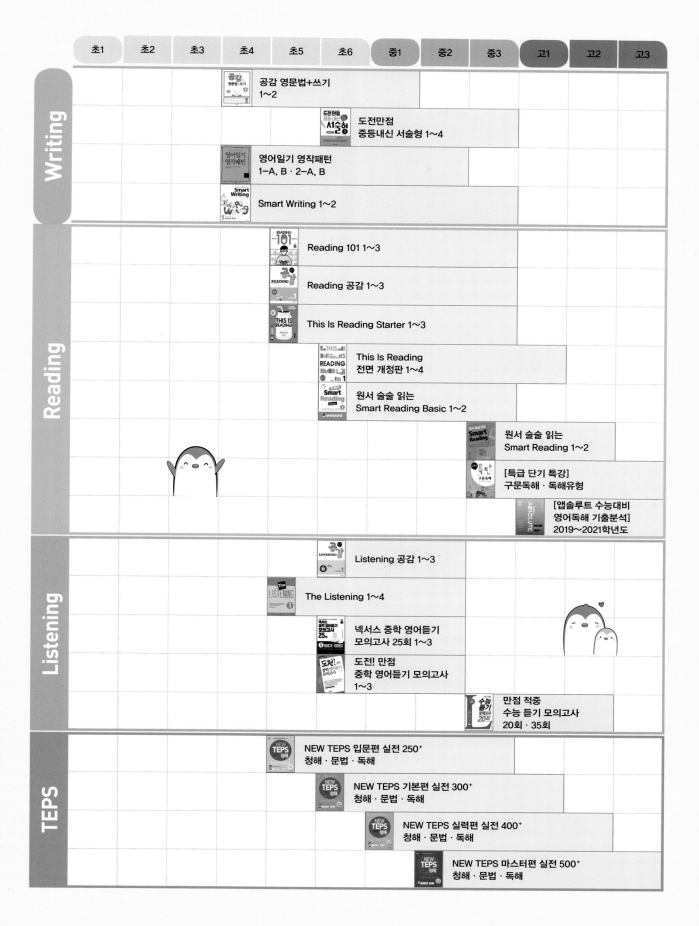

	초1	초2	초3	초4	초5	초6	중1	중2	중3	고1	고2	고3

Writing

공감 영문법+쓰기 1~2

도전만점 중등내신 서술형 1~4

영어일기 영작패턴 1-A, B · 2-A, B

Smart Writing 1~2

Reading

Reading 101 1~3

Reading 공감 1~3

This Is Reading Starter 1~3

This Is Reading 전면 개정판 1~4

원서 술술 읽는 Smart Reading Basic 1~2

원서 술술 읽는 Smart Reading 1~2

[특급 단기 특강] 구문독해 · 독해유형

[앱솔루트 수능대비 영어독해 기출분석] 2019~2021학년도

Listening

Listening 공감 1~3

The Listening 1~4

넥서스 중학 영어듣기 모의고사 25회 1~3

도전! 만점 중학 영어듣기 모의고사 1~3

만점 적중 수능 듣기 모의고사 20회 · 35회

TEPS

NEW TEPS 입문편 실전 250⁺ 청해 · 문법 · 독해

NEW TEPS 기본편 실전 300⁺ 청해 · 문법 · 독해

NEW TEPS 실력편 실전 400⁺ 청해 · 문법 · 독해

NEW TEPS 마스터편 실전 500⁺ 청해 · 문법 · 독해